Writer and Criticism

작가와 비평

VOI

12

201C 하반기

작가와 비평 2010년 하반기
통권 제12호

특집 》 프리터와 한국사회

통권 제12호(2010년 하반기)

발행일 2010년 12월 30일

편집주간 최강민 **편집동인** 고봉준 이경수 정은경 김정남 이선우

전자우편 writercritic@chol.com **홈페이지** http://user.chollian.net/~writercritic

발행처 작가와비평 **발행인** 양정섭 **전자우편** wekorea@paran.com

주소 경기도 광명시 소하동 1272번지 우림필유 101-212

공급처 (주)글로벌콘텐츠출판그룹 **주소** 서울특별시 강동구 길동 349-6 정일빌딩 401호

전화 02-488-3280 **팩스** 02-488-3281 **홈페이지** http://www.gcbook.co.kr

값 12,000원 **ISSN** 2005-3754 12

좌담 >> 비평의 현재와 새로운 미래

쟁점 비평

다문화주의

: 인문학을 통한 다문화주의의 비판적 해석

Andrea Semprini 지음 | 이산호·김휘택 옮김

발행일 2010.03.31 | 10,000원 | 4×6판 양장 | 224쪽

다문화 시대에 알맞은

새로운 인문학 정신과

그 이론적 요구를 눈여겨 볼

필요가 있다.

다문화주의 시대를 맞이하는 것은 근대성에 차이와 차별의 문제를 제기하고,

각 국가의 개별적 특성을 뛰어넘는 현대문명에 대한 놀랄 만한 도전을 시작하는 것이다.

문화콘텐츠기술연구원 다문화콘텐츠연구사업단

퍼낸곳 도서출판 경진 | 등록 제2010-000004호 | 주소 경기도 광명시 소하동 1272번지 우림필유 101-212
블로그 http://kyungjinmunhwa.tistory.com | 이메일 wekorea@paran.com
공급처 (주)글로벌콘텐츠출판그룹 | 주소 서울특별시 강동구 길동 349-6 정일빌딩 401호 | 전화 02-488-3280 | 팩스 02-488-3281

뜨거운 열정을 위하여

정전 상태의 한반도는 현재 전쟁 중이다. 그간 국민의 정부와 참여정부를 거치면서 다져진 교류와 협력의 성과는 하루아침에 포연속으로 사라졌다. 권력 세습으로 국가적 결속을 다져야 하는 북측의 내부 상황과 천안함 사태를 북한의 도발 행위로 규정한 남측의 대응전략이 맞부딪친 자리가 바로 서해의 화약고, 연평도라고 할 수 있다.

이번 사태에 대한 우리 사회의 해석도 극단적으로 양분되는 양상을 보인다. 연평도 사태에 있어 초기 대응에 미흡했던 우리 군의 안이함을 지적하는 동시에, 앞으로 강력한 대응과 단호한 보복이 뒤따라야 한다고 강조하는가 하면, 이명박 정권 내내 일관되게 진행되어 왔던 대북 적대정책을 문제시하면서 정권 이양기에 있는 북한을 자극할 수 있는 호국훈련을 왜 NLL지역에서 해야만 했는가 하는 점을 비판하기도 했다. 정치·사회적 이슈가 있을 때마다, 해묵은 이념 갈등을 반복하는 우리 사회의 현실에 넌더리가 나기도 한다.

연평도 소식을 접하고 진노(?)했다는 오바마 미합중국 대통령이 항공모함 조지 워싱턴 호를 서해에 급파하고, 서둘러 한미연합군 사훈련을 진행했다. 이처럼 또 다른 충돌을 야기할 수 있는 무력 시위는, 작금의 한반도 긴장 상태를 푸는 해법이 될 수 없다. 보복을 이야기하고 전쟁을 부추기는 모든 발언과 군사적 행동들에 선동 당해서는 안 된다. 집권세력이든 미국이든 보수언론이든, 전쟁을 책동하는 모든 자들이야말로 진정한 '악의 축'이다. 한반도에서 전쟁이 일어난다면, 전국토가 연평도처럼 될 것이라는 사실은 너무도 명약관화하다. 어디 한 번 붙어보자는 식의 감정이야말로 사태를 악화시킬 뿐이라는 것을 명심해야 한다. 우리가 원하는 것은 전쟁과 보복이 아니라 반전과 평화이다. 평화는 구걸해서는 안 되겠지만, 전쟁이 평화를 보장하지는 않는다.

연평도 주민에 대한 보상과 재발방지 대책을 세워야만 한다. G20 의장국으로서 국격이 올라갔다고 선전하면서도, 연평도 주민들을 낮인지도 밤인지도 모를 찜질방에 집단수용한 것은 과연 국격을 올리는 일인가 생각해 보기 바란다. 현재 우리나라의 위기 대처 능력과 그 수습 과정을 보면, 후진적이라 말하지 않을 수 없다. 200여 발의 포격을 당하고도 고작 K9 자주포로 80여 발의 포탄을 엉뚱한 곳에 쏘아댄 자들이 국방력 증강을 이야기하는 것도 한심한데, 아늑한 회의실에 모인 군면제자들이 군복무기간을 늘려야 한다고 말하고 있다. 병력이 모자라서 이번 연평도 교전에서 대패했다는 얘긴가. 군 기강을 바로 잡고, 군을 정예화·과학화해야 하는 것이 선결적인 문제임에도 불구하고, 고작 사병 숫자나 늘리겠다는 생각이 말이 되는가. 우리나라의 위정자라는 사람들이, 국민의 안위를 지키는 자들의 생각이, 고작 이 수준이다.

이러한 어지러운 세상의 문제에 다가가고, 뜨거운 언어의 와동 속에서 새로운 돌파구를 모색하는 것이 문학하는 자들에게 부과된 시대적 소명이다. 속물과 동물이 되기를 강요하는 시대에 맞서, 우리 시대의 허위와 상처의 근원을 탐구하는 행위야말로 우리의 책무다. 문학하는 자는 어디를 응시해야 하는가. 존재의 밑바닥이다. 우리 비평전문지 『작가와비평』은 창간 이래, 대중적인 소통을 지향하는 비평행위를 추구해 왔다. 아카데미라는 좁은 울타리에서 벗어나 시대와 현실에 대해 과감하게 발언하고자 했던 것이다. 대학의 연구실에서 작성되는 논문의 독자가 과연 몇 명이나 되며, 그것이 이 사회에 기여하는 게 얼마나 되겠는가. 자기 밥그릇이나 지키는 보신 행위 그 이상도 이하도 아니다. 비평은 이러한 모습으로부터 자유롭다. 비평은 무엇이든 물고 꼬집고 씹을 수 있는 장르다. 이러한 잡스러움이야말로 문학의 생명이며, 비평의 유연함도 여기서 나온다.

이번 『작가와비평』 12호에서는 특집 좌담을 마련했다. 본인(김정남)의 사회로 문학평론가 백지은, 전성욱, 임태훈, 이선우 씨과 함께 진행된 좌담에서는 우선 그간 평단의 핵심 화두로 떠오른 '비평과 윤리'의 문제를 재검토하는 것을 시작으로 '트랜스 크리틱', '문학의 소통방식과 문학제도', '비평의 전문성과 대중성', '문단 시스템과 비평의 역할'을 주요 의제로 허심탄회한 의견을 주고받았다. 현장 비평을 활발하게 전개하고 있는 젊은 비평가들의 고민과 비평적 열정을 생생하게 들을 수 있는 기회다.

또 하나의 특집 코너는 프리터freeter다. 신자유주의의 가속화와 함께 찾아온 노동시장의 유연화는 결국 노동자의 자발적/비자발적 고용의 불안정성을 낳았다. 이러한 문제는 비정규직으로 상징되는 불합리한 노동조건을 의미하기도 하지만, 전통적인 자본·노동의 관계로 해석할 수 없는 우리 시대의 다변화된 노동환경을 의미하기도 한다. 근무연한도, 조합도, 보험도 없는 이들이 스스로를

'고용난민'으로 생각하고 있든, '유목적 존재'로 여기고 있든 간에 이들에 대한 고민을 새롭게 시작해야만 한다. 과연 이들이 누구와 싸워야 하며, 또 어떻게 싸워야하는지 말이다. 또 이들이 누리는 자유가 진정한 자유인지에 대해서 말이다.

조정환은 노동환경의 재구성의 맥락에서 프리터의 위상을 점검하고, 프리터와 자본의 싸움이 '자신이 욕망하는 자유로운 노동의 삶을 집단적으로 달성하기 위한 운동으로 전화되어야 한다'고 주장한다. 전상진은 '보호받지 못하는 노동자들과 실업자'를 의미하는 '프레카리아'의 '비참한' 이슈를 제기하면서, 이것이 공동체적 문제로 전화되지 못하는 사회적 상황을 고민하고 있다. 양돌규는 신자유주의에 맞서는 프랑스의 학생운동과 빈곤에 맞서는 일본의 프레카리아트 운동과 우리나라의 '청년 유니온' 결성의 의미를 검토하면서, 청년 불안정노동자의 현실을 타개할, 기존의 노동운동의 틀을 넘어설 수 있는 대안에 대하여 고민한다. 정은경은 최근 한국 소설에 나타난 '프리터'의 형상들을 살펴보면서, "자율적으로 삶과 노동을 기획, 설계하여 '다른 미래의 삶'의 단초를 열어가는 능동적인 프리터"에 주목하였다. 마지막으로 장성규는 김사과, 윤고은의 작품을 분석하면서, 이같이 비루한 현실과 '맞짱'을 '잘' 뜨는, 이른바 '미적 전율을 생성'하는 미학적 고민이 중요하다고 역설한다. 이러한 문제와 머리를 싸매고 싸워준 조정환, 전상진, 양돌규, 정은경, 장성규의 글을 통해, 이 시대의 새로운 노동환경의 패러다임과 이에 대한 문학적 응전을 함께 고민하시기 바란다.

이번 호 '쟁점 비평'에서 손종업은 신경숙 문학의 새로움이 '실은 늦음에서 연유하는 시대착오적 감각'에서 연유하는 것인지 모른다는 의혹을 제기하면서 신경숙 문학의 한계를 비판한다. 최강민은 용산참사로 상징되는 악순환적 도시 재개발을 비판하면서, 최근 이를 주제화시킨 소설들을 통해 우리 시대 소수자의 절박한 현실을 구체적으로 논의하고 있다. 오현철은 김용철의 『삼성을 생각한다』를 논하면서 범죄성 삼성과 이를 은폐하고 비호하는 국가권력의 비도덕성에 대하여 상세하게 짚어주었다. 김용철의 『삼성을 생각한다』가 널리 읽히고 있음에도 불구하고 제대로 된 서평 하나 없는 것이 현실이다. 오현철은 삼성공화국으로 상징되는 침묵의 금기에 도전하는 글을 통해 진보의 목소리가 여전히 살아있음을 보여준다. 마지막으로 조영일은 『百의 그림자』의 저자 황정은과 이 작품에 대해 해설을 단 평론가 신형철, 이 둘의 만남을 통해 비평의 윤리를 점검하고 있다. 일종의 메타비평이라 할 수 있는 이 글을 통해서 신 씨가 보여준 것이 '몰락의 에티카'인지 '에티카의 몰락'인지 확인해 보시기 바란다. 공교롭게도 제43회 한국일보문학상을 수상한 황정은의 『百의 그림자』와 신형철의 주례사비평을 비판하는 것은 최강민의 글에서도 보이고 있다.

문학은 안락한 서재에서 찾아지는 것이 아니다. 비루한 현실과 함께 뒹굴지 못하는 글은 모두 가짜다. 내가 비천하고 부당한 현실 속에서 살고 있기 때문에 이런 얘기를 하는 데 나는 조금도 쪽팔리지 않다. 오히려 부끄러워해야 할 자들은, 고민하는 척하는 포즈로 자신과 독자들을 기만하는 자들이겠다. 경제학자들은 어디서 무엇을 하고 있기에, (실제로 그들은 전세계적으로 하루에도 수백 편의 논문을 생산하고 있지 않겠는가.) 세계적인 경제 위기에 대해서 구체적인 해법을 내놓지 못하고 있는가. 산술적인 데이터로 현상만을 읽어내는 안이함으로는, 이 세계를 파국과 질곡으로부터 건져내지 못한다. 중요한 것은 머리가 아니라 가슴이다. 함께 뒹굴고 아파할 수 있는 뜨거운 열정이다. 이번 호를 통해 우리 비평의 열렬한 현장을 맛보기시기 바란다.

끝으로 김미정 씨가 개인적 사정으로 편집동인에서 나가게 되었다. 그 분의 건필을 빌며, 현 편집동인들은 보다 새로운 결의를 다지고자 한다. 우리는 뜻을 함께 할 수 있는 편집동인을 추가로 영입하여 내부적인 역량을 강화해 나갈 것이다. 시대와 현실에 과감하게 발언하는 『작가와비평』의 내일에, 따가운 질책과 애정 어린 시선 부탁드린다.

2010년 초겨울
편집동인을 대표해서 김정남이 쓰다
『작가와비평』 편집동인 최강민·이경수·고봉준·정은경·이선우·김정남

追記 : 편집동인 이경수 선생님께서 투병 중에 계시다. 선생님의 빈자리가 크다. 부디 용기 잃지 마시길 바라는 마음 간절하다. 속히 쾌유하시길 빌고 또 빈다.

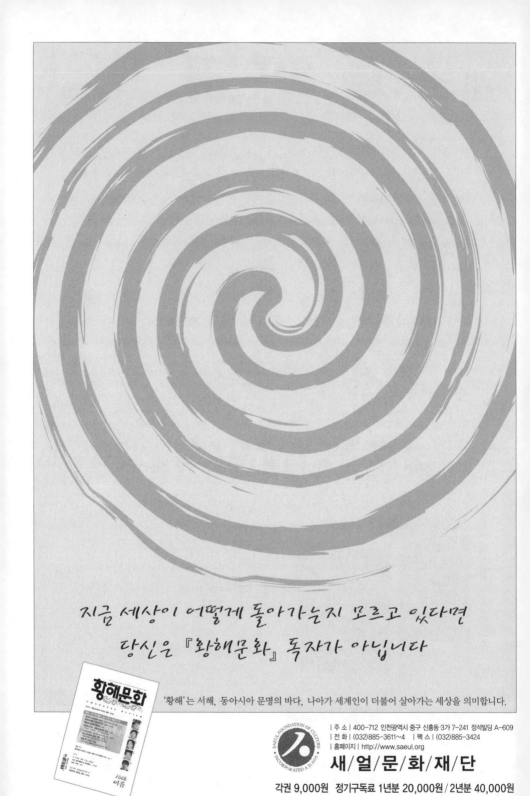

지금 세상이 어떻게 돌아가는지 모르고 있다면

당신은 『황해문화』 독자가 아닙니다

'황해'는 서해, 동아시아 문명의 바다, 나아가 세계인이 더불어 살아가는 세상을 의미합니다.

| 주 소 | 400-712 인천광역시 중구 신흥동·3가 7-241 정석빌딩 A-609
| 전 화 | (032)885-3611~4 | 팩 스 | (032)885-3424
| 홈페이지 | http://www.saeul.org

새/얼/문/화/재/단

각권 9,000원 정기구독료 1년분 20,000원 / 2년분 40,000원

비평의 현재와 새로운 미래

참석자 : 백지은(문학평론가, jienbaik@hotmail.com)

전성욱(문학평론가, jsw3406@hanmail.net)

임태훈(문학평론가, junorex@naver.com)

이선우(문학평론가, damdam328@naver.com)

사회/정리 : 김정남(문학평론가, 소설가, phdjn@hanmail.net)

장 소 : 대학로 세미나 전용카페 토즈

일 시 : 2010년 10월 9일

문학과 윤리

김정남(사회) : 이른바 '종언 선언' 이후, 비평은 문학의 새로운 자리

를 계속적으로 고민해 왔습니다. 그것은 포괄적으로는 문학의 좌표설정의 문제로 볼 수 있는데, 이는 '문학과 윤리', '문학과 정치'에 대한 논의로 구체화되었습니다. 그간의 논란을 정리하면서, 이 시대의 문학과 비평의 자리를 점검하는 것으로 좌담의 물꼬를 열어

김정남

가면 어떨까 합니다.

전성욱 : 도식적인 논리로 이야기를 시작해 볼까 합니다. 80년대 문학이 '연대'의 정치를 정식화하는 것이었다면, 90년대는 타자를 향한 '환대'의 윤리에 깊은 관심을 기울였습니다. 연대와 환대라는 것은 문학에 기대는 소망이나 당위였습니다. 그 소망과 당위는 시정의 세속으로부터 벗어나 추상화된 담론으로 변질되어 갔던 것 같습니다. 그러나 2000년대로 접어들면서부터 지금까지 정치적인 것, 즉 연대와 환대라는 당위적인 논의를 넘어서 (적과 동지의) '적대'라는 현실적인 공간에서 문학을 재구성하는 변증법적인 과정에 있다고 생각합니다.

이선우 : 저는 2000년대 문학이야말로 '환대'의 윤리와 깊은 관련이 있다고 생각했는데, '적대'라니 다소 의외로군요.

백지은 : 최근 '정치적인 것'에 대한 고민이나 그와 관련된 담론들은, 90년대 이전에 현실 정치에 대한 개입 여부를 직접적으로 고민했던 문학 정치 혹은 정치 문학에 관한 것들과는 달리, 정치 현상 일반에 관한 것으로 확대된 형태의 것이잖아요. 정치적인 것을 적대와 갈등의 장으로 보는 견해는 일반적이기도 하지만, 최근에

백지은

활발했던 '문학과 정치' 관련 논의들에서는 동지와 적을 가르고 재구성하는 태도가 오히려 약한 것이 아닌가 하는 느낌을 저는 받았거든요.

이선우 : 네. 그래서 한편으로 공허하다는 느낌을 가지는 사람들도 있는 것 같습니다만, 최근의 '문학과 정치', 혹은 '문학의 정치' 논의는 비록 구체적인 적대의 현실로부터 출발했다 하더라도 그 지향점이 다른 곳에 있다는 생각입니다. 적대를 이야기하려면 우선 적과 동지를 선명하게 구분할 수 있어야 하는데, 지금은 그것이 매우 여러 겹으로 이루어져 있지 않나 하는 생각도 들고요. 전성욱 선생님께서는 80년대가 연대의 정치를 정식화하는 것이라고 하셨는데, 그 연대의 짝이 곧 적대는 아니었을까요? 그렇다면 80년대와 2000년대의 변별점을 어디에 놓을 수 있을지요? 방금 말씀하신 것만으로는 다소 모호하다는 느낌이 드는데요.

전성욱 : 적대는 공허한 논리의 도식이기 이전에 분명한 현실입니다. 적대의 현실을 안이한 도식이라고 쉽게 단정하지 말아야 하고, 그러기 위해선 문학의 정치에 대한 섬세한 사유가 뒷받침되어야 할 것입니다. 문학과 정치의 관계는 여러 측면에서 중층적으로 바라볼 수 있을 것입니다. 문단권력과 같은 문학의 제도적 측면에서 논

전성욱

의될 수 있는 부분이 있고, 이념적 지형에서 문학의 정치성을 사유할 수도 있습니다. 그러나 요즘 많은 관심을 끌고 있는 것은 예술의 정치성을 심미적 차원에서 성찰적으로 논의하는 것이라고 여겨집니다. 저는 문학과 정치를 이야기할 때 이런 여러 겹의 시선이 모두 필요하다고 생각합니다.

이선우 : 그 말씀에 대해서는 저도 동감입니다. 최근 활발하게 논의되고 있는 '문학의 정치'에 대한 고민들은 대략 2000년대 중반부터 시작된 것입니다. 그러다가 2007~2008년, 이명박 정권의 등장을 전후해서 현실 정치의 보수화가 확연해지자 보다 본격화되었죠. 물론 단순히 정권 교체 때문에 문학의 담론이 급변한 것은 아닐 것입니다. 거기에는 여러 가지 맥락들이 함께 존재하겠죠. 그 맥락 중에 하나가, 외국인 노동자를 위시해서 우리 사회 안에 '이방인'들이 급증하기 시작했다는 것일 텐데요. 소설에서는 2000년대 중반부터 이러한 '내부의 세계화'를 고민하는 작품들이 속속 등장하기 시작했습니다. 이전에도 그런 작품들이 없었던 것은 아니지만, 의미 있는 작품들이 나오기 시작한 것은 그 즈음인 듯합니다. 이때 문제가 되었던 것은 확실히 타자의 '윤리'였습니다. 그런데 이 '문학의 윤리' 논의가 최근 들어 '문학의 정치'로 바뀌었습니다. 소설과 시의 차이일 수도 있고(최근 '문학의 정치' 논의는 시 중심으로 전개되고 있지요), 윤리와 정치가 무관한 것도 아니지만, 분명히 같은 것은 아닙니다. 그런데 어느 순간, 윤리 담론이 정치 담론으로 바뀌었고, 논자들에 따라서는 '문학의 윤리'와 '문학의 정치'가 거의 같은 의미로 사용되고 있다는 느낌도 많이 받았습니다. 저 역시 어느 정도는 그랬던 것 같고요.

백지은 : 네. 우리 문학 비평에서 '윤리'와 '정치'가 거의 동의어로 쓰

좌담 : 비평의 현재와 새로운 미래

16

인 것 같다는 생각에 저도 공감이 돼요.

이선우 : 그렇다면 왜 그렇게 됐을까요? 거기에는 아무 문제가 없을까요?

백지은 : 쉽게 답하기 어려운 물음이겠지만……, 문학의 정치성을 이야기할 때 간혹 문학-예술과 정치-현실을 적대적인 것으로(아까 전 선생님께서 말씀하신 적대가 이 적대는 아니실 것 같습니다만) 이분하는 듯한 느낌을 받을 때가 있었는데, 새로운 논의인가 싶다가도 문학의 자율성을 여전히 너무나 폐쇄적으로 이해하는 듯한 논의들에서는 마치 예전의 순수-참여 논쟁 혹은 내용-형식 논쟁의 아주 세련된 판본이 아닌가 하는 생각이 들기도 했어요. 가령, 좋은 문학이라면 그 자체로 자율적이고 동시에 정치적일 수도 있다는 논리도 마찬가지로 생산적이지 못하다고 생각했고요.

　그런데 이런 논의들 속에서 생각을 진전시키려다 보면, 즉 좋은 작품과 좋은 정치, 좋은 개인과 좋은 사회, 이런 것을 함께 생각해봐야 하는 지점이 반드시 있어요. 그 지점에서 어떤 가교 비슷한 위상에 '윤리'를 끌어들인 것은 아닐까 하는 생각도 살짝 들었어요. 문학과 정치 논의의 와중에 한편에서는 '진정성' 논의가 새삼스레 재등장하기도 했는데요, '진정성'이란 것은 애초에 좋은 개인과 좋은 사회를 일치시킬 수 있다는 이상을 전제로 할 때만 작동하는 것이잖아요. '진정한 나'의 확대를 '진정한 사회'로 본다는 점에서 아리스토텔레스의 정치학 혹은 유교적 이상으로서의 정치와 근본적으로는 다르지 않은 시대감각인 것인가, 하는 의구심도 들었습니다. 더 이상했던 것은, 많은 사람들이 이 시대의 대한민국 사회를 더 이상 진정성이 통하지 않는 시대로 파악하면서도 최종적으로 다시 그것을 요청하고 있었다는 거예요. 물론 과거의 모델과 '다른' 형태와 방식을 뜻하는 것이지만, 그 '다른'을 모색하지 않는

한 논의는 어느 면 공허해질 수밖에 없다는 생각이 듭니다. 그러나 또 마음 한편에서는 이런 생각들도 있는데요, 90년대 즈음에 이미 활발하게 논의되었고 또 지금보다 그 당시 더 유효했던 '레짐'을 새삼 다시 불러들이는 것은 결국 윤리와 정치가 동의어로 쓰일 수 없는 시대의 딜레마를 확인하는 데 그치는 한계를 보여준다는 생각과, 더불어 그것은 어쩌면 이 논의의 최대치인지도 모른다는 생각이 함께 있는 것 같아요.

임태훈 : "결국 중요한 것은 문학이다."라는 식의 사고방식부터 깨져야 합니다. 왜 이런 담론은 '문학'을 향해 스포트라이트를 비추고 있는 겁니까? 이 담론들이 '문학장' 바깥은 고사하고 안에서도 좀처럼 확산되지 못한 이유가 뭔지 돌려서 말할 필요가 없겠지요. '문학'이라는 제도의 궁색한 존재증명을 위해 이들 담론이 소모되

임태훈

는 데 그쳤기 때문 아니겠습니까? 그래서 저는 이렇게 말하고 싶습니다. 결국 중요한 것은 '배치'라고. '문학과 윤리' 또는 '문학과 정치'라는 말에서 저에게 진정 감동적인 것은 두 개념을 연결하는 접속어의 존재입니다. 세상 그 무엇을 통해서든 새로운 '배치'를 구성할 수 있는 게 '문학'입니다. 저는 오직 '문학'만이 그게 가능하다고 믿는 사람입니다. '문학'으로 세상 전부를 담아낼 수 있다는 식의 문학주의적인 발상에서 하는 말이 아니라, '문학하기'의 본령이 웹의 네트워킹이나 '노드node'를 생성하는 일과 다르지 않다고 생각하기 때문입니다. 언어화된 모든 '명제 공간'들과의 네트워킹이 '문학'입니다. '문학'이 네트워킹 하는 게 아닙니다. '문학'을 주어의 자리에 놓아서는 안 됩니다. 지혜와 공감의 연대를 구하기 위해 타인의 언어를 향해 과감히 네트워킹 하는 숱한 의지의 얽힘을 두고 '문학'이라 불러야 마땅합니다. 제가 문학과 윤리, 정치, 진정성과 같은

논의에 대해 심드렁한 기분을 떨칠 수 없는 이유도, 이런 담론들이 '문학'에 관한 최종심급이라도 되는 것처럼 으스대는 게 아무래도 마음에 들지 않기 때문입니다. 물론 윤리와 정치의 문제가 왜 중요하지 않겠습니까? 더군다나 요즘 같은 시대에. 하지만 이런 논의가 이념적인 지향이나 태도의 문제로 환원될 때, 그때그때의 담론적 맥락에 따라 결론은 이미 정해진 채 전개되는 거 아니겠습니까? 이대로라면 그 논의의 심도뿐만 아니라 상상력의 결핍까지 불만스럽습니다. 새로운 '배치'에 눈을 돌려야 합니다. 결국 중요한 것은 문학이다, 아니다, 문화다, 문화론적 맥락 하에서 문학이 상위에 있냐 하위에 있냐를 묻는 게 아니라, 문학이라는 '배치'에 관하여, 그 상상력과 실천의 가능성을 충분히 시도해 보기나 했었는지 반성해야 합니다.

김정남 : 그러니깐 항상 고민해야 될 문제이고 염두해야 될 부분인데도 불구하고 한국의 인문학적 담론 자체가 당대의 정치적 이슈, 가령 용산 참사라든지 노 대통령 사망이라든지, 이런 것들을 타고 금방 이슈화됐다가 금방 사라지고 있다고 볼 수 있습니다. 그만큼 담론의 시효가 짧고 한편으로는 소모되어 버리는 경향이 강하지 않는가라는 생각도 하게 됩니다.

이선우 : 전 반드시 그런 것만은 아니라고 생각하는데요. 왜 그 시기에 그것들이 반복 되는가를 질문하고 그 변별지점들을 살펴봐야 한다고 생각합니다. 최근의 '문학의 정치' 논의에는 분명 현실정치적 맥락이 있었고, 하여 지금은 다소 소강기에 접어든 것 같습니다만 겉보기에 그런 논의가 가라앉았다고 해서 담론들이 단지 소모되기만 했던 것은 아니라고 생각합니다. 방금 임태훈 선생님께서 "세상 그 무엇을 통해서든 새로운 '배치'를 구성할 수 있는 게 '문학'"이라고 말씀하셨는데, 선생님께서 강조하신 그 '배치'야말

이선우

로 최근의 '문학의 정치' 담론에서 늘 인용되곤 하는 랑시에르가 강조하고 있는 것입니다. 제가 읽기에 랑시에르는 문학을 삶보다 우위에 두거나 문학과 삶을 서로 다른 것으로 배치하지는 않습니다. 문학의 삶-되기, 삶의 문학-되기를 강조할 뿐이죠. 물론, 이때의 '문학' 역시 작품으로서의 문학만을 뜻하는 것은 아닙니다. 그가 강조하는 정치가 일종의 메타정치인 것처럼 문학 역시 메타문학일 수도 있고, 그래서 문학과 정치 역시 구분되지 않지요. 그런데 현실 정치의 문제에서 랑시에르의 그런 논의는 너무 뜬구름 잡는 소리처럼 들릴 우려는 있지요. 자칫하면 예술의 자율성만 옹호하는 것처럼 들릴 수도 있고요. 결국 문제는, 어떤 배치인가 그리고 그 배치가 어떤 동력을 가질 수 있는가 하는 것이라고 생각합니다.

실은 저도 계속 그런 고민들을 하고 있는 중인데, 한동안은 그 고민들이 저를 너무 짓눌러서 숨이 막힐 정도였지요. 2007~2008년을 통과하면서, 저뿐 아니라 많은 작가들이 문학이 무엇을 할 수 있을까 하는 고민들을 하면서 현실적인 무능력함을 느꼈다는 생각이 들고, 그래서 다시 문학의 정치성이 적극적으로 논의되기 시작한 것은 아닐까 생각합니다. 구체적으로 '문학의 정치' 논의에 참여했던 사람들도 관념이나 이론으로 시작한 것이 아니라 현장의 고민들로부터 시작했다고 생각하기 때문에, 앞서 백지은 선생님께서 말씀하셨던 것처럼 실망스럽게 과거의 순수·참여 논쟁을 똑같이 반복하는 지점들도 있었지만, 그것을 넘어서려고 하는 노력들도 있었다고 생각해요. 그런데 거기에는 동시에 문학이 무엇을 해야 한다는 강박이 있었던 것 같아요. 우리의 무기력은 역설적으로 그 강박에서 나왔던 것일지도 모르겠다는 생각도 들고. 한편으로 생각하면 문제를 너무 거대하게 설정하고 추상화시켜서 거기에 대답을 내놓으려고 하니까 절망을 느꼈던 것은 아닌가 싶기도 하고요. 하지만 구체적으로 싸우려면 문제도 구체적으로 쪼개야 한다고 생각합니다. 생각은 지구적으로 하더라도 말이죠.

물론 우리의 절망은 문학이 점점 독자대중과 멀어지고 있는 현 상황과도 관련이 있을 겁니다. 특히 비평이 더 그렇지요. 독자층이 훨씬 더 적은 장르가 비평이기 때문에 실은 현실적으로 무기력을 느낄 때가 많지요. 적어도 저는 그렇습니다. 표면에 드러나지는 않았지만, 그러므로 문학의 정치성 논의는 문학의 죽음 논의의 연장선에 있는 것은 아닌가 하는 생각을 합니다. '문학이 무엇을 할 수 있는가' 혹은 '무엇을 할 것인가'는 현 상황에서 보면 결국 '어떻게 하면 문학을 살려낼 것인가' 하는 문제와 닿아있다고 생각합니다.

백지은 : 네. 문학이 무엇을 할 수 있는가 하는 문제를 다시 소환했던 시점을 간과하지 말아야 한다는 말씀이 맞습니다. 실망스러웠던 것은 문학적 현장을 논리와 개념으로 만들었던 부분 때문이 아니었을까 싶고요. 지금(2010년 하반기 현재)으로서는 활발했던 비평 담론들이 소강상태를 보이는 것도 같지만, 최근의 논의들이 더 이상 무의미하거나 불필요해진 것은 결코 아니잖아요. 그 논의들은 사라진 것이 아니라, '문학에 대한' 활동이 아닌 직접 '문학적인' 활동으로 어딘가에 스며들어 있을 거예요. 실제로 그간의 논의가 무색하지 않도록 문학의 정치를 보여주는 작품들도 간혹 만나게 되었고요.

전성욱 : 문학에 있어서 윤리의 문제는 결국 타자의 문제이고, 그런 의미에서 저는 적대의 정치를 통해 타자와의 윤리에 접근해야 한다고 생각합니다. 앞서 얘기했던 것처럼 타자에 대한 연대, 타자에 대한 환대는 당위적인 소망 속에서 연역적으로 구축된 일종의 이데올로기였습니다. 그것은 타자들을 스스로 말하지 못하는 서발

턴으로 위축시킬 위험성을 안고 있습니다. 지금 제가 적대의 정치를 구성해야 한다고 하는 것 역시, 소망과 당위에서 나온 담론적 발상일지 모릅니다. 하지만 저는 절실한 소망과 정의로운 당위 이전에 비루한 세속의 현실을 구체적으로 살필 수 있는 태도가 매우 중요하다고 봅니다. 제가 말하는 적대의 정치란 그 진창과도 같은 세속에서 비루한 싸움질을 벌이는 것입니다. 그 불결한 싸움의 진정성이 위대한 이론적 당위와 맞먹을 수 있다고 생각합니다.

김정남 : 말씀 잘 들었습니다. 어느 글에서 진은영 씨가 시와 정치에 대해서 다음과 같이 고백한 적이 있거든요. "나는 나에게 분명히 용산이라는 문제가 충격적인데 이것을 가지고 시로 쓰려고 하면 솔직하게 안 된다"라고요. 해석의 차원이 아니라 창작의 문제에 있어서 문학이 정치하고 어느 지점에서 접점을 이루며 진동할 수 있을지에 대해서 말씀을 나눠보았으면 합니다.

임태훈 : 전선에서 진짜 필요로 하는 얘길 할 수 있어야죠. 전투에 나가서 열심히 싸워라 용맹하게 싸워라 이건 '태도'의 문제잖아요. 적들이 무슨 무기를 어떻게 쓰고 있으니, 이기고 살려면 어떻게 몸을 지키고 싸워야 한다는 설명이 필요합니다. 그것이 세상과 불화하는 자들의 진지에서 필요한 글입니다. 그런데 문학비평은 어떻습니까? 관념과 개념 논쟁에 함몰된 채 '문학'을 이야기하는 건 너무나 오랫동안 반복된 방법입니다. 예를 하나 더 들어보지요. G20정상회의를 앞두고 경찰이 시위대를 진압하는 데 '음향대포'를 사용하겠다고 해서 한창 논란이 분분했었잖아요. 자, 우리 문학비평가들은 '음향대포'에 대해 이야기할 때, 어떤 종류의 콘텍스트를 끌고 들어올 수 있을까요? 고민스럽지 않습니까? 음향대포가 너를 노리고 있다. 나는 구체적인 싸움의 매뉴얼을 준비하고 싶다. 하지만 난 문학비평가다. 우리가 이런 종류의 문제에 전문성을 발휘할

수 있는 사람이 아닌 것 같다. 이때도 중요한 것은 결국 '문학'입니까? 우리의 글쓰기와 앎의 범위가 문예지 평론이라는 형식에 복무하는 일에 끼워 맞춰져 있는 건 아닌지, 그걸 너무 당연하게 생각하고 있는 건 아닌지, 이제는 답답하게 생각해 볼 때도 됐습니다. 삶은 관념의 실타래 뭉치로 존재하는 게 아니지 않습니까. 이 복잡함, 이 얽힘을 제대로 설명하기 위해선 학제를 넘나드는 학습과 폭넓은 자료의 섭렵이 요구됩니다. 글쓰기의 형식도 다채로워져야 하고요. 지금의 문학평론은 도대체 누굴 향해 말하는 글인지 모르겠습니다. 전선에서 써먹을 수 있는 실효성 있는 분석이나 명제를 생산해내기 위해 준비하는 일은, 좋은 문학 비평가다운 태도일 뿐만 아니라 궁극적으로 좋은 지식인이기 위한 노력일 것입니다.

전성욱 : 이것은 비평의 곤혹스러움과 관련이 있는 것 같은데요. 다시 말해서 비평가는 끊임없이 이론적 틀, 담론적 지형 안에서 문제를 풀어내려고 합니다. 하지만 작가들은 그렇지 않지요. 그들에게 중요한 것은 이론이 아니라 상상력이고 이념이 아니라 생각의 자유일 것입니다. 이론적 프레임을 가지고 현실의 구체적 실상을 짜 맞추듯이 환원하는 비평가들의 태도는 작가들에게 어떤 역겨움을 불러일으킬 것입니다. 창작과 비평이 불화하는 지점이 바로 여기일 것입니다. 하지만 이 불화는 창작과 비평이 서로 교섭하고 대화할 수 있는 생산적인 방향으로 전유되어야 할 것입니다.

김정남 · 빼지은 · 전성욱 · 임태훈 · 이선우

트랜스 크리틱

김정남(사회) : 앞으로 비평이 서로 넘나들고 가로지르는 방향으로 나아가야 하고, 또 문학의 문화적 헤게모니를 지키려고 하는 것보다는 다른 문화들 속에서 존재해야 하고, 또 그 안에서 여러 가지 실천적 방법들을 생산해 내야 한다는 것이겠죠?

그런 의미에서 비평가의 영역 구분도 무화되어 가는 것이 작금의 현실입니다. 문화의 위계와 장르와 담론의 벽을 넘어, 넘나들고 가로지르는 비평적 '트랜스'가 과연 문학의 외연을 확대한 것인가, 아니면 문학을 역사나 사회사의 하위 개념으로 파악함으로써 문학의 특수성(자율성)을 무너뜨린 것인가, 이 양가적 상황에 대한 견해를 묻고 싶습니다. 환언하자면, 단수로서의 '문학'이 복수로서의 '문화' 안에 모두 수렴되는 현상을 어떻게 보아야 할 것인가 하는 것입니다.

백지은 : 그런데 저는, '단수'로서의 문학이라는 말이 좀 이상하게 들려요. 문학은 원래 '복수' 아닌가요?

임태훈 : 단수로서의 '문학'이 복수로서의 '문화' 안에 수렴된다는 말이 무슨 뜻인가요? 둘의 관계가 어느 한편으로 수렴된다거나, 단수 복수로 존재하는 건 아니라고 생각합니다. 이런 식의 배치 자체가 "결국 중요한 것은 문학이다"라는 사고방식의 반복이라고 봅니다.

김정남 : 말하자면 '트랜스 크리틱'이라고 할 수 있겠습니다만, 문학이 다른 것들과 다양한 배치를 만들어 낼 수 있다는 것 자체를, 막연히 긍정할 수만은 없다고 봅니다. 가령, 요즘 문화가 하나의 콘텐츠라는 식의 논의가 광범위한 동의를 얻고 있는데, 소설이나 시가 콘텐츠라면, 거대한 문화 콘텐츠의 흐름 안에서 작가란 콘텐츠

산업에 밑밥이나 대주는 시놉시스나 써 주는 정도로 전락하게 된다는 거죠. 모든 게 다 콘텐츠니까요.

전성욱 : 문학이 다른 장르나 매체와 결합하고 융합하는 것은, 근대문학 다시 말해 문학의 자율성을 옹호했던 모더니즘 문학의 해체 과정을 반영하고 있다고 생각합니다. 즉, 포스트모던한 상황으로 나아가고 있다는 것이지요. 그런데 이 변화가 모더니즘의 긍정적인 해체 과정이라면 괜찮은데, 과연 그런가 하는 의문을 가질 필요가 있습니다. 그 변화가 긍정적 해체라기보다는 소비적인 해소로 나아가고 있는 것은 아닌가, 다시 말해서 우리가 '원 소스 멀티 유즈One Source Multi Use'라고 할 때, 문학이 하나의 멀티한 문화들의 원 소스가 되어서, 결국 문학자체가 멀티해지는 것이 아니라 문화 산업의 소스로 흡수되어 버리는 것은 아닌가 하는 데 문제가 있는 것입니다. 이것은 근대문학의 건강한 해체과정이 아니고 근대문학의 왜곡된 해소과정으로 보일 수 있다는 것입니다. 그러므로 융합·통섭과 같은 담론들이 진정한 원융이나 화쟁의 사유가 아니라 소비자본의 자기합리화를 정당화하는 논리로 오도될 수 있음을 주의해야 하겠습니다.

임태훈 : 콘텐츠들의 융합과 통섭을 주도하는 힘은 역시 자본입니다. 융합과 통섭에 대해 개방적이었던 작가들조차 자신들의 방식을 지키기보다는 자본의 기획에 리드당하고 있다는 게 안타깝고요. 저 역시 '융합'과 '통섭'의 모토 아래 자본에 일방적으로 리드당하는 콘텐츠만 허다해지는 것에 대해선 단연코 반대입니다. 자본이 오른쪽으로 뒤섞는다면, 왼쪽으로 뒤섞는 힘도 등등騰騰해야 합니다. 후자 쪽이 훨씬 더 분방하게 가로지르는 힘이라고 믿습니다. 그에 비하면 자본은 눈치보고 주저할 수밖에 없는 게 한두 가지가 아니죠. 대표적인 예로 매쉬 업Mash up 아티스트들은 저작권과 싸

우며 자신만의 '섞음'을 찾아낼 수 있지만, 기업 입장에선 그런 식의 시도는 엄두도 낼 수 없죠. 문학도 마찬가지입니다. 거대 출판자본이 요즘 장르문학에 손을 대기 시작하고 있고 비평적인 지지도 역시 예전과 다르게 호의적이다 보니, 이른바 '순문학'의 입지는 날이 갈수록 좁아지고 있는 것처럼 보입니다.

그러나 '장르문학'을 하든 '순문학'을 하든 중요한 것은 자본의 총애를 받을 수 있느냐가 아닙니다. 그런 문제를 따돌리면서 해낼 수 있는 '객기'가 무엇인가를 구상해야 합니다. 그런 의미에서 트랜스 크리틱은 정말 유효합니다. 이렇게 섞어보는 건 어떤가요? 문학과 미토콘드리아. 문학과 기생충. 문학과 풋 페티시즘. 문학과 기능성 속옷. 이런 걸 자본이 관심 가질까요? 쉽지 않을 걸요. 일단 황당하기도 하거니와 무엇보다도 그림이 아니잖아요. 하지만 자본이 관심 가져 주지 않는다고 불가능한 가로지르기인 것은 아닙니다. 이런 '객기'를 욕망하고 실천할 수 있는 작가들을 우리가 지지해야 합니다. 루쉰의 「광인일기」에 나오는 마지막 구절을 인용하고 싶네요. "사람을 먹은 일이 없는 아이들이 아직도 남아 있을는지 몰라. 아이들을 구해라."

백지은 : 근대문학의 해체, 융합, 통섭, 가로지르기 등의 '섞음'을 생각할 때, 임 선생님께서 말씀하신 그런 분방함을 추구하고 지지해야 한다는 데 정말 공감합니다. 다만 이 공감이 소통될 수 있는 장에 대해서도 생각해 보아야 하지 않을까 싶은데요. 가령 '순문학'의 입지가 좁아진다고 하면서 그 이유로 '대중'의 외면을 든다면, 이때 '대중'이란 어떤 것일까요? 이른바 '문화대중'은 자본에 놀아나는 소비자를 뜻하는 건 아니잖아요. 계급도 계층도 아니죠, 민중도 군중도 아니고요. 세대도 지역도 초월하는 개념일 텐데요. 단일한 실체가 아닌 그 '장場'에 대한 그림이 있어야 될 것 같아요. 그래야 무

엇이 '객기'가 될 수 있는가가 아니라 객기가 무엇이 될 수 있는지를 생각해 볼 수 있고, 어떤 모색이 되고 저항이 될지도 생각할 수 있겠지요.

이선우 : 또 하나 생각해야 할 것은, 자본의 바깥에서 작가들이 어떤 상상력을 발휘해서 무엇인가를 생성하는 순간 그것이 다시 자본 안으로 재영토화되지 않을 것인가, 라는 겁니다. 자본이야말로 가장 잡식성의, 거대한 소화기관을 가지고 있다는 것은 우리가 다 아는 사실이잖아요.

김정남 : 그런데 제가 제기한 논제에는 또 다른 의도가 있습니다. 문화론적 맥락에서 정치·사회적 담론이 선행할 경우, 문학은 사실상 필요 없는 것이 되는 경우들이 많다는 거죠. 문학이라는 픽션의 영역은 사회와 역사의 보조적 인식 수단밖에 되지 않는다는 말입니다. 만약에 비평 담론의 어떤 선도성先導性을 가지고 가다 보면 사실 종종 헛다리짚는 경우들도 많거든요. 가령 어떤 평론가가 2000년대 문학을 무중력 공간이라고 정의한다든지 혹은 또 다른 누군가가 6·15 이후의 문학을 말한다든지, 전부다 사실은 구체적인 문학적 현상에 근거한 얘기가 아니거든요.

전성욱 : 우리가 어떤 고약한 틀을 벗어나지 못하는 것은, 존재 구속적이라고 말하기도 했습니다만, 결국은 '연역적' 비평을 하고 있기 때문입니다. 비평이나 문학연구는 문학이라든지 구체적인 현실이라는 텍스트를 항상 기존 담론의 프레임 속에서 바라봅니다. 모든 해석이 편견의 산물이라고 한다면 그것은 비평의 운명일지도 모릅니다. 하지만 해석을 결정하는 그 연역적인 틀(편견) 자체에 대한 메타적 반성이 결여된 상태에서 그 프레임이란 재앙과 같은 것이 되기 십상입니다. 그 난폭한 프레임이 숱한 문학들을 어떤 유형화된 틀 속에 집어넣어 버렸고 이 때문에 한국의 비평이 지리멸렬하

게 된 것은 아닐까요?

임태훈 : 사회 문화적 담론에 문학적 담론이 빨려 들어간다는 것이 곧 문학의 특수성을 훼손하는 것은 아닙니다. 어떤 거대한 담론의 와동渦動 안에 집어던진 다음, 어떻게 되느냐를 지켜봤을 때, 이렇게 정신없이 온통 뒤섞여 버리고나면 '문학'이라는 게 도대체 뭔가 어리둥절해질 수 있을 겁니다. 하지만 오직 '문학'만이 그 소용돌이 속으로 몇 번이고 뛰어들 수 있습니다. '문학'이 가장 정치적이었을 때, 그리고 가장 윤리적이었을 때, 가장 진정성으로 충만했을 때, 모두들 그런 기투에 망설이지 않았습니다. 그렇게 하지 못하는 '문학들'의 존재감이란 저에게는 도토리 키재기나 마찬가지입니다. '문학'이 결국 '문학'으로만 존재 구속될 뿐이니까요. 겨우 그런 '문학'에 뭘 기대합니까?

백지은 : 그런 기투를 의심 없이 지지할 수 있다는 건, 아까 드린 말씀과도 통하지만, 그것이 던져지는 장場에 대한 믿음 없이는 안 될 것 같습니다. 그런 게 말하자면 '목숨을 건 도약'과도 같은 것일 텐데, 사실 불투명한 미래에 자기를 거는 일이니 무척 두려운 일이기도 하잖아요. 임 선생님께선 현재 한국 문화 속에서 그 장을 매우 믿고 계시다는 뜻으로 들리기도 해요. 그런 던짐은 사실 자본의 기획이 요구하는 일이기도 해서, 어쩌다 그 둘이 쉽게 야합할 가능성이 커지지는 않을까 하는 생각도 드네요. 그러니까 기투한 후에 말이에요, 살아남는다는 것, 존재감을 보여준다는 것은, 잘 팔리거나 아니면 잘 팔리지 않은 채로도 유명해지는 것, 그런 것이 아닐까요? 이 점을 어떻게 봐야할까요?

임태훈 : 던져서 상업성이나 여러 가지 것에 분해되지 않고 살아남은 가치라고 해야 될까요? 문제는 그대로 남아있는 그것을 사람들은 흔히 문학성이라고 생각한다는 거죠. 그런데 그거 자체도 사실

은 문제가 있죠.

이선우 : 분해되지 않고 온전히 살아남는 가치라기보다는, 그 만남 속에서 새롭게 생성된 것, 혹은 그 분투의 과정 자체가 문학성은 아닐까요? 단순한 야합이라면 문제가 있겠지만, 기투 후에도 전혀 변하지 않는다면 왜 기투를 하는 건지 모르겠는데요.

전성욱 : 저는 문학이 위대한 것은 바로 '잡스러움'에 있다고 봅니다. 잡스러움은 매끄러운 동일성의 사유를 넘어 잡다한 해석의 공간을 열어줍니다. 다시 말하지만 연대니 환대니 하는 구호들 속에서 구체적인 현실 혹은 텍스트의 잡스러움은 당위적인 소망으로 환원되기 쉽습니다. 문학에서 적대의 정치에 대한 요청은 문학의 그 잡스러움을 살리는 치열한 투쟁을 의미합니다. 비평이란 바로 그 치열한 투쟁의 다른 이름입니다. 어떤 해석 집단은 특정한 방향으로 텍스트를 연역적으로 해석하고 자기들이 속해있는 정치적 입장이나 원리에 따라 문학의 잡스러운 방종을 길들이려 합니다. 문학의 그 잡스러움을 지키는 투쟁 방식을 적대의 정치라고 이야길 할 수 있을 것입니다. 자본에 헌신하는 불온한 욕망으로 문학의 잡스러움을 길들이는 적대의 대상에 대한 투쟁, 그것이 지금 비평의 소임이 아닐까요.

문학의 소통 방식과 문학 제도

김정남(사회) : 문단과 대중의 괴리적 지점도 역시 고민해 봐야 할 문제입니다. 문단 내부의 문법과 대중의 기호는 최근 들어 크게 어긋나고 있습니다. 가령, 장르문학을 선호하는 대중의 기호를 막연히 옹호할 수만은 없지만, 그렇다고 찻잔 속의 폭풍이라 할 수 있는 제도권 내부의 진지한 문학적 지향을 대중에게 강요할 수도 없습니다. 일정한 독자층을 확보하고 있는 대형작가들과(이들은 대부분 평단의 주목에 신경 쓰지 않지요) 문학 내부의 주목에 의해 호명되는 작가들(이들은 대부분 평단의 시선을 매우 의식하죠), 이 둘 사이의 불일치를 떠올려봅시다. 이러한 제도권 문학과 대중 사이의 이반離叛적 상황은 본격 문학이 문화적 이슈를 생산하거나 주도하지 못하고 있다는 반증이기도 할 텐데요.

전성욱 : 소통이 비평의 쟁점이 되었던 것은 근대문학의 해체과정에 대한 하나의 반응이라고 생각합니다. 이른바 '근대 문학의 종언'이란 곧 근대적인 문학(다시 말해서 모더니즘 문학, 리얼리즘 문학)의 해체를 가리킵니다. 포스트 모던한 상황으로, 다시 말해서 엘리트주의에서 대중주의로 넘어가는 이 상황에 대해, 우리 문학이 다소 엉뚱하게 대응하는 방식이 바로 소통거부라는 형식이 아닌가 싶습니다. 그러니까 모더니즘의 종말에 대한 반발로서 더 심한 엘리트주의로 나가버리는 것이지요. 이는 포스트모던한 대중주의에 대한 혐오를 반영합니다. 문학이 나아갈 길을 잃어버리니까 대단히 극단적인 지점, 지극히 내면적이거나 지극히 사물적인 곳으로 숨어들어가 버린 것입니다. 물론 그렇다고 매끄러운 소통의 환상에 대한 비판적 성찰을 보여주는 문학이 없는 것은 아닐 것입니다.

이선우 : 소통거부라고 말씀하셨는데, 선생님께서는 어떤 작품들

이 그렇게 소통을 거부하고 있다고 생각하시는 건가요?

전성욱 : 이른바 미래파 논쟁에서 언급되었던 어떤 시들이 그렇다고 할 수 있을 것이고, 기괴한 상상력, 다시 말해서 현실의 소박한 모사를 거부하면서 현실의 논리를 초월해 버리려는 듯한 도발적인 판타지의 소설들이 그렇다고 할 수 있겠지요.

이선우 : 구체적으로 어떤 작품들이 그렇게까지 나아간 작품이라는 건지요?

전성욱 : 예를 들어서 한유주라든지, 배수아라든지, 몇몇 분들 있는 것 같습니다. 소설 쓰기 행위 자체에 대해 회의한다는 것이죠. 그런 작품들은, 내가 쓴다는 행위 자체를 스스로 성찰합니다.

이선우 : 저는 우선, 문학이 반드시 대중과의 소통을 전제해야 한다고 생각하지도 않습니다만, 한유주나 배수아의 그런 성찰들이 왜 소통을 거부하는 형식으로 해석되는지 잘 모르겠습니다. 소통하는 방법에도 여러 층위가 있고 여러 형식이 있는 것 아닐까요?

백지은 : 제 생각에 '소통이 안 되는 문학'이라는 말은, 문학에 대해 창작자 중심 집단인 문단의 문법과 독자 중심 집단인 대중의 기호가 어긋나 있다는 판단에서 나온 말인 것 같습니다. 그런데 그것은 1960년대 프랑스에서나 한국의 1920~1930년대에나 그랬듯, 다시 말해 상당히 일반적으로, 벌어지곤 하는 상황이 아닐까요? 1920~1930년대 일반 대중들은 대체로 『춘향전』을 읽었지, 염상섭·이기영·최명익 등을 읽은 게 아니란 얘기죠. 그 시대는 여전히 방각본 소설의 시대지, 김동인·염상섭의 시대는 아니었다는 겁니다. 그래서 저는 '소통 불능'에 관한 한탄은 별로 신경 쓸 문제가 아니란 생각이에요. 제가 보기에 더 큰 문제점은 오히려, 소통이 이미 너무잘 되는 작가들을 평단에서 지나치게 주목하는 현상인데요. 주요 계간지들이 대형 작가들(신경숙이나 황석영 같은)의 신간 발매에 맞

추어 특집을 구성하거나 대담을 기획하는 식으로 포커스를 확 당겨오는 경우가 너무 눈에 보일 때, 이건 좀 노골적이다 하는 생각이 들기도 했었어요.

임태훈 : 문단과 대중 사이의 괴리에 대해 생각할 때, 세심히 짚어봐야 할 게 있어요. 그 '사이'에 뭔가 더 있거든요. '분중分衆'이라는 개념이 있어요. 와타나베 히로시의 『청중의 탄생』(2006, 강)을 읽으면서 알게 된 개념인데요. 원래는 일본의 '하쿠호도 생활종합연구소'라는 곳에서, 격심하게 변화하고 있는 오늘날의 소비구조를 규정하기 위해 창안한 개념이라고 하네요. 고도경제성장이 한계에 도달하면서, 획일적인 것을 추구하고 획일적으로 생활하는 '대중'의 양태에 의해 지탱되던 구심적 소비구조는 점차 해체되고 있어요. 개나 소나 다 사고, 좋아라하는 유행 따윈 성에 안차는 사람들이 점차 늘어나고 있는 거죠. 이들은 보다 개성적이고 다양한 가치관을 존중하는 개별적인 집단을 이루게 되는데, 이를 '분중'이라 부른다고 합니다. 『청중의 탄생』은 클래식 음악 애호를 중심으로 이들을 설명하고 있는데, 유명한 곡보다는 '알려지지 않은 작곡가'나 '알려지지 않은 작품' 위주의 '레어 아이템rare item'을 더 선호하는 사람들이 이 타입입니다. 오타쿠 문화도 분중의 시대와 밀접한 관련이 있고요. 이런 소비를 하는 사람들이 점차 늘어나면 기업들도 마케팅 전략을 짤 때, 대중으로부터 한 번 더 분화된 '분중'을 어떻게 포섭할 것인가에 대한 연구를 많이 하고 있어요.

그럼 이걸 문단과 대중 사이의 괴리 문제를 푸는 데 실마리로 삼아보죠. 백만 명의 사람을 울리고 웃기는 작품이 뭔가 새로울 리가 없죠. 그쯤 되면 어떤 익숙한 공통감각이나 클리셰에 의존할 수밖에 없으니까요. 하지만 또 한편에서는 그런 것들에 질려서 뭐 좀 새로운 게 없나 찾고 있는 사람들이 있거든요. 백만 부 짜리 한 편보다는 그들에게 어필할 수 있는 만 부 짜리 백 편의 작품이 더 중요합니다. 하지만 한국 문학은 도무지 이런 성과를 내지 못하고 있어요. 새로운 작품을 찾는 독자들이 외국 작품에만 눈길을 주는 이유도, 한국 문학이 그들의 성에 찰만한 작품을 생산해내지 못하기 때문이에요. 그러다보니 악순환의 연속이죠. 없으니까 안사고, 안 사주니까 못 쓰고, 못 쓰니까 안사고. 문단은 대중과의 괴리만 고민할 게 아니라, 새롭게 구성되고 있는 분중에 대해서도 관심을 가져야 해요.

이선우 : 백만 부 짜리 소설 한 편보다는 만 부 짜리 소설 백 편이 더 중요하다는 말씀에 동의합니다. 문학판 안에서조차 부익부 빈익빈이 심한 것이 현실인데, 지금 우리는 그런 현상을 더욱 강화하는 데로 나아가고 있거든요. 하지만 그 경우, 결국에는 문학 전체가 축소되고 왜소화될 우려가 있죠.

임태훈 : 짜증나는 말 있잖아요. 한국에서 재즈 음악하면 굶어 죽어. 한국에서 추상화하면 굶어죽어. 한국에서 SF하면 굶어 죽어. 분중의 시대에는 그들을 굶겨죽이지 않아야 해요.

김정남(사회) : 어떻게 만들어 낼까요?

백지은 : 백만 부 파는 작가도 있고, 전문 독자군인 평론가들의 작은 관심조차 비껴가는 작가도 있고, 사실 그 중간에 각종 문예지들이 주목하는 작가들이 있다고 보는데요. 분중은 이쪽에서 만들어져야 할 것 같아요. 문예지 쪽에서도 대중을 염두에 두고 있다기보다는 그 분중 정도를 생각하고 있는 게 아닐까요. 현재는 그렇지 못한 형편이다 보니, 어떤 의미에서는 그걸 만들어내려고 노력하는 쪽에 평론가들도 서 있는 게 아닌가 싶네요.

임태훈 : SF소설을 예로 들어봅시다. 해외 SF 고전소설이 국내에 출간되면 1쇄 정도는 시장에서 소화를 하더라고요. 그런데 그 양

이 700부 정도 돼요. SF라면 일단 사서 읽어보는 사람들의 숫자도 700명 정도고요. 이건 너무 숫자가 적어요. 이걸 두고 '분중'이라고 말할 순 없어요. 그러니 출판사 입장에서도 좀 더 적극적으로 SF 출판기획을 진행시키기도 어려워요. SF로 뭔가 의미 있는 비평을 해 보려는 사람들에게도 곤욕스러운 상황이고요. 극소수의 마니아들을 제외하고는 도대체 이 작품을 읽어본 사람이 없으니까요. 700명의 숫자를 최소한 4천명, 6천 명까지 끌어올려야 해요.

전성욱 : 문학의 내적인 본질 자체도 잡스럽지만, 정말 다양한 작가들이 잡거하고 있는 것이 또한 우리의 문단입니다. 하지만 이른바 스타화된 대형(?) 작가들 몇몇이 그 많은 작가들을 유형화해서 대리 표상해 버리는 것은 아닌가 하는 생각이 듭니다. 예를 들면 《부산일보》나 《대구매일신문》 같은 지방지로 등단한 사람들은 오늘날의 젊은 작가들을 대표하지 못합니다. 아니, 대표하지 못한다고 여겨집니다. 비평에서 대상을 선택하는 문제는 여러 차원에서 대단히 중요합니다. 하지만 그 대상 선택의 과정이 세속적인 적대의 정치가 작동하는 비루한 욕망의 전장이라는 사실을 잊지 말아야 할 것입니다. 비평이 모든 대상을 공평무사하게 다 다룰 수는 없습니다. 하지만 지금의 비평은 자기의 정치적 욕망을 화려한 레토릭으로 무마하면서 몇몇 명망 있는 작가들만을 자기의 비평으로 호출합니다. 이름도 알려지지 않은 작가의 작품을 굳이 애써 읽어보려 하지 않는다는 것입니다. 그런 나태함과 공모해서, 자본의 논리로 몇몇 작가들을 스타화합니다. 부산에서 활동하고 있는 저는 제가 살고 있는 도시의 작가들과 그들의 작품에 깊은 애정을 가지고 있습니다. 그들의 문학이 소박하다면 그것은 지역의 문학이라서가 아니라 한국문학의 어떤 소박함의 한 형식일 것이고, 그들의 문학이 위대하다면 그것은 아마 자기가 살고 있는 지역의 삶에

가장 충실한 작품을 써서 그럴 것입니다.

이선우 : 전 선생님의 비판이 어떤 지점에서 제기되고 있는지 충분히 이해합니다. 지역에서 활동하고 있는 비평가로서는 체감의 수위가 훨씬 높을 수도 있겠다고 생각하고요. 하지만 저는 비평이 모두 자신의 정치적 욕망을 화려한 레토릭으로 무마하면서 명망 있는 작가들만을 자기의 비평으로 호출한다고 생각하지는 않습니다. 그런 지점이 전혀 없는 것은 아니겠지만, 그런 식의 일반화는 과도한 측면이 있다고 생각해요. 더구나 대부분의 비평이 청탁에 의해 씌어진다는 점을 생각하면 더욱 그렇지요. 제가 너무 순진한 걸까요? 선생님께서 말씀하신 논의를 따라가자면, 청탁에 의해서가 아니라 스스로 기획해서 글을 쓸 수 있는 일부 편집위원들에게 그런 혐의가 돌아갈 텐데요. 그런 기획력을 가지고 있는, 이른바 권력의 중심에 있는 편집위원들이 작가의 명망에나 기대어 자신의 정치적 욕망을 실현해야 하는 것인지도 의문이고요. 군소잡지의 경우는 그럴 수도 있겠지요. 하지만 대부분의 문학잡지가 출판사에 속해있다는 것을 염두에 두면, 실제로 편집위원들도 출판사의 논리에서 자유롭지 못할 거라고 생각합니다. 물론, 서로의 이해관계가 얽혀있기도 하겠지요. 그런 의미에서 비평의 나태함과 자본의 논리를 짚어주신 것이 오히려 더 정확하다는 생각이 듭니다.

　저는 작가의 경우에는, 비평가보다는 지역에 따른 차별은 적다고 생각하고 있었는데요. 어느 지역에 있건, 어느 잡지로 등단했건, 어느 학교를 졸업했건, 작가의 경우에는 작품만 뛰어나면 그렇게 오래 묻혀 있지는 않을 거라고 생각했어요. 물론, 그 기간이 더 길 수는 있겠죠. 그렇게 이름 없는 작가로 지내는 동안, 스스로 작가의 길을 포기하는 경우도 있겠고요. 문제는 실력이 비슷한 경우일 텐데, 그 경우는 확실히 기회가 더 적은 게 사실인 것 같습니다. 하지만 저도 매년 신춘문예 당선작을 유심히 읽어보는 편인데, 적어도 최근에는 지역지로 등단했다는 이유만으로 뛰어난 작가가 영원히 이름을 얻지 못하는 경우 별로 없다는 생각이 들었습니다. 선생님께서는 지역에서 활동하시는 작가들의 글을 어떻게 보고 계신지요?

전성욱 : 놀라운 수작이 있는가 하면 진부한 범작들이 대부분입니다. 그것은 이른바 지역이냐 중앙이냐와는 아무런 상관이 없습니다. 세상의 모든 문학이 그렇지 않습니까? 그것은 이른바 중앙에 있는 작가들에게도 똑같이 적용될 수 있는 것이지요.

이선우 : 네. 그건 그렇지요. 그러니까 이른바 중앙에 있어도 잊혀지는 작가는 있습니다. 중앙에 있는 모든 작가들이 중앙에 있다는 것만으로 명망을 얻는 것은 아니라는 거지요. 지역에 있다고 무조건 지역 작가가 아니고, 서울에 있다고 무조건 중앙 작가는 아니니까요. 오히려 그 사람의 능력과 명성에 따라 중앙과 지역이 구분되는 것일지도 모르겠습니다. 이렇게 말하니까 지역은 중앙에 비해 뭔가 떨어지는 것처럼 들릴 수도 있겠는데, 그런 의미는 아닙니다. 지역에 있기 때문에 한국문학에서 더욱 중요한 역할을 할 수 있는 작가도 있지요. 서울이든 어디든 작가가 발 딛고 있는 곳은 결국 구체적인 한 지역인 것이고, 그 지역성 속에서 전체를 반영하는 것이니까요.

저도 비평가의 역할 중에서 가장 중요한 것 중 하나는 숨어 있는 작가와 작품들을 발굴하고 읽어주는 것이라고 생각합니다. 그것만큼 큰 보람이 없겠지요. 그런데 개인적인 말씀을 드리자면, 가리지 않고 열심히 읽어도 그게 소모적인 작업인 경우가 너무 많은 거예요. 오히려 지치고 회의가 드는 거지요. 그걸 이겨야 할 텐데 쉽지가 않더군요. 한 계절에 나오는 잡지가 100권이 넘고, 소설만 찾아 읽어도 족히 100편은 넘습니다. 모든 잡지를 다 찾아 읽지 못해도 그 정도입니다. 그런데 저는 그 과정에서 특별히 새로운 작가를 찾아내지는 못했어요. 대개는 정말 허무한 노동으로 끝나는 경우가 많았고, 그걸 몇 번 경험하다 보면 이 짓 못 하겠다는 생각이 들 수밖에 없겠더군요. 개인적으로 주목한 작가가 몇몇 있긴 하지만, 그런 작가들은 다른 사람들도 주목하더군요. 잘못된 결론일 텐데, 결국에는 그런 식으로 안이하게 작품을 선별하게 되는 건지도 모르겠다는 생각이 들었어요. 손쉬운 길을 가는 거죠. 그런 지점에서 스스로 반성해야 할 측면은 있다고 생각합니다.

하지만 그렇게 계속 노력하는 비평가들도 많습니다. 우리가 관념적으로 비평가들이 그런 역할에 성실하지 못하다, 일부 스타작가들에 주목한다, 그런 비판들을 하는데 모두 그런 것은 아니라는 겁니다. 마치 수도승처럼, 아무도 주목하지 않는 작품을 읽고 열심히 글을 쓰는 비평가들도 얼마나 많은데요. 물론 그 경우도 대개 청탁에 의해 이루어지는 경우가 많겠지만. 그런데 이런 생각도 드는군요. 작가의 명망에 기대어 자기 비평의 입지를 드높이려 하는 비평가가 있다면 그도 비판받아야겠지만, 그건 혹시 그런 비평은 읽고 소외되어 있는 작품들을 다루고 있는 비평들은 읽지 않은 결과는 아닐까 하는. 결국 같은 비판이 되는 걸까요. 하지만, 지역이라는 이유만으로 지역을 소외시키는 것이 문제인 것과 마찬가지로 중앙이라는 이유만으로 뭐든지 의심스럽게 바라보는 것도 문제가 있습니다. 물론 전 선생님께서 그렇게 비판하신 것은 아닌데, 음, 이렇게 말하고 보니, 중앙에 있는 것도 아니면(서서울에 있다고 다 중앙에 있는 것은 아니니) 괜히 중앙을 두둔하는 것 같군요.

전성욱 : 이문열은 처음 지역의 신문(「나자레를 아십니까?」, 《대구매일신문》, 1977)에서 신춘문예로 등단했습니다. 근데 그때는 아무도 인

정을 해 주지 않았습니다. 작품의 질이 떨어져서가 아니지요. 그런데 다시,《동아일보》로 등단했을 때는 주목을 받고 나아가 한국의 대표적인 작가로 자리 잡게 됩니다. 이것은 상징자본의 문제이고 또 문학적 전통의 문제이기도 합니다. 문학사회학적인 제도 비판이 참 재미없는 일이고 속되게 보이지만, 명망이 구성되는 사회적 맥락을 비판적으로 살펴보는 일은 굉장히 중요합니다. 문학적 자질이나 평판이 담론의 효과로써 구성되는 정치적 맥락을 탐구하는 일은 비평의 중요한 소임이기도 합니다.

이선우 : 네. 선생님께서 말씀하시고자 하는 내용이나 그 의도를 제가 모르는 것은 아닙니다. 지적하신 문제들은 분명히 중요한 문제들이고요. 저도 부산 출신이라 그런지 지역에 대한 애정이 강한데, 그래서 더 그런 이야기를 한 것 같습니다. 끊임없이 중앙을 의식하는 지역이 아니라 지역 그 자체가 중앙이 되었으면, 지역마다에서 의미 있는 담론과 작품들이 많이 생산되었으면 하는 바람에서요. 물론, 그렇게 되지 못하는 데는 구조적인 문제들이 겹겹이 놓여있지요. 우리들이라도 그런 역할들을 제대로 하기 위해 노력해야겠습니다. 그런 점에서 이 자리를 빌어, 『오늘의문예비평』에 거는 기대가 크다는 말씀드립니다. 그동안의 역할에 근거한 기대와 믿음이니 부담 가지시라는 말씀은 아닙니다.

김정남(사회) : 문학의 소통방식과 관련하여 조금 다른 주제로 넘어가보려 합니다. 문학도 멀티미디어 시대의 도래와 함께 끊임없이 자기 변모를 거듭하며 다양한 소통방식을 고민하고 있습니다. 그러나 타 장르에 비해서 여전히 종이책(문예지·단행본)의 형태에서 크게 벗어나지 못하고 있습니다. 인터넷 기반의 소셜 네트워크나 P2P 등 새로운 매체를 통해, 비제도권적·양방향적 글쓰기가 가능하다면, 이것이 또한 문학의 새로운 소통의 방식이 될 수 있지 않을까요?

사실 트위터에 적는 짧은 글에도 미치지 못하는 문학의 파급력을 생각하면, 자괴감이 드는 것도 사실인데요, 다매체 시대 문학의 새로운 소통 방향에 대해 말씀을 듣고자 합니다.

임태훈 : 웹에서 활동하는 소설창작그룹 가운데 눈여겨보는 팀이 있어요. 대안출판 프로젝트 '한페이지 단편소설'에서 활동 중인 9명의 작가로 결성된 '실험적 쓰기'를 쫓는 집단인데, 이름은 '일회용라이터(http://realwriter.lil.to)'라고 해요. 학생, 회사원, 사업가, 웹디자이너, 경계문학 작가 등 경력도 다채롭죠. 대표작을 웹에서 읽을 수 있어요. 스마트폰이나 아이 패드 같은 걸로 읽으면 훨씬 끝내주는 작품이에요. 「화목빌라, 402호 배수연의 죽음」(http://villa402.web-bi.net/). 인터페이스가 무척 특이해요. 거기 실려 있는 작품들은 비록 분량은 짤막하지만, 저에게는 이런 종류의 시도 자체가 흥미로워요. 다들 생업이 있는 분들이지만, 밥벌이를 마친 뒤 시간을 쪼개서 이만큼 근사한 작업을 해냈다는 것도 감동이고요. 이분들의 최근 작업인 '소리 소설'이 '문지 사이'에서 운영하는 웹진 『SOUND@MEDIA』에서 연재되고 있어요. SOUND@MEDIA도 '소리'에 대한 독특한 칼럼과 공연 작업을 많이 보여주는 웹진이에요. 이런 시도는 종이잡지로 하는 것보다 웹진으로 하는 게 비교할 수 없을 만큼 효과적이에요. 일단 동영상이나 음성파일을 싣기 편하니까요. 지금 이곳은 '소리'에 관해 진지한 연구와 창작을 해나가려는 사람들의 노드가 되었어요.

이선우 : 흥미로운 곳이군요. 그런데 이 웹진을 작가들이 스스로 구성한 건가요? 아니면 다른 주체가 만들어서 글을 청탁하는 건가요?

임태훈 : SOUND@MEDIA 같은 경우는 서울문화재단 기금의 후원을 받은 것으로 알고 있어요. '일회용라이터'는 자력갱생이고요.

그래서 더 대단하죠.

김정남(사회) : 『웹진문장』이나 『웹진나비』와 같은 기존의 문학 웹진들은, 기존의 종이잡지 형태와 어떤 차별성이 있을까요?

전성욱 : 새로운 테크놀로지의 진화는 기술낙관주위와 기술비관주의라는 서로 다른 태도와 입장의 갈등을 불러옵니다. 노베르트 볼츠의 『컨트롤된 카오스』를 보면, 이런 양극단의 논리에서 벗어나 말 그대로 새로운 테크놀로지의 진화가 가져온 카오스를 컨트롤할 수 있다는 적극적인 입장이 나옵니다. 블로그, 웹진, 스마트폰, 태블릿 PC, 이런 새로운 매체들의 등장은 새로운 형태의 문학적인 인터페이스를 구축할 수 있는 잠재성을 갖고 있습니다. 하지만 지금 한국문학은 그런 잠재성을 창의적으로 이끌어내지 못하고 단순한 공간 이전, 즉 오프라인에서 온라인으로 또는 아날로그에서 디지털로 전환하는 수준에 그치고 있습니다. 상상력의 새로운 형식, 변태적인 문학적 형식은 아직 나타나지 않고 있습니다.

지금 문학 웹진이나 블로그에서 연재를 하는 작가들은, 대부분 명망이 있는 작가들 위주입니다. 기존의 문단 권력의 폐해는 디지털이라는 새로운 매체환경 속에서도 그대로 이어지고 있는 것입니다. 그리고 그렇게 연재된 작품은 결국 책으로 출판됩니다. 그러니까 디지털 매체에서의 연재란 출판을 위한 사전 홍보의 성격을 강하게 띠고 있다는 점에서 상업논리로부터도 자유롭지 않습니다.

임태훈 : 좀 더 자기 욕망에 솔직한 글쓰기들의 결사가 많아져야 해요. 내가 야설을 읽고 쓰고 싶다. 야설을 쓰는 사람들과 교류하며 지속적인 모임을 갖고 싶다. 그러면 그런 사람들끼리 모여야 해요. 새삼스러운 일도 아니에요. 이미 많이들 그렇게 살고 있거든요. 좀 극단적인 예이긴 하지만 '타진요(타블로에게 진실을 요구합니다)' 카페도 그 중 하나죠. 실제 인물을 가져다가 그렇게 까는데, 이것

이 팩트fact일지 모른다고 생각하니까 찜찜하지 처음부터 픽션fiction의 놀이라고 생각하고 다시 살펴보세요. 정말 깜박 속을만한 자료를 만들어냈어요. 타진요의 재발견이랄까. 인터넷을 샅샅이 뒤져서 온갖 자료를 가져다가 그걸 교묘하게 섞어놨어요. 저는 그 창의력과 독특한 구성력은 정말 대단하다고 생각해요. '타진요'가 해체되더라도 이런 역량은 또다시 어딘가에서 발현될 거예요. 생사람 잡는 나쁜 일 말고, 이것이 새로운 글쓰기이며 새로운 문학이 될 수도 있다는 각성 아래 이뤄졌으면 싶어요.

김정남(사회) : 많이 분화되어야 한다는 거죠?

이선우 : 하필 '타진요'를 예로 드셔서 저로서는 호감이 뚝 떨어지는군요.(웃음) 그런데 그런 공간은 마니아들이 모이는 장소처럼 될 것 같은데요? 거기에 관심 있는 사람들만 모여서 생산·유통·소비가 이루어지지 않을까요? 그것이 김정남 선생님께서 제기하신 문학의 파급력과 관련해서, 새로운 소통 방식이 될 수 있을지 의문인데요. 90년대 중반에도 사이버 문학에 대한 논의가 다양하게 이루어지면서 뭔가 새로운 문학이 열릴 것 같은 기대가 많았는데, 문학 자체가 새로운 기술에 의해 완전히 새롭게 재편될 것처럼요. 물론 비판과 회의의 시선도 많았죠. 그런데 실제로 그런 가능성들은 게임 서사 등으로 이동하고 이른바 순문학 쪽에서는 더 이상 진척되지 않았습니다. 문학 혹은 삶 자체가 가지고 있는 어떤 보수성 때문인지는 모르겠지만, 아직은 거기서 특별히 더 큰 가능성을 발견하지는 못한 것 같아요.

임태훈 : 매체의 첨단이 중요한 게 아니라 욕망의 절정이 중요한 겁니다. 매체는 도구일 뿐이에요. 이걸 가지고 뭘 할 수 있느냐가 언제나 중요한 문제죠.

김정남(사회) : 매체와 욕망이 만나야 한다는 거죠? 절정에서.

백지은 : 지금 말씀하신 욕망이란 물론 '문학적' 욕망을 말씀하시는 거잖아요. 이런 문학적 욕망의 발현 정도랄까 그런 것을 이야기할 때는, 문자 문화 자체가 상당히 매체 구속적이어서 단지 매체는 도구라고만 할 수는 없는 측면도 있을 것 같아요. 시각 중심의 문자문화가 쇠퇴하고 있다는 진단이 있기도 했고요. 예를 들어, (임 선생님께서 말씀하신 바 있는) 게릴라적 글쓰기를 하고 싶다, 이런 욕망을 가지고 있다면, 어떤 방식으로 매체를 이용해야 하는 걸까요?

임태훈 : 지금은 문자문화의 쇠퇴가 아니라 전성기에요. 유사 이래 지금처럼 사람들이 글을 많이 쓰는 시대도 없어요. 댓글부터 휴대폰 문자 메시지, 블로그와 트위터에 이르기까지, 글쓰기의 양만 따지면 이 시대야말로 작가의 시대라 할 만해요. 게릴라의 글쓰기는 이런 시대에 어떻게 하면 '글쓰기'와 '글쓰기의 공동체'를 통해 내 삶을 새롭게 갱신할 수 있을 것인가의 모험이에요.

백지은 : 하나만 더 질문할게요. 욕망의 절정이라 말씀하실 때의 그 욕망 자체에도 분명히 사회구속적인 측면이 있다고 봐요. 우리가 오로지 자유롭게 욕망하고 있다고 믿는 그 어떤 욕망도 사실은 다른 맥락과 힘들 안에서 발생한 것일 텐데요. 결국 제가 하고 싶은 말은, 자기 욕망에 의한 글쓰기가 돈의 힘에 끌려가는 글쓰기와 구별되지 않는 경우도 있고 욕망에 의한 글쓰기가 엔터테인이나 오락에 이끌리는 경우도 있지 않겠냐는 겁니다.

임태훈 : 자본의 힘으로부터 우리가 염결해지기는 대단히 어려워요. 의식적으로 거부할 수조차 없이 끌려들어가게 되는 부분도 있고. 욕망의 절정도 백 선생님께서 말씀하신 것처럼 자본의 힘에 휘둘릴 수 있어요. 하지만 그게 다가 아니라는 거죠. 욕망은 자본의 프레임 안에서만 작동하는 게 아닙니다. 그렇지 않다는 걸 확인할

수 있는 증거는 많습니다. 우리가 제대로 찾아본 적이 없어서 그렇지요.

이선우 : 우리가 제대로 찾아본 적이 없다, 그 말이 맞을지도 모르겠습니다. 문학이 보수적인 것이 아니라 우리가 보수적인 거죠, 실은. 그런데 선생님 말씀을 재밌게 듣다가도 자꾸 의문이 드네요. 아까도 말씀드렸지만 저는 그곳이 마니아들의 모임 같거든요. 같은 취향을 가진 사람들이 웹에 모여서 창작하고 소통한다, 재미있을 것 같습니다만 이게 대중적으로 어떤 파급력을 가질 수 있고, 어떤 논의를 일으킬 수 있을까요?

임태훈 : 대중적인 파급력을 가지려는 욕망이 바로 '자본의 욕망'이에요. 똑같은 거예요. 내 욕망에 공명하는 사람들의 숫자가 얼마이든 간에 그들과 연대하고 공동체를 이루는 것은, '자본의 욕망'과 그 쌍생아들만 득실거리는 것처럼 보이는 이 세상에서 다른 욕망의 발현이 가능함을 알리는 증거가 될 겁니다.

백지은 : 그러니까 제 생각에 이선우 선생님 말씀은, 그것이 크든 작든, '파급력'을 생각하지 않으면 폐쇄적이 되고 만다는 지적이신 것 같아요. 나의 글쓰기가 연대와 공동체를 이룰 수 있기를 바란다면, 거기에도 크든 작든 파급력이란 것이 있어야 하는 거잖아요. 적어도 아까 말씀하신 '분중' 정도까지는 염두에 두어야 다양한 시도들도 폐쇄적이지 않은 상태로 의미가 있어질 것이고요.

임태훈 : 그들이 어떤 의미에서 폐쇄적이라고 말씀하시는 거죠?

전성욱 : '오타쿠' 계열의 문화적 논리로 말하자면, 그것은 욕망desire이 아니라 욕구need라고 생각됩니다. 욕망이 타자의 인정을 바라는 것인데 반해, 욕구는 타자의 인정을 필요로 하지 않는 것입니다. 자기 혼자만의 만족이 동물적인 욕구입니다. 오타쿠 계열의 문화적 특징은 자기들의 만족 속에서 폐쇄적으로 즐기고 있는 것입니다.

임태훈 : 아니에요. 욕망이에요. 수집가들의 욕망이 욕구일 리가 없습니다. 너에게 없는 것이 나에게 있다는 걸 자랑하려고 그들은 비싼 돈을 들여 수집에 열중해요. 레어 아이템의 가격이 수집가들의 시장에서 오르락내리락 하는 이유도 이 때문이에요. 이들 세계에서 고수가 된다는 것은 경외의 대상이 되는 일이에요. 오타쿠도 방구석에 틀어박혀 자기 취미를 혼자 좋아하기만 하는 게 아닙니다. 이들이야말로 '분중의 시대'의 전위이면서 취향과 욕망의 문제에 솔직하고도 충실한 소수공동체의 일원이죠.

백지은 : 그럼 문단이라는 소수공동체의 경우도 그와 비슷한 것이 되지 않을까요? 문단 문학이라고 비판받는 어떤 문학을 생각해 본다면, 그건 일종의 레어 아이템이고, 문단 내에서 고수가 되어 경외의 대상이 되는 일이기도 하잖아요. 인정 투쟁의 메커니즘에 대한 말씀이신 것도 같아요.

이선우 : 제가 정리를 해 볼까요. 저는 그런 다양성을 갖는 것이 문학 속에서 의미 있다고 생각해요. 문학이 반드시 아주 대중적이어야 된다는 생각도 하지 않고요. 현실적인 문제들을 고려한다면, 작가들이 그렇게 해서 어떻게 먹고 살 수 있겠느냐, 어떻게 작품 활동을 영위할 수 있겠느냐, 그런 여러 가지 문제들이 있겠지만 문학이라는 전체적인 장 안에서는, 좋은 방향이 될 수 있다고 생각해요. 그러나 문학을 단순히 취미공동체라고 할 수 없다면, 다른 취미를 가진 사람들과도 소통할 수 있는 가능성은 가지고 있어야 하는 것 아닌가 싶어요. 그 부분에 대해서 좀더 논의가 필요하겠네요.

임태훈 : P2P든 소셜 네트워크를 이용하든, 다른 장場에서 문학을 낯설게 맞이할 필요가 있다는 겁니다. 그 자리를 비문학장이라고 부를 수도 있겠네요.

백지은 : 비문학장이요?

이선우 : 그것도 일종의 문학장 아닌가요?

임태훈 : 제도의 바깥이라는 게 애매하잖아요. '제도의 바깥'은 그 자체로 독립적으로 성립되어 있는 것이 아니에요. 이것은 우리가 '제도'와 맺는 관계로부터 연동하는 일련의 현상이니까요. 따라서 '여기가 저곳의 바깥이다'라고 주장하기 위해선 필연적으로 안과 바깥의 경계의 성격에 관하여 그리고 양 편에서 서로 다르게 가능한 역량과 무능의 구획을 동시에 규명해야 해요. 그런데 이 구분의 근거는 선험적 사유나 논리적 공방에 의지하는 것만으론 얻을 순 없고, 실제적인 실천과 경험을 통해 확인할 수밖에 없는 거죠. 스스로 독자를 구하고 제도의 관례와는 다르게 소통하려는 도전이 필요해요. 이를 통해 제도의 안팎을 부단히 규명하고 갱신해야 한다는 게 '게릴라의 글쓰기'에 대한 제 주장의 핵심이에요.

백지은 : 저도 그런 말씀에 공감합니다. 특히 글쓰기가 논리 공방으로 구분되는 것을 피하고 삶의 태도로서 실천되고 경험되어야 한다는 뜻에 동의합니다. 다만, 방금 임 선생님께서 말씀하신 태도에는 혹시 개인적인 차원에서 요구되는 에너지의 문제가 가장 큰 게 아닌가 하는 의심이 드는데요. 이를테면 모두 강자Uebermensch가 되어라와 같은 느낌이랄까⋯⋯.

임태훈 : 그런 건 아닙니다.

전성욱 : 그건 이 사회에서 헤게모니라든지 다수적인 삶에 편입하려는 욕망을 버리고, 말 그대로 소수적인 삶속에 안주하고 기꺼이 불편함을 감수하며 살겠다는 결단을 실행할 수 있을 때 가능한 것입니다. 지금 문학은 소수화되어 있습니다. 저는 문화의 영역에서 문학이 헤게모니를 가질 수 없게 되었다고 슬퍼할 필요는 없다고 생각합니다. 다만, 그 소수화가 다수적인 것의 부정성으로부터 탈

주하는 그런 의미가 아니라, 말 그대로 폐쇄적인 오타쿠들의 소수
적 현상으로 드러난다면 그것은 우려스러운 일일 것입니다. 선생님
은 이른바 '비문학장'에서의 문학을 굉장히 긍정적으로 평가하시는
것 같은데 저는 오타쿠 문화처럼, 그런 문학들이 그들만의 편협한
문학이 될 가능성이 높다고 생각합니다. 물론 그 소수의 문학이 정
말 다수의 삶속에 조금이라도 기여하는 문학이 된다면 좋겠지만,
그들이 자신들만의 폐쇄적 행복을 추구하는 것으로 문학을 사용
한다면, 그것은 사이비종교가 광신도들에게 주는 그들만의 가짜
희열과 다를 것이 없다고 생각합니다.

백지은 : 지금 전 선생님 말씀에도 그렇고, 지금 우리가 이야기하고
있는 방식에는 어떤 불필요하거나 부적당한 이분법적 사고가 있
는 것 같아요. 이런 것이죠, 소수적인 삶은 자본을 비판하는 삶이
고 다수적인 삶은 그것을 비판하지 않는 삶이라거나, 소수적인 문
학은 올바른 문학의 태도를 보장한다거나 반대로 소수적 문학은
폐쇄적이므로 올바른 문학의 태도가 될 수 없다거나 하는 식의 논
리요. 그런 논리는 물론 틀린 것이 아닐 경우도 많지만, 그래도 이
런 건 잊지 말아야 할 것 같아요. 이를테면 문학이든 문화든 어떤
장 안에서 우리는 모두 자본에 연루되어 있다는 사실을 무시할 수
없다는 것, 그러나 우리가 지금보다 자유롭기 위해서는 그런 자본
주의 운명에서 벗어날 수 있는 길을 끝없이 추구할 수밖에 없다는
것. 그렇다면 우리는 어떤 사안에 대해 동시적인 입장에 있다고 생
각할 수 있을 것 같아요. 즉 다채로운 공동체 안에서 문학적 욕망
을 즐겁게 표현하는 그런 '삶의 태도로서의 문학'이 어느 경우에는
문학 제도 안에서도 이른바 '잘 빚어진 항아리로서의 문학'과 완전
히 다르기만 한 것은 아니라는 거죠. 둘은 같은 것일 수도 있고 일
정 부분 겹칠 수도 있는 거잖아요. 흔히 서로 반대항이라고 여겨지

는 두 측면이 겹치고 갈리는 데가 있다는 것을 먼저 인정하는 태도도 필요합니다. 그래야 우리 안에서 문학에 대한 개념 자체가 유연해질 수 있다고 생각해요.

임태훈 : 전성욱 선생님이 하신 말씀 중에, 소수의 공동체들 안에서 구도자적인 자세가 있어야 버텨나갈 수 있지 않느냐고 하셨는데, 꼭 그렇게만 생각할 것도 아닌 것 같아요. 2008년 촛불 시위를 떠올려보세요. 인터넷 동호회 회원들이 촛불을 들고 거리로 나섰어요. 그 유명한 디씨인사이드, 패션 동호회 소울드레서, 요리 사이트 82COOK, 미국메이저리그 야구동호회, 코스프레 동호회, 식도락 모임 등등…… 다 열거하기도 힘드네요. 이분들이 연단에 나와 씩씩하게 정치발언도 하고 그랬거든요. 아시겠지만 이런 모임이 평소에 대단히 정치적이었던 것도 아니었어요. 금욕하는 구도자적인 자세와도 거리가 멀죠. 하지만 이들 공동체에서는 적대와 연대와 환대의 가능성 모두가 한꺼번에 작동해요. 이 시대에는 같이 재밌게 놀아봤던 사람들끼리 정치적 연대도 더 잘 하는 것 같아요.

김정남(사회) : 여기서 좀 마무리하고 넘어가야 할 것 같은데, 그럼에도 불구하고 거기에 분명 한계는 있죠. 그 문학이 아주 사소해진다든지, 혹은 딜레탕트화된다든지, 이런 문제들은 결코 피할 수 없는 지점이 아닐까, 왜소화된 것을 보여주는 하나의 증거이기도 하지 않을까, 이런 생각이 드는데요.

임태훈 : 그런 감각을 낯설게 느껴볼 필요가 있지 않을까요?

비평의 전문성과 대중성

김정남(사회) : 이것은 비평의 존재론적 기반에 대한 문제이기도 하고, 또 비평의 궁극적인 지향점과 결부되는 문제이기도 한데요, 비평의 전문성과 대중성에 대해 논의를 해 볼 필요가 있을 것 같습니다. 제 개인적인 생각으로는 현재 비평이 과도하게 전문화되어 있으며, 비평의 내재된 독자implied reader가 지나치게 이상적으로 설정되어 있다고 봅니다. 그렇다고 작품집 해설이나 리뷰 수준의 직관적 인상비평을 옹호하는 것은 아닙니다만, 작가들조차도 못 알아먹겠다는 원망 섞인 얘기가 나오고 있는 전문화되고 고급화된 현재의 비평을 어떻게 보아야 할까요?

전성욱 : 비평의 언어가 이해가 불가능할 정도로 난삽해지고 있는 것은, 다루고 있는 내용이 어려워서가 아니라, 그 글들이 향하는 곳이 공중이 아니라 자기 자신이기 때문일 것입니다. 다시 말해 쓴다는 자의식이 읽힌다는 자의식을 압도하기 때문입니다. 동료 비평가들을 향해서 쓰는 글들은 오히려 쉽습니다. 가령, 논쟁적인 글쓰기 같은 경우에는, 굉장히 구어적인 글로 나옵니다. 그런 건 굉장히 직접적이지요. 지금 글이 어려워지는 이유는, 글이 읽혀지기를 바란다기보다는 '쓴다'는 것 자체의 자의식이 강하기 때문입니다. 오늘날 많은 사람들에게 주목을 얻고 있는 비평들은 '쓴다'는 자의식이 강력하게 드러나 있고, 그 자의식은 매혹적이기조차 합니다. 그래서 그런 글들은 거의 창작에 육박합니다. 그런 심미적 비평들은 지금 동시대의 젊은 비평가들이 열망하는 한 모습인 것처럼 느껴집니다. 그 매혹과 열망에 대해서는 소박한 비판보다는 보다 섬세한 사유가 필요할 것입니다.

백지은 : 비평이 전문적이라고 하는 것은 물론 (문학)이론적이다 혹

은 심오하게 철학적이다, 하는 말들과도 통하는 말이겠지요. 그런데 '전문적'인 것과 '과도하게 전문적'인 것은 분명 다른 말이지요. 과도하게 전문적인 것은 몰라도 그냥 전문적이고 이론적인 것은 나쁜 것이 아닙니다. 만약 전문적으로, 이론적으로 쓴 글이 어렵다면, 그건 그 글의 구성이 응집적이지 못하고 산만하다거나, 아니면 남의 의견을 가지고 올 때, 자기 글의 문맥 속에 녹이지 못하고 그저 콜라주하는 데 그치기 때문이지, 이론적이어서 그런 것은 아닐 거예요. 원론상 이론은 더 잘 이해하기 위한 것이지 더 어렵게 만들려는 게 아니니까요. 그렇지만 이런 건 원론적인 이야기고요. 비평가의 글들은, 자기가 자기에게 쓰는 것 같다고 하신 말씀이 무슨 말인지 저도 좀 알 거 같은데요. 약간의 전문성을 과도한 전문성으로 포장하는 글들이 특히 그런 것 같아요. 그리고 제가 생각하는 최근 비평의 문제점은 소박하게 두 가지 정도인데요, 하나는 다소 본격적인 분석과 평가를 요구하는 긴 글에서도 작품의 의미와 논리에만 지나치게 의존한 채로 비평가의 감상만 노출시키는 글이고요, 또 하나는 두세 페이지짜리의 짧은 리뷰에도 두세 명의 철학자들 이름이나 긴 인용을 들여오는 촌스러운 글이에요.

전성욱 : 저는 그런 것들이 글쓰기에 대한 태도나 입장 그리고 윤리의 문제를 내포하고 있다고 생각합니다. 비평의 글쓰기는 전문적인 영역에 속하고 그 전문성에서 오는 난해함이라는 것이 있을 수 있습니다. 하지만 그런 차원이 아니고 자의식의 과잉이 가져오는 비평은 비평문을 모호함으로 가득한 한 편의 시로 환원합니다. 이론적 정치함을 초과해 버리는 글쓰기의 자의식은 문제가 될 수 있습니다. 이론에 대한 이해부족을 수사rhetoric로 보충하는 글들은 기만적인 모호함을 생산합니다. 결국 다른 사람들에게 읽힐 것이라는 타자에의 윤리를 망각한 비평은 자기만족 속에서 홀로 유희하

49

는 오타쿠와 다를 것이 없을 것입니다. 그러니까 이런 자의식 과잉의 모호한 비평들의 득세는 역시 포스트모던한 동물적 욕구의 시대를 반영하고 있는 것입니다.

김정남(사회) : 작가와 비평가들이 심각하게 괴리되어 있습니다. 그러니까 시인이나 소설가들을 만나면, 도대체 비평가들은 뭐라고 얘기 하는 거야, 읽히지도 않는 글을 가지고. 이렇게 말한다는 거죠. 소통이 부재하다는 거죠. 그러니까 상호 참조가 되지 않아요.

이선우 : 작가들마저도 알아볼 수 없는 비평이라면, '과도하게 전문적인' 글이라는 비판이 나올 수밖에 없겠죠. 하지만 작가들이 비평가에게 불만을 가지는 것은, 단순히 비평이 전문화되어서라기보다는 작품을 중심에 놓지 않고 이론에 작품을 끼워 맞추려고 하는 태도 때문일 겁니다. 그럴 바에야 소박하지만 잘 쓴 인상 비평이 훨씬 낫다고 생각하는 분들도 있는 것 같고요. 전성욱 선생님께서는 '쓴다'는 자의식이 '읽힌다'는 자의식을 압도하기 때문이라고 말씀하셨는데, 제가 보기에 그런 비평이 그리 많은 것 같지는 않고요, 오히려 일종의 인정투쟁이랄까, 일반적으로는 비평이 점점 더 동업자들을 향한 글이 되고 있기 때문에 나타나는 현상 같아요. 비평가끼리의 논쟁적인 글쓰기를 말씀드리는 것은 아니고요, 끊임없이 동료비평가를 의식하는 글쓰기라는 것이죠. 그럼 왜 비평이 본연의 역할을 망각하고 작가나 일반 독자가 아닌 전문비평가들만을 위한 글을 쓰는가, 그건 현실적으로 동업자 외에는 아무도 비평을 읽지 않기 때문이겠죠. 그런데 이렇게 말하면 순환논법에 빠질 수 있어요. 그럼 왜 비평을 안 읽게 되었는가, 너무 어렵거나 재미가 없거나 별 쓸모가 없었기 때문일 테니까요. 이 악순환의 고리를 어떻게 끊을 수 있을지 그게 참 문제라는 생각이 듭니다. 전문적인 비평, 학문적인 연구는 반드시 필요하지만 사실,

이론에 작품을 끼워 맞추는 것은 동업자들을 향한 글이라 할지라도 좋은 글은 아니거든요.

그리고 확실히 대중을 향한 비평은 줄어들고 있다고 생각해요. 그건 문예지의 위상 변화와도 관련이 깊을 텐데요, 여하간 지금은 일반인들이 문예지를 영화잡지처럼 사 읽는 시대는 아니니까요. 독자가 동료 비평가냐 작가냐 아니면 일반 대중이냐에 따라 이론의 수위나 글의 형식, 내용이 달라지는 것은 자연스러운 겁니다. 때로는 같은 문학잡지라도 어떤 잡지에 게재되느냐에 따라 사용하는 수사나 이론을 다루는 수준이 바뀌기도 하니까요. 그러니까 언제부터인가 업무분담이 이루어지고 있다는 느낌이에요. 대중적인 글은 이제 문예지가 아니라 영화나 시사 잡지, 신문, 혹은 인터넷 서점 리뷰 코너에서나 볼 수 있는 거죠. 이게 자연스러운 것인지, 전문화라는 미명 아래 문학을 점점 더 축소시키는 것인지……

전성욱 : 저는 비평의 전문성을 옹호합니다. 오히려 전문성을 결여한 미숙함이 난해함을 불러올 수 있다고 생각합니다. 바둑 잡지는 바둑을 정말로 좋아하는 사람들이 구독하지 않겠습니까? 그냥 단순하게 좋아하는 차원을 넘어 바둑의 여러 차원에 대한 이해의 욕구가 그런 잡지를 필요로 하겠지요. 비평전문지의 독자들도 그렇지 않겠습니까? 그런 의미에서 비평전문지의 독자가 너무 많을 필요가 없다고 생각합니다. 문학 자체가 소수화되었고, 문학비평은 더 소수화되었지요. 그러므로 비평전문지는 소수들을 위한 하나의 공간이 되어야 합니다. 그리고 그 소수적 공간은 나름대로 이 세상에 어떠한 방식으로든 기여할 수 있어야 할 것입니다. 그러니까 비평이 대중들에게 많이 읽히는 것이 중요한 것이 아니라, 비평가라는 전문가 집단의 논의들이 다양한 루트로, 다양한 채널로, 대중사회에 공적 기능을 발휘할 수 있어야 할 것입니다.

임태훈 : 비평의 자의식 과잉이 불러온 또 하나의 파국은 일말의 유머감각도 없는 글을 쓴다는 거죠. 어이구, 이건 정말 너무한 거 같아요. 시나 소설을 읽을 때는 울기도 하고 웃기도 하지만, 비평을 읽는 사람들은 무표정하잖아요. 그나마 잘 읽지도 않아요. 제가 좋아하는 재미있는 비평은 대중의 눈높이에 맞춰 알랑거리는 글을 의미하는 게 아닙니다. 유머감각은 글을 읽고 싶게 만드는 힘이자, 계속 읽게 만드는 힘이에요. 엄청 심각하기만 할 거 같은 마르크스의 『공산당 선언』조차 찬찬히 읽어보면 빛나는 유머감각의 연속이에요. 웃음은 한 시대의 공통감각에 밀접하게 연관되어 있어서, 누군가를 웃길 때는 그 사람만을 웃기는 게 아니라 사회적인 감각을 함께 건드리는 겁니다. 전문성과 대중성 모두 중요하지만 그것을 한 데 엮어낼 때, 유머 감각의 필요성을 진지하게 생각해 봐야 합니다.

김정남(사회) : 그 문제와 관련하여 비평과 갈등을 맺고 있는 글쓰기의 방식이 논문이 아닌가 싶어요. 현재의 계량화된 학문 시스템 안에서는, 비평과 논문이 서로 연동할 수가 없죠. 연구자와 비평가 사이에서 서로 괴리되는 부분이 있다는 말이에요.

전성욱 : 이에 관해서 김영민 선생의 「미안하다, 비평은 논문이 아니다」(『오늘의문예비평』, 2007년 가을호)라는 글이 있어요. 여기에서 말하는 논리를 범박하게 정리하면, 논문이 객관성을 가장하는 글쓰기라면, 비평은 객관성의 표현 불가능성을 시인하는 글쓰기 형식이라는 것입니다. 비평과 논문은 그런 식으로 갈등하지요. 그리고 비평은 공식적인 연구업적의 평가 자료로 인정되지 않기 때문에 대학이라는 제도 바깥에서 출판-언론의 커넥션이 만든 새로운 제도의 공간으로 완전히 들어가 버렸습니다. 비평은 이제 객관성의 표현 불가능이라는 겸허함을 버리고, 그 불가능성으로부터 주관

성의 과잉이라는 늪에 빠져 익사하고 있습니다. 좀 시니컬하게 표현하자면, 젊은 비평가들이 그렇게 익사하고 있을 때, 40대 이상의 어르신들은 실적 안 되는 비평을 버리고 대학에서 객관성을 가장한 논문을 쓰는데 시간을 탕진하고 있는 것입니다.

김정남(사회) : 그냥 연구실로 들어가 앉은 거죠.

전성욱 : 사실 이런 시스템의 구조가 비평에 대한 열정을 휘발시켜 버린다는 거죠. 비평을 생산하지 못하게 하는 구조입니다. 그래서 문예지의 편집위원으로서 비평 청탁에 응해 주는 평론가들이 얼마나 고마운지 모릅니다.(일동 웃음)

임태훈 : 전문성 얘기를 저는 이렇게 접근하고 싶어요. 가령, 소설에서 '좀비'가 나온다면, '좀비'에 대해 전문적으로 접근할 수 있는 비평가가 있을까요? '처녀귀신'은 또 어떻고요? 얼씨구나 '기생충'은? 이것들을 상징이나 은유의 문제로 전유하는 방식 말고, 정공법으로 설명해내는 거 말이에요.

백지은 : 제 생각에는, '문학' 비평의 전문성이라는 건, 문학적 '감식안'의 전문성을 뜻하는 것이지 이론이나 철학, 혹은 다양한 정보와 지식에 대한 전문성을 뜻하는 게 아닌 것 같아요. 물론 그 감식안이라는 건, 시간과 노력을 들여 학습되기도 하고, 기질과 감수성으로 선택되기도 하는 것이겠지요. 그런 면에서 문학 비평과 문학 연구의 입장이 조금은 달라질 수도 있을 거예요. 아무튼 비평적 전문성에 대한 생각을 조금 더 말해 본다면요, 비평가도 글쟁이로서 작가들의 입장과 비슷한 상황이 아닐까 싶어요. 다시 말해 '직업으로서의 비평이냐, 삶의 태도로서의 비평이냐'가 문제인데요, 물론 이 둘이 뚜렷하게 나뉘는 것도 아니겠지만, 많은 비평가들이 다른 문학 장르 종사자들과 마찬가지로 삶의 태도로서의 비평을 원하고 견지하고 있지 않을까요? 최소한 즐겁게 글을 쓰고 싶은 비

평가들이라면 그럴 거예요. 그리고 그런 비평가들이라면 과도한 전문성이나 표피적인 인상, 둘 다에 치우치지 않는 비평을 끊임없이 추구할 것이고요. 자기 삶의 태도를 거는 책무라면 너무 전문적인 것도 너무 피상적인 것도 피하고 싶을 테니까요. 저는 그런 것이 비평가의 윤리가 아닌가 싶어요.

김정남(사회) : 사실 문학연구와 비평 사이에서 개인이 겪는 갈등도 크지만, 문학연구자와 비평가 사이의 간극은 더 큰 것 같습니다.

전성욱 : 저는 국문학, 그 중에서도 현대문학 파트는 연구 방향과 경향이 대단히 혼종적이고 따라서 매우 모호한 것이 아닌가 생각합니다. 지금 국문학 연구자들은 철학·역사·정치학·사회학 등 모든 분야를 꿰뚫고 있는 것처럼 보입니다. 사실 어느 것도 잘 알고 있지 못하면서 말입니다. 물론 이런 비판에서 저 역시 자유로울 수 없는 것이 사실입니다. 어쨌든 이런 식의 연구 풍토가 문학 연구는 물론이고 비평, 더 나아가 인문학 전체를 황폐하게 하고 있는 원인 중에 하나가 아닌가 싶습니다. 그런 의미에서 질서와 자기 규제가 필요한 것 같기도 합니다. 무작정 가로지르고 융합하는 것이 옳은 일은 아닌 것 같습니다.

이선우 : 어떤 경계가 필요하다는 말씀처럼 들리는데, 그럼 그 울타리는 어떻게 만들어지죠?

전성욱 : 여기서 좀 보수적인 입장을 드러내게 되는데, 그리고 초월적이고 관념적인 어휘들을 끌어올 수밖에 없지만, 스스로의 윤리와 성실성, 자기 기율 이런 것들이 필요하지 않을까요?

이선우 : 제가 최근에 느끼고 있는 곤혹은, 어떤 문제든지 결국에는 모든 게 개인의 윤리로 수렴된다는 것입니다. 왜 문제는 구조적인 것인데, 해결은 개인의 윤리적 결단이나 실천에만 의지해야 하는 것일까요? 그런 지점이 필요한 것은 분명하지만, 결국 진정한 의

미의 주체란 개인일 수밖에 없다는 의미에서요. 하지만 그렇게 이야기하면 거대한 구조와 연약한 개인의 싸움처럼만 느껴진단 말이죠. 우리 모두가 사도나 전사가 되어야만 할 것 같은 부담감도 들고요. 이런 논의에서 우리가 건드려야 하는 것은 개인의 윤리뿐 아니라 그런 글쓰기를 강제하는 제도적인 측면이 아닐까요? 문학연구자와 비평가 사이의 괴리 문제도, 제도가 강제한 측면이 적지 않습니다. 그러니까 문학에 대한 개인의 애정에만 의지해서는 해소되지 않는 지점이 있을 것 같아요. 배타적 경계 안에서 죄책감과 피로, 무관심과 자기합리화, 비난과 실망의 수위만 높아질 수도 있고요. 오히려 제도가 왜 우리를 그렇게 만드는가, 국가기관이 왜 인문학을 그런 식으로 재편하는가, 그것이 우리의 학문과 문학의 발전에 제대로 기여하고 있는가, 그런 것을 제대로 따져보고 변화를 요청해야 하는 것 아닐까요.

김정남(사회) : 학자들의 사교클럽처럼 되어 있는 학회들은 어떻게 봐야 할까요. 사실 논문에서 지저분한 각주 다 빼버리면, 남는 게 없다는 말이죠. 그러니까 비평도 정당한 학문적 업적으로 인정되는 지적 풍토, 혹은 제도가 필요하지 않을까 싶기도 합니다.

임태훈 : 제가 갑자기 다른 이야기 하는 걸 수도 있겠지만, 얘길 듣다보니 미래파 논쟁이 생각나네요. 미래파 논쟁에서 제가 제일 한심하게 봤던 태도가 뭐냐면, 이따위 시 나는 도무지 뭔 소리를 하는지 모르겠다는 전제를 깔고 미래파를 비난했던 분들의 글이었어요. 이건 비평의 전문성과 대중성 모두를 포기하고 그냥 주저앉아 버리는 일이었다고 생각해요. 제가 볼 때 이른바 미래파들의 시가, 특별히 나쁘다거나 못 알아먹어서 불쾌하다거나 그렇지는 않았어요. 얼른 와 닿는 게 없어서 물론 난감한 부분도 있겠지만, 그들의 시어가 접속하고 있는 감성과 상상력은, 인디 락의 분열적인 가사

와 사운드, 그리고 컬트영화와 MTV의 몽환적인 영상에 익숙한 사람들에게는 친숙한 것이었거든요. 그래서 별 거 아닌 시라고 생각한다면 정말 답답할 노릇인 거죠. 그런 음악 들어보기나 해 봤나요? 그런 영상 끝까지 제대로 본 적이나 있나요? 무지가 곧 편견입니다. 전문성은 문학에만 있는 게 아니죠.

백지은 : 당연한 말씀이에요. 비평가가 모든 부분에 전문적일 수는 없지요. 다양한 문화적 현상들을 소화해낼 수 있는 체험, 지식, 취향이 있으면 좋겠지만, 가령 좀비면 좀비, 귀신이면 귀신, 그것을 모두 다 소화하는 전문성은 비평가 일인이 갖춰야 하는 덕목이 아니죠.

이선우 : 네. 문학이 잡식인 것처럼 비평도 잡식이지만, 비평가라고 해서 모든 영역에서 다 전문가가 될 수는 없죠. 그런 사람을 '전문가'라고 부르지도 않고요.

임태훈 : 맞아요. 그렇게 되는 건 불가능하죠. 모든 걸 다 알고 굉장히 분열적이고 잡학적인 초인이 되자는 게 아닙니다. 다시 미래파 논쟁 얘길 해 볼까요. 그 논쟁에 참전했던 분들은 전부 다 문학비평가였어요. 그렇다보니 담론을 꾸려나가는 초식이 서로 별반 다르지가 않았어요. 모두들 '문학'에 근거해, 문예지 평론의 글쓰기와 형식에 맞춰 서로를 논박했던 겁니다. 그런데 만약 문학 바깥에서 활동하던 분들이 이 논쟁 안으로 들어와 함께 싸울 수 있었다면, 담론의 양상은 어떻게 달라졌을까요? 가령 팝 칼럼리스트나 실험영화 감독, 혹은 군사암호 해독가나 사운드 디자이너, 혹은 미술가에게 미래파의 시에 관하여 어떻게 느끼고 생각하는 지 들어볼 순 없었을까요? 오늘날 시와 소설은 그 감수성과 상상력을 문학 작품에서만 얻는 게 아니고, 온갖 문화 체험이 한 데 녹아들어 있어요. 따라서 그 잡스러움을 알아볼 수 있는 질문의 그물을 만들어

낼 수 있어야 합니다. 하지만 미래파 논쟁의 성긴 그물 안에 붙잡을 수 있었던 게 도대체 뭐였나요? 결국 환멸의 재확인밖에 더 있었습니까?

이선우 : 중요한 지적이군요. 사실 작가들의 세계에 비해 문학비평가의 세계는 다소 천편일률적인 데가 있지요. 대부분이 정형화된 아카데미즘에서 자유롭지 못한 것도 사실이고요. 그렇다면 이런 다변화된 문학장 안에서 비평가의 존재 의미는 무엇일까 생각해 보게 되는군요.

임태훈 : 대중성과 전문성 사이에서 중계자 역할을 담당하는 것이 비평가의 자세이겠지요. 따라서 비평가는 기본적으로 아마추어이어야 한다고 생각합니다. 또 아마추어일 수밖에 없고요. 왜냐하면 작품에는 다양한 삶의 모습들이 나타나는데, 그걸 온전히 다 알아보고 깊게 읽어낼 순 없으니까요. 물론 그렇게 되기 위해서 평생을 두고 인간적 깊이와 식견을 갖출 수 있도록 노력해야 되겠지요. 그건 자기가 잘 모르는 분야에 대해 외면하지 않고, 모르면서 아는 척하는 허세 따윈 버리고, 그냥 즐겁게 배우는 일에서부터 시작하는 거 아니겠어요. 이건 문학 비평가이기에 앞서 좋은 지식인의 자질이기도 합니다. 그런 의미에서 아마추어 비평가 본연의 역할을 저는 이렇게 생각합니다. 어떠한 현상에 대해 유효한 질문을 구성하고, 그 질문에 답할 수 있는 사람을 찾아 정중히 묻고 지혜의 연대를 구하기. 이건 문학비평가들끼리만 뭉쳐서 할 일이 아니에요. 그런 폐쇄성 때문에 문학비평이 대중성과 전문성 모두를 놓친 겁니다.

문단 시스템과 비평의 역할

김정남(사회) : 문단의 작동 시스템 내부에서 비평가들이 맡고 있는 역할에 대한 점검이 필요한 것 같습니다. 사회적 공기公器라고 할 수 있는 문예지에 작가들을 공급하는 '중간상'이 바로 평론가의 레테르를 달고 있는 편집위원들입니다. '포섭망으로서의 문예지-알선책으로서의 편집위원(평론가)-권력과 자본의 집적체로서의 출판사', 이들의 관계에 대해 점검이 필요하리라 봅니다. 이러한 체제에 문제가 있다면 이를 대체할 대안적 시스템은 없는 것일까요? 다른 나라들도 편집위원 시스템인가요?

이선우 : 출판사 시스템이라고 알고 있어요.

임태훈 : 미국만 해도 편집자의 권력이 막강하죠. 능력도 그에 못지 않게 뛰어나고요.

전성욱 : 비평가가 특정 작가들의 명망을 높여주는 역할을 하고 있는데, 그 문제는 상당히 심각한 상황이라고 생각합니다. 왜냐하면, 편집위원들이 굉장히 폐쇄적인 구조이지 않습니까? 이 편집위원들이 구성되는 방식 자체가 학연과 같은 바람직하지 못한 인연으로 변화 없이 계속 간다는 것이지요. 그렇게 고인 물처럼 변화가 없는 집단이기 때문에 그들이 가지고 있는 권력은 아주 부정한 방법으로 타락하기 쉽다고 생각합니다. 이런 구조가 결국은 막강한 권력이 대를 이어 계승될 수 있게 해 주는 기반인 것입니다.

이선우 : 출판관계자들 이야기를 들어보면, 거대 출판사가 아닌 중소 출판사라 하더라도, 어떤 작가가 최소한 만 권 정도의 작가가 되려고 하면, 거기에 전문비평가들의 평가와 해석이 따라붙어야 한다고 하더군요. 그렇지 않고는 그 정도의 작가가 만들어지기 힘들다고 하더라고요. 화려한 수사로 상품을 포장하는 게 아니라면,

그러니까 좋은 작품을 찾아내고 알리는 데 비평의 역할이 그만큼 중요하다는 뜻으로 해석할 수 있다면, 긍정적인 의미를 찾아낼 수도 있을 것 같은데요. 동일한 능력이 어떻게 발휘되는가가 문제겠지요.

임태훈 : 지금 한국문학을 꾸준히 출판하는 곳은 사실 열군데도 안 돼요. 게다가 그 가운데 두 세 출판사가 거의 독식하고 있는 상황이고요. 이래 가지고선 한국문학의 다양화나 갱신은 기대하기 힘들어요. 지금과 같은 구도는 깨뜨려야 해요. 여타의 출판사로 힘을 분산시켜야 합니다.

김정남(사회) : 그 힘의 분산에 있어 위계가 있는 것 같아요. 위에서부터 싹 쓸어가니까요.

임태훈 : 편집위원회 평론가들은 지능적인 정치 감각이 필요한 것 같아요. 끼리끼리 파벌이나 만들고 서로 상종 않는 그런 정치를 말하는 게 아니에요. '문예지-편집위원-출판사'의 삼각구도 안에서 창조적으로 불화하고 협력하자는 거죠. 잠재성에 비해 저평가되어 있는 작가와 작품에 출판사가 투자를 하고, 문예지에서 지면을 내어줄 수 있도록 우리가 역할을 해야 해요. 출판사들끼리의 경쟁에서도 평론가들이 책사 역할을 맡을 필요가 있어요. 그렇게 해서 어떤 출판사를 승자독식구도의 정점에 올려놓는 게 목표가 아니라, 뭔가 새로운 시도를 해 보려는 출판사를 여럿 건실하게 키워내 한국문학의 기반을 현실적으로 확장해야 해요. 지금 돌아가는 꼴을 보면 좀 한심해요? 작가들은 온통 '창작과비평', '문학동네', '문학과지성'에서 자신들을 알아봐주고 키워주기만 목메고 기다리고 있는데, 그 회사가 아무리 잘나간다고 해도 한국문학에 할애할 수 있는 역량과 의지에는 한계가 있거든요. 이들 출판사와 거기에 속한 평론가들이 문학권력을 움켜쥐고 있다고 아무리 비판해도, 이런

현실을 바꿀 수 있는 실질적인 '일'을 해내지 않고선, 변하지 않는 현실을 향해 같은 말만 반복하게 될 뿐입니다.

김정남(사회) : 그렇다면, 결국 한국문학 내의 '승자독식체제'를 부정하는 것 역시도, 비평가 개인의 윤리인가요?

백지은 : 다른 평론가들, 가령 문예지 편집위원으로 계신 분들과도 함께 이야기해 보는 입장에서 생각해 본다면, 편집위원의 자리에 계신 분들도 불가피하게 문예지의 권력을 일부분 나눠 갖게 되었지만, 최소한 자기 감식안 안에서 열심히 읽고, 새 작품을 발굴하려고 노력하고 그럴 텐데, 그 모두를 문단 시스템 내의 부정한 권력으로 비판할 수는 없지요. 다만 그 분들이 어떤 한 작가를 띄우고 많이 팔고 자기 자신도 유명해지겠다는 식의 공명심과 자기 자신의 문학적 감식안을 걸고 문학적 운동을 하겠다는 의지를 헷갈리지만 않는다면요.

임태훈 : 평론가는 히드라처럼 여러 개의 머리로 일해야 한다고 할까요.

김정남(사회) : 그러나 작가들의 입장에서는 그렇지 않다는 거죠. 대의민주주의로 말하자면, 그들을 '선출직 귀족제'로 여긴다는 거죠.

임태훈 : 외부에서 보는 것처럼 편집위원회의 평론가들이 하는 일이라는 게 그렇게 폼 나고 으스대고 그런 건 아니거든요. 오히려 비참할 정도라고 할까. 하지만 뭐가 어쨌든 간에 시스템 안에서 할 수 있는 현실적 윤리에 철저해져야 되겠지요.

김정남(사회) : 그렇지만, 편집위원들이 현재의 스타시스템을 강화하는 역할을 하고 있다는 거죠.

이선우 : 그러니까 이 시스템 밖의 새로운 시스템을 구상하지 않는다면 결국은 비평가의 양심을 걸고 해라, 이 얘기밖에 나올 수 없는 거죠.

임태훈 : 백만 부가 팔린 책 하나보다는 만 부 정도 팔리는 책 수십 권이 출판시장을 건강하게 만드는 것처럼, 만 부쯤 팔리는 책을 꾸준히 기획하고 출판할 수 있는 회사가 이삼십 개는 있어야 한다는 바람이 간절합니다. 이를테면 SF와 같은 장르문학에 그만큼 투신해서 꾸준히 선전善戰할 수 있는 회사도 있어야 되겠고. 하지만 좀처럼 그렇게 되지 않거든요. 돈 안 되는 아이템이 어느 날 갑자기 황금알을 낳는 거위로 변할 리도 없고. 출판사야 이런 문제에 굉장히 냉정하죠. 그렇더라도 앞으로의 가능성에 대해 투자를 할 수 있게 만들어야 해요. '백조의 다리' 역할을 할 만한 사람은 사실 평론가거든요.

대안적 시스템이라고 하는 것도 자본의 논리 바깥에서 구하려고 하는 거잖아요. 떡볶이 장사를 하면서도 자기가 좋아하는 글을 읽고 쓰는 사람들과 꾸준히 모임을 갖고 즐겁게 살아갈 수 있다면, 그런 게 대안적인 시스템일 수 있어요. 그런 공동체에서 제도권에서와는 다른 새로운 글쓰기가 시도될 수도 있고요. 하지만 그 사람들이 그 상태로만 머물러 있느냐? 욕망은 자본의 안과 밖을 가리지 않잖아요. 그들이 이쪽에서 저쪽으로 넘어 가려고 할 때, 그들이 가진 새로움이 시스템 내부의 고루한 관성들을 변화시킬만한 것이라면, 우리들이 기꺼이 '백조의 다리' 역할을 해드려야겠지요.

김정남(사회) : 더불어, 편집위원 혹은 에콜 형식의 동인들에 의해서 만들어지는 잡지들의 내부를 살펴보면, 기실 '그 나물의 그 밥'이라 할 수 있습니다. 모든 문예지가 자신만의 색깔과 문학적 지향 없이, 특정 작가를 이리저리 교체출연시키고 있는 풍경은, 스타시스템이 작동하고 있다는 증좌입니다. 그렇다면, 평론가(편집위원)들은 대체 무슨 역할을 하고 있는 것일까요. 문단의 주류 담론에서 소외된 작가와 작품들을 발굴하고, 그와 같은 작업을 통해 새 호흡을 불어넣는 작업을 철저하게 방기하고 있는 것은 아닐까요.

이선우 : 조심스런 말씀이긴 합니다만, 메이저 출판사나 잡지들에 대한 비판이, 잘못 들으면 거기 들어가지 못한 자들의 인정투쟁처럼 비춰질 수 있거든요. 역설적으로 중앙에 대한 욕망을 키우는 것 같기도 하고요. 하지만 이런 구도 속에서는 아무리 비판해도 아무 것도 바뀌지 않을 것 같아요. 비판도 중요하지만, 그래서 저는 우리 스스로 무엇인가를 생성했으면 좋겠다는 생각이 들어요. 중앙이 되기 위한 지역, 메이저가 되기 위한 마이너가 아니라, 그런 구도 밖에서 자율적으로 생성되는 힘을 만들 수도 있지 않을까. 하지만 똑같은 제도, 똑같은 욕망, 똑같은 삶의 형태 속에서는 그런 힘이 나오기 힘들겠죠.

전성욱 : 오늘날의 작가들이 가지고 있는 문제이기도 한데, 그들이 기꺼이 출판자본의 노동자로서 활용될 어떤 자세가 되어 있다는 것입니다. 예컨대 요새 젊은이들이 기꺼이 삼성에 들어가는 것을 바라마지 않듯이, 한국의 많은 작가들은 이른바 메이저 출판사에서 자기 작품이 출간되어 어떤 권위를 확보하기를 간절히 바라고 있습니다. 물론 전통이 있는 출판사에서 작품을 발간해 권위를 얻고자 하는 것은 정당하고 또 어떻게 보면 마땅한 일이기도 합니다. 하지만 그 정당하고 마땅한 작가들의 바람이 대개는 출판 자본의 논리에 악용당하고 만다는 것입니다. 저는 황석영이나 신경숙 같은 작가가 작고 좋은 출판사 혹은 지역의 건실한 출판사에서 작품을 발간하는 위대한 모습을 보았으면 합니다. 하지만 그런 아름다운 결단과 실천을 지금의 현실에서 기대하기는 너무 힘들어 보입니다.

이선우 : 그런 선배들이 있으면 정말 좋은 귀감이 되겠죠. 참 여러 문제가 얽혀있는 것 같아요.

전성욱 : 몇몇 스타 작가들은 이제 기꺼이 엔터테이너가 되기를 주

저하지 않습니다. 이제 몇몇 명망 있는 작가들은 여느 연예인들처럼 전국을 순회하며 사인회도 하고, 홍보도 하고, 블로그나 트위터로 팬 관리도 합니다. 그들의 명망이란 도대체 무엇으로부터 비롯된 것일까요? 상업자본의 노리개가 된 타락한 작가들은 엄정하게 재평가 되어야 할 것입니다.

임태훈 : 스타 시스템 비판이나 문단권력 비판도 익숙한 트랜드가 되었다고 봅니다. 1990년대 말부터 2000년대 초 사이에 그런 담론이 많이 생산됐었죠. 그런데 이게 지금까지도 계속 반복되고 있어요. 그때나 지금이나 한국문학의 형편은 별로 변한 게 없고, 오히려 상황은 더 악화되었기 때문이기도 하지만, 한때 가장 맹렬하게 비판의 날을 세웠던 평론가들부터 자신들의 경력을 살찌워온 주장을 재방 삼방 하면서 새로운 아젠다 개발에는 무기력했던 거 아닙니까? 한국 문학에 대한 실망과 경멸을 극복하기 위해선, 오래된 비판에 목소리 하나쯤 더 하는 일보다는, 정말 좋은 작품을 찾아내는 데 나서야 해요. 그게 우리가 해야 할 기본적인 '일'인 겁니다. "결국 중요한 것은 문학이다"라고 주장하려고 해도 그 근거는 좋은 작품일수밖에 없잖아요. 어떤 작품이 시장 안에서 대박을 치느냐 못 치느냐는 출판사 오너들의 문제인 거고, 평론가들은 '아직 없는 작품'을 이곳에 '도착'시키는 역할을 해야 합니다. 다시 말하지만 이런 작품의 대박 가능성 따윈 알 바 아닙니다. 하지만 이 도착이 또 다른 '아직 없는 작품'의 행복한 '도착'에 장애물이 되지 않도록 책임을 다해야 되겠지요.

김정남(사회) : 그리고 또 하나, 이 시스템은 너무 빠른 세대교체가 이루어지고 있어요. 속되게 말하면, 평론가들이 어리고 예쁜 작가들을 띄워주고, 작가의 상상력을 단기간에 고갈 내 버릴 듯이 여기저기 교체출연을 시키고 있습니다. 한 작가가 오랫동안 작품을 쓸 수 있도록 지원해 주고 육성해 주는 것이 아니라, 그저 '메뚜기도 한 철'이라는 생각을 심어 주고 있는 거예요.

임태훈 : 장편소설 문학상도 이만저만 문제가 많은 게 아닙니다. 여러 문학상이 많은데 당선된 작품들이 정말 상금에 부끄럽지 않게 괜찮은 작품이냐, 그것도 아니에요. 그럼 뽑아놓고 지원을 잘 해 주느냐, 그것도 아니더라고요. 문학상 제도가 하루 이틀 된 것도 아니고 관성화된지 오래잖아요. 신설된 문학상도 낡은 제도의 재탕이에요. 출판사 입장에선 최선은 아니더라도 차선쯤은 되는 유용한 제도라 여길지 모르지만, 이게 차선이기까지 하기 때문에 문학의 생태계를 풍성하게 만들지 못하는 근본적인 원인이 된 것입니다. 200~300편씩 되는 응모작들 가운데 단 한편만 뽑히고 나면, 나머지 작품들은 또 다른 문학상 응모를 위해 표류합니다. 작가들의 귀중한 생산력이 문학상 제도에 휩쓸려 어처구니없이 소모되고 있어요. 문학상용 작품을 쓰기 위해 작가 스스로 자신의 에너지를 소모하고 있는 것도 안타깝고요. 정말 다양한 작품들이 출판제도 안으로 포섭될 수 있도록 가능성을 넓히는 작업이 필요합니다.

이선우 : 네, 맞아요. 비평가가 문학상 심사만 할 것이 아니라 그런 시스템 자체의 변화에도 어떤 역할을 해야 하지 않겠어요?

임태훈 : 시스템 바깥에 대안적 시스템을 마련하는 것과 함께, 시스템 안에서 어느 한쪽으로 힘이 쏠리지 않게끔 정당하게 불화不和하면서 능력 있는 새로운 작가에게 출판의 기회가 닿을 수 있도록 '일'을 해낸다는 것. 하지만 이건 말처럼 쉬운 일이 아닙니다. 시스템 안의 정당한 불화는 '바깥'의 실제적 활동들에 비례합니다. 시스템 바깥에는 아무것도 없다는 섣부른 인식과 체념이 평론가의 '일'을 비루하게 만듭니다.

김정남(사회) : 이 논제는 앞서 비평의 전문성과 대중성을 얘기하면서 말했지만, 대중을 향한 글쓰기가 비평의 정도正道가 아니라 비평 안에서 활발한 담론들을 만들어내야 한다는 거죠. 사실, 지금은 문학이 '포자'처럼 번식하고 있는 상황입니다만, 그 포자들을 모으고 모아서 확 터져 나오게 할 수 있는 역할이, 비평이 사회적으로 발언할 수 있는 길이라고 말할 수 있겠죠? 이 부분에 대해서 조금 부연해서 말씀해 주시고, 좌담의 마무리를 지으면 어떨까 합니다.

전성욱 : 『오늘의 문예비평』의 편집위원으로 활동하면서 여러 어려움을 느끼지만 아무래도 가장 큰 어려움은 경제적인 것입니다. 하지만 그 어려움 자체가 어떻게 보면, 부정적인 고난이 아니라, 권력 혹은 자본으로부터 독립됨으로써 얻게 되는 생산적인 고통이 아닌가 생각됩니다. 그러니까 그 생산적인 불편함 속에서 우리는 자본과 권력에 기대지 않고 우리의 목소리를 담아내려고 애쓸 수 있는 것입니다. 결국 비평가가 살아가는 것도, 문예지가 존재하는 것도, 그 모두 불편함 속에서 그것을 견뎌나가는 열정이 없다면 무망한 것이 되고 말 것입니다. 그래서 『작가와비평』도 마찬가지지만 『오늘의 문예비평』은 그 불편한 조건들을 계속 지켜나가야 할 것입니다. 그 불편함으로부터 벗어난다는 것은 해탈이 아니라 결국은 우리의 존재 기반을 허무는 것이 될 것입니다. 불편함은 독립의 조건입니다.

이선우 : 저는 오늘 좌담을 통해 같은 고민을 하는 분들과 만난 것 자체가 의미 있었고요, 동지에 대한 어떤 믿음 같은 게 생깁니다. 어떻게 상업성의 첩자가 아니라 새로운 문화를 만들어가는 주체로 거듭날 수 있을까, 그 긴장의 끈을 놓치지 말아야겠다는 생각이 듭니다.

백지은 : 저도 그래요. 참신하고 구체적인 의견들, 대체로 균형 잡

힌 시각에서 나온 의미 있는 생각들 들려주셔서 좋았습니다. 우리 모두 비슷한 일을 하면서 사는 사람들인데, 서로 다르면서도 어느 부분에서는 같은 목표를 가지고 있다는 것을 알게 되어서, 오늘의 이야기는 앞으로 계속 비평가로 살아가려는 제게 오래 남을 것 같아요.

김정남(사회) : 오늘, 비평의 새로운 좌표에서 문학제도, 더 나아가 비평가의 윤리에 이르기까지 진솔한 말씀해 주셔서 고맙습니다. 🈺

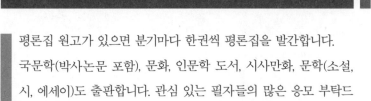

단행본 원고 모집

평론집 원고가 있으면 분기마다 한권씩 평론집을 발간합니다.
국문학(박사논문 포함), 문화, 인문학 도서, 시사만화, 문학(소설,
시, 에세이)도 출판합니다. 관심 있는 필자들의 많은 응모 부탁드
립니다.

참여분야

문학(시, 소설, 수필, 기행, 서평 등), 평론(문학평론, 문화평론, 인문사회평
론), 문화예술, 문학연구서, 교양단행본

조 건

학술서적: 기본 10% 인세(박사논문 7%)
문학: 기본 5% 인세(협의 후 결정)
평론: 기본 10% 인세
교재: 1년 500부 판매예상 10%, 1년 1000부 판매예상 13%, 1년 2000부 판
매예상 15%, 1년 5000부 판매예상 20% 인세, 1년 500부 미만 판매예상
협의 후 결정
교양, 단행본: 협의 후 결정

연락 및 문의

전화: 02-488-3280
메일: writercritic@chol.com, wekorea@paran.com

자생적 담론으로 유토피아를 지향하는 종합문예계간지
2001년 1월 18일 인천 바 01052 ISSN 1599-1660 04

2010년 겨울호

40

리토피아
Literature & Utopia

http://www.litopia21.com

9 771599 166002
ISSN 1599-1660

특집 노동의 재구성과 프리터

조 정 환

프롤레타리아트의 재구성과 다중

어떤 생산수단도 갖지 않아서 자신의 노동력을 팔아야만 생존할 수 있는 계급을 지칭하는 '프롤레타리아트'란 용어는 자본이 더 많은 고용을 통해 더 많은 잉여노동시간을 착취함으로써 더 많은 잉여가치를 축적하려는 경향에 의해 지배되고 있던 시대인 19세기에 만들어졌다. 우리는 더 많은 고용, 더 많은 축적의 경향이 20세기까지 지속되었음을 확인할 수 있다. 대도시들과 공장들은 전국 각지를 넘어 세계 각지로부터 인구를 흡수했다. 그 결과 세계 인구의 압도적 부분이 농민에서 노동자로 전환되었고 노동세계 외부에 머물러 있던 여성, 원주민 등도 노동세계에서 주요한 지위를 차지하게 되었다. 마침내 자본주의는 자본주의 외부의 농민, 여성, 원주민 등에서 노동자를 충원하기보다 노동계급의 자기재생산 과정으로부터 노동자를 충원하게 되었다. 그 결과 20세기에는 고용되어 노동하고 있는 계 급을 의미하는 '노동계급working class'이 곧 프롤레타리아트와 동일시되곤 했다.

이러한 상황에서 산업예비군은 순환 과정에서 나타나는 일시적인 존재로 간주될 뿐이었다. 그래서 자본에 대한 노동자들의 투쟁은 주로 더 많은 임금, 더 좋은 노동조건, 더 짧은 노동시간을 둘러싸고 전개되었다. 작업장에서 반복적이고 연쇄적으로 벌어지는 생산자들의 이러한 경제적 투쟁은 노동자 전위들의 지도를 매개로 국가를 둘러싼 정치투쟁으로 상승할 것이며 그 결과 노동계급이 권력을 장악하고 생산을 관리하는 사회주의 사회로 나아갈 수 있으리라는 기대가 높아졌다. 그래서 노동자들의 조직은 경제적 수준의 투쟁을 담당하는 노동조합과 정치적 수준의 투쟁을 담당하는 노동당으로 이원화되었다.

그러나 이러한 20세기는 1968년에 종결되는 단기적 세기였다. 68혁명에서 시작된 21세기 세계에서는 이러한 그림이 더 이상 들어맞지 않는다. 전혀 새로운 상황과 현실이 나타나고 있는 것이다. 자본은 더 이상 더 많은 노동자를 고용하려고 하지 않는다. 이것이 착취할 수 있는 불불의 노동시간을 축소시킬 것임이 분명한데도 그렇게 한다. 정규직으로 고용된 노동자들의 수는 점점 줄어들고 임시적으로만 고용되는 비정규직 노동자 혹은 실업자의 수가 늘어나고 있다. 발전된 자본주의일수록 이 경향은 뚜렷하다. 농민, 원주민의 노동자로의 전화라는 이전 세기의 주된 경향과는 정반대되는 현상, 예컨대 귀농이나 귀촌이 하나의 생활양식으로 나타나기도 한다. 노동하고 있는 계급인 working class와 프롤레타리아트가 더 이상 동일시 될 수 없게 된다. 실업자는 순환 과정에서 일시적으로 나타나는 존재가 아니라 구조의 효과로서 점점 확장하는 존재로 된다. 그 결과 실업자의 다음 삶은 취업과 노동이 아니라 노숙이나 범죄나 죽음으로 된다.

프롤레타리아트 속에서 고용되어 노동하는 사람들인 '노동계급working class'과 자신의 노동력마저 상품으로 평가받지 못하는 '실업계급non-working class'의 분화가 나타나고 그 중간지대에 광범위한 비정규직, 달리 말해 '불안정노동계급precarious-working class'이 놓여진다. 실업자들은 복지 혜택에 우선적 관심을 가지며, 비정규직은 정규직화에 주로 관심을 갖는다. 정규직 노동자들은 여전히 임금 투쟁에 관심을 갖고 있지만 그 관심의 정도는 과거와는 다르다. 일자리를 잃을 수 있다는 두려움에 의해 지배되는 이들은 정리해고 반대에 우선 관심을 갖는다. 주로 정규직 노동자들로 구성된 노동조합은 자본에 대항하는 투쟁보다는 실업자들과 비정규직 노동자들의 압박으로부터 자신의 입지를 지키는 실리적 의제에 관심을 갖게 된다. 각종의 노동당들은 프롤레타리아트 제 계층들 중에서 어떤 입장을 대의할 것인가에 따라 분화한다.

이것은 21세기에 프롤레타리아가 급속하게 재구성되고 있음을 보여준다. 이 재구성이 어떤 축을 따라 전개되고 있는 것일까? 고용의 측면에서 볼 때 재구성은 불안정성의 증대로 나타난다. 포드주의 노동자들의 고용 안정성은 와해되었다. 정규직 고용노동자들의 비중은 점점 줄어들고 임시직 비정규직과 실업자의 비중은 나날이 늘어나고 있다. 시민권이 없는 이주노동자들의 경우 그 불안정성은 고용 차원을 넘어 생활 전반에 걸쳐 있다. 노동 과정의 측면에서 볼 때 재구성은 노동의 비물질화, 인지화의 증대로 나타난다. 물질적 상품을 생산하는 산업노동은 여전히 경제의 중요한 구성부분이지만 지식노동과 서비스노동의 증대로 인해 산업노동이 차지하는 비중은 날로 감소하고 있다. 교육, 연구, 보험, 디자인, 예술, 연예, 금융, 정보 등에 종사하는 사람들의 수가 늘어나면서 인지노동의 비중은 점점 커지고 그것이 산업 전체에 미치는 영향력이 증대되고 있다. 소득과 소비의 측면에서 볼 때, 프롤레타리아 내부의 소득 격차가 커지고 불안정노동자들의 경우에 부채 의존도가 증가한다. 그리하여 이 층에 대한 금융통제의 정도는 높아지고 신용불량자로 분류될 경우에는 경제적 시민권을 박탈당하기에 이른다.

이러한 재구성의 축들 중에서 어떤 것을 중심에 놓고 보는가, 혹은 그 축들을 어떤 전망 하에서 파악하는가에 따라 현재의 재구성 경향에 대한 평가는 달라지고 현재의 프롤레타리아 재구성 경향에 대한 접근 방식과 명명이 달라진다. 근래에 우리는 새로운 프로레타리아트들에게 붙여진 다양한 이름들을 볼 수 있다.

일부의 이름들은 오늘날의 가난하고 힘 없는 사람들을 시민사회의 일부였던 과거의 프롤레타리아트와는 질적으로 다른, 다시 말해 시민사회로부터 추방된 존재들로 보는 관점을 드러낸다. 바우만이 이들을 현대사회가 분비하는 '쓰레기'라고 명명할 때, 그리고 아감벤이 이들을 '호모 사케르'라고 명명할 때 그러한 관점이 나타난다. 이 관점이 바라보는 프롤레타리아트는 신용불량자들, 잠재적 범죄자들, 노숙자들, 잉여인간들, 상 빠뻬에(신분증 없는 사람들) 등이다. 이들은 정치적으로나 경제적으로나 사회에서 배제된 자들, 전체주의 지배의 희생자들일 뿐이다. 이렇게 명명되는 존재들에서 과거의 프롤레타리아트가 가졌던 혁명적 이미지를 찾아내는 것은 불가능하다.

어떤 이름들은 이들의 존재 조건 가운데 불안정성을 강조한다. 정규직을 기준으로 만들어진 비-정규직 노동자라는 용어가 그렇지만, precarious proletariat의 약어인 프레카리아트precariat는 특히 불안정성에 강조를 두는 이름이다. 앞서 말했듯이 오늘날 프롤레타리아트는 고용의 다양한 측면의 불안정성을 겪고 있다. 임시적 고용, 부분적 고용, 특수고용 등의 형태로 나타나는 고용의 불안정성을 비롯하여, 직무안정성의 파괴와 끊임없는 재교육의 강제, 강도 높은 시공간적 이동성도 불안정성을 가져오는 요인이다. 당연히 소득 역시 불안정하다. 울리히 벡이 강조하는 위험사회적 특징들은 작업내용에도 나타나 노동의 직무적 불안정성을 심화시킨다. 이렇게 프롤레타리아트가 불안정화되고 있다는 것에 초점을 맞출 때 그 대안은 흔히 안정화에서 찾아진다.

어떤 이름들은 이 불안정성의 측면을 자유로움의 조건으로 읽고 강요된 불안정성을 자발적 불안정성으로 역전시키는 관점을 드러낸다. 'free Arbeiter'의 약어인 프리터freeter나 'free worker'의 약어인 프리커freeker가 그러하다. 전자는 주로 고용안정성이나 노동과정에 대한 통제력이 약한 임시직 비정규직 노동자(즉 아르바이터)를, 후자는 고용안정성이나 노동과정에 대한 통제력이 상대적으로 강한 자유노동자를 일컫는 점에서 차이가 있지만, 고용노동, 강제노동에 대한 거부와 자유시간의 중요성을 부각시키는 점에서는 공통된다. 맑스는 프롤레타리아트가 이중의 의미에서, 즉 생산수단에서 자유롭고(생산수단을 갖고 있지 않다) 자신의 몸을 자유롭게 팔 수 있다(인신적 구속에서 해방되어 있다)는 의미에서 자유로운 존재라고 보았다. 오늘날의 프리터나 프리커는 고용에서 자유롭고(정규직 일자리를 갖고 있지 않다) 자신의 몸을 자유롭게 팔 수 있다(언제 노동할 것인지를 스스로 결정할 수 있다)는 이중의 의미에서 자유롭다고 할 수 있다. 물론 이것이 조금이라도 실제적 자유에 접근하려면 언제든지 노동할 기회가 있다는 것, 즉 일자리가 무한하다는 전제 위에서일 것이다. 하지만 노동거부 운동에 대한 대응으로 탄생한 신자유주의는 기계화, 정보화, 금융화를 통해 늘리기는커녕 오히려 일자리를 축소시킨다. 그리하여 프리터가 추구했던 자유를 불안정으로 역전시킨다. 프리는 비정규직 불안정 노동자로서 정규직 노동자와 차별되고 또 수탈당한다. 그래서 고용으로부터의 자유라는 선택이 점점 대안적 성격을 잃고 고통과 질곡 그 자체로 변화한다.

일부의 이름은 노동과정의 변화에 주목한다. 정보화와 신기술이 가져온 노동과정의 재구성에 초점을 맞추는 이름들이 그러하다. 어슐러 휴즈는 정보화와 신기술이 가져오는 노동계급의 변화를 사이버타리아트cybertariat로 명명했고[1] 프랑코 베라르디(비포)는 노동의 인지적 변화에 초점을 맞추어 현대의 프롤레타리아트를 코그니타리아트cognitariat로 명명했다. 이러한 이름들은 자본의 기술적 재구성이 노동에 가져오고 있는 변화를 주목하는 것으로 지식프롤레타리아트라는 이름이 오래전부터 주목해온 특징을 새롭게 조명하는 관점들이다. 이 관점들에 따르면 기계화와 정보화는 노동을 지식집약적인 것으로 만든다. 그리고 이 지식집약화로 말미암아 지금까지 구상에서 분리되어 실행만을 담당했던 노동자들이 기획과 구상, 실행과 관리, 평가와 재조정 등의 역할까지 맡게 됨으로써 노동과정 자체가 자본의 직접적 감독과 관리로부터 벗어나 자립화하는 경향을 띠게 된다.

이상 훑어본 이름들만으로도 프롤레타리아트의 재구성을 바라보는 관점이 매우 다양함을 알 수 있는데, 그 각각은 현대의 프롤레타리아트들의 속성들 일부를 정확하게 파악하는 것인 반면 다른 속성들을 놓친다. 그렇기 때문에 현대 프롤레타리아트의 다양한 속성들을 그 총체적 연관 속에서 파악하고 그 연관들의 내적 경향을 밝혀내는 것이 현대의 프롤레타리아와 그 운동을 사유함

1) 어슐러 휴즈, 신기섭 옮김, 『사이버타리아트』, 갈무리, 2004.

조정환 · 노동의 재구성과 프리터

에 있어 결정적으로 중요한 문제로 대두한다.

다중multitude이라는 이름은 이 재구성된 프롤레타리아트의 속성들의 다양성과 그것들의 특이한 관계를 포착하기 위해 만들어진 용어이다. 그것은 이미 우리가 살펴본 현대 프롤레타리아트의 내적 다양성과 이질성 및 복수성을 명명할 뿐만 아니라 그러한 성질들에도 불구하고 그것들이 달성할 수 있는 공통되기의 잠재력을 분명히 규정하기 위한 용어이다. 이것은, 현대 프롤레타리아트가 겪고 있는 부정적 경험들, 즉 고통, 비참, 불안정성, 배제, 추방의 측면들을 놓치지 않으면서 그것이 수행하고 있는 노동의 복합적(물질적-비물질적, 신체적-인지적) 성격을 규명하고 동시에 자본의 통제 속에서도 그것과 대항하고 그것을 넘어설 수 있는 잠재력(즉 자유)의 선을 그려내기 위해 사용된다. 잉여인간, 호모-사케르, 프레카리아트, 프리터, 프리커, 지식프롤레타리아트, 사이버타리아트, 코그니타리아트 등 제각각의 현실을 반영하고 있는 이 용어들은 다중의 관점에서 읽히고 재조명될 수 있다. 이것들이 통째로 받아들여지거나 거부되는 것이 아니라 그 각각이 다중의 특성들 일부를 강조하는 용어들로 받아들여질 때 그 개념들의 위치가 좀더 분명히 식별될 수 있을 것이고 그것들 사이의 연관성을 숙고함으로써 현실반영을 넘는 발명의 관점으로 한 걸음 더 나아갈 수 있을 것이다.

현대 프롤레타리아트에서 배제와 불안정화의 문제

앞서의 이름들이 지시하는 현대 프롤레타리아의 속성들을 두 극으로 나누어 보자. 하나의 극은 배제와 불안정화이며 그 반대의 극은 자유와 창조성이다. 이제 이 두 극을 다중의 관점에서 살펴보도록 하자.

실업자와 비정규직(사내외 하청, 파견, 임시, 계약직, 간접고용,[2] 특수고용[3]) 노동자(여기에 이주노동자, 장애인노동자 등을 포함해서 통칭 '불안정노동자')의 문제는 오늘날 고용 문제로 인식되고 있으며 또 그렇게 다루어지고 있다. 실업이나 비정규직이 정규직과는 다른 고용형태임은 분명하다. 하지만 그것들이 사회문제로서 제기될 때 그것은 단순한 고용형태의 차이만을 함의하는 것이 아니다. 불안정노동은 가난, 불안, 억압, 갈등, 도망, 천대, 질병, 노숙, 자살 등의 고통스런 경험들을 수반한다. 이 경험들은 고용형태 그 자체에서 직접적으로 주어지는 것이 아니라 그 고용형태들에 뒤따르는 경제적 소득수준, 사회적 안전보장 수준, 정치적·도덕적 대우 수준, 보다 일반적으로 말해 경제·정치·문화적 삶의 자원들의 분배 수준의 격차에서 주어진다.

그럼에도 불구하고 우리가 불안정노동의 문제를 고용문제로 사고하는 것은 '삶의 안전보장, 특히 소득은 고용에 의존한다'는 부르주아 사회의 전통적 정식을 부지불식간에 타당한 전제로서 받아들이고 있기 때문이다. 불안정노동의 문제가 이런 전제 위에서 다루어지게 되면 그 문제의 해법도 '고용만이 소득과 삶의 안전을 보장할 수 있다'는 부르주아적 통념을 강화하는 방향에서 찾아지지 않을 수 없다.

그런데 소득이 고용/노동에 의존하며 그것이 삶의 안전 보장의 수단이라는 생각이 오늘날보다 더 의문시 되는 시대가 자본주의의 역사에 또 있었던가? 앞서 말한 바처럼 근대자본주의는 인간의

---

2) 고용주와 실제 노동력 사용자가 다른 고용형태이다.

3) 사용자에 고용되어 있지만 민법상으로는 업무도급관계인 자영업자, 소사장 등으로 계약된다. 학습지 교사, 골프 경기도우미, 보험모집인, 지입차주 겸 운전기사, 야구르트 배달원, 화장품판매원, 학원강사 등이 그러하다.

활동력을 부단히 노동력으로 전환시키는 과정을 통해 세계에 대한 통제권을 더 넓게 확대해 왔다. 그런데 탈근대의 자본주의는 소득을 얻기 위해 고용되고자 하는 사람들이 거대하게 누적되고 있음에도 그 사람들을 고용하지 못할 뿐만 아니라 고용되어 있던 사람들마저도 해고함으로써 기존의 고용관계에서 추방하고 있다. 여성, 청년, 이민은 이 메커니즘의 주요한 배제 대상이다. 오늘날 배제된 사람들은 호경기에 다시 고용될 '산업예비군'과는 다른 성격의 존재로서 '구조적으로' 불안정한 노동자의 성격을 갖는다. 권력과 자본은 여전히 고용이 소득의 유일한 조건인 것처럼 주장하지만 고용이 더 이상 삶의 안전을 보장할 적절하고 보편적인 원천이 아님은 명확해지고 있다.

고용이 소득과 삶의 안전을 위한 유일한 경로임을 받아들이는 것은 고용을 위한 경쟁을 받아들이는 것이고 그것은 다른 사람들을 누르고 배제하며 이용하는 자본의 게임을 받아들이는 것이다. 따라서 그것은 다중이 연합할 수 있는 잠재력의 파괴를 자신의 내면 윤리로 받아들이는 것이다. 소득이 고용을 조건으로 하기 시작한 것은 자본주의가 삶-활동의 특정한 부분을 고용관계에 포섭하고 그것에 노동이라는 특권적 지위를 부과하면서부터이다. 자본주의와 그 부는 고용노동 외에 수많은 비지불의 그림자활동들에 의존하여 재생산되어 왔다.[4] 맑스는 사회의 부가 노동에 의해서만 생산되는 것이 아니고 자연도 그것을 생산한다고 강조했다.[5] 이것은 부를 생산하는 역량들의 다양성을 암시한다. 주의해서 살

---

4) 그림자 노동에 대해서는 이반 일리치, 박홍규 옮김, 『그림자노동』, 분도출판사, 1988 참조.

5) 칼 맑스, 「고타강령 비판」, 『칼 맑스 프리드리히 엥겔스 저작선집』 4, 박종철출판사, 1997 참조.

펴보면 자본주의에서는 노동에 의한 부의 생산도 다양한 형태를 띤다. 부는 자본에 고용된 노동 외에 비고용의 노동과 비임금의 노동에 의해서도 생산된다. 비고용의 노동이 생산한 부는 GNP나 GDP 등에 의해 '국부', 즉 사회적 부로서 계산되지조차 않는다. 그럼에도 불구하고 우리의 삶은 그 계산되지도 않는 (어쩌면 계량되는 사회적 부보다도 더 크고 중요할 수 있는) 사회적 부 없이는 재생산될 수 없다. 고용되지 않은 여성, 노인, 아이, 청소년들에 의해 생산되는 사회적 부를 생각해 보라! 자본의 축적은 임금노동에 대한 착취에만 의존하는 것이 아니라 비고용-비임금의 노동에 대한 무상의 전유에 의존해 왔는데, 후자의 비중이 다시 커지고 있는 것이 탈근대이다.

한 사회에서 생산된 부의 총량을 사회의 총소득으로 간주해 보자. 그것이 고용노동에만 의지하는 것이 아니라 고용되지 않은 거대한 노동들(여성, 아동, 노인, 청년, 죄수, 실업자, 예술가 등의 활동들)에 의존하고 있다는 사실은 '고용에 따른 소득 분배'가 적실하지 않은 것임을 시사한다. 오늘날 자본주의가 비물질노동(공통의 지성과 정동)에 좀더 명시적으로 의존하게 되면서 이전에는 고용 대상이 아니었던 많은 영역들이 고용의 대상 영역으로 편입된 것도 사실이다. 이것은 말없이 그림자노동을 수행하던 사람들의 저항이 상승한 것의 결과이다. 이 상승한 저항의 사례를 우리는 1968년 혁명과 그 이후의 새로운 사회적 투쟁들에서 읽어볼 수 있다. 이에 따라 자본은 이전에 무상으로 착취할 수 있었던 많은 부분에 대해 비용을 지불하지 않을 수 없게 되었다. 한편에서 자본이 이렇게 과거의 비지불노동에 대해 지불할 수밖에 없게 되었지만 다른 한편에서는 자본이 인위적으로 더 큰 비지불영역을 창출한 것도 사실이다. 신자유주의라는 말은 후자를 위한 자본의 대응전략에 붙여진 이름이다. 신자유주의 30년이 실업자, 비정규직, 이주노동자, 장애인노동자 등 경계선의 불안정노동들을 거대하게 창출하게 된 것은 이 때문이다.

그러므로 오늘날 불안정노동의 문제는 더 이상 과거에서처럼 '고용'의 문제로만 제기될 수 없다. 노동력을 판매하여 노동하는 것이 실은 살아 나가기 위해 부득이 선택하지 않을 수 없는 조건에서 발생했듯이, 고용 문제의 본질은 삶의 안전보장의 문제이다. 어떻게 고용관계 속으로 진입하느냐의 문제는 어떻게 삶의 안전보장을 달성하는가라는 문제의 하위범주로 취급되어야 한다. 오늘날의 노동이 이미 고용/비고용의 틀 너머에서 전개되고 있다는 사실은, 어떻게 비고용을 고용관계 속으로 진입시킬 것인가가 아니라 전 지구적 수준에서 사회화된 노동에 기초하여 재생산되고 있는 전 지구적인 사회적 부를 어떻게 공통적으로 분배할 것인가를 문제로 제기한다.

부를 생산하는 다중의 삶의 안전이 보장되지 않고서는 사회의 안전한 재생산은 불가능하다. 사회의 위험성은 다중을 배제할 때, 사람들의 안전을 위태롭게 할 때 폭증한다. 오늘날 이 위험성은 나날이 증대하고 있다. 그런데 이러한 사태가 삶의 안전보장을 위한 기초가 가장 성숙되어 있는 '사회화된 노동'의 조건에서 일어나고 있다는 점은 결코 간과할 수 없는 문제이다. 사회화된 노동의 일반화는 자본주의가 근대에 다중에게 부과해왔던 '고역의 삶'을 끝낼 조건의 성숙을 의미한다. '고역의 삶'으로부터 '안전한 삶'으로, 그리고 그에 기초한 '독특한 노동'(맑스가 생각한 자유로운 노동)으로의 전환을 위한 물질적 조건이 무르익은 역사적 조건에서 기이하게도 '헐벗은 삶'이 다중에게 강요되고 있다. 수 없이 되풀이 되어온 성장의 장밋빛 약속들(미래의 행복을 위해 고역을 참고 성장하자)은 이

제 바랠대로 바래고 '성장은 행복은커녕 고역을 증대시키고 더 큰 헐벗음을 가져온다'는 것이 사실로 나타나고 있다. 그리고 마침내 2008년 금융위기는 고역과 헐벗음이 극에 이른 상태에서는 성장도 더 이상 불가능하다는 것을 보여주었다. 자본은 모든 것을 가난한 다중들의 어깨 위에 지우면서 수탈의 행보를 내딛고 있다. 소수가 다수를 착취하는 관계를 유지하는 것이 오늘날만큼 괴기스런 양상으로 나타난 적이 있을까?

한국에서 이 기괴한 모습의 구조는 어떤 과정을 밟아 등장했을까? 크게 보아 노동의 불안정화는 두 개의 커다란 계기를 통해 급진전되었다. 하나는 1987년에 분출한 산업노동자들의 투쟁(노동조합 조직화와 임금인상)이며 또 하나는 1997년 경제위기(부채위기)이다. 이 두 계기를 통해 자본은 산업을 기계화, 정보화, 서비스화할 뿐만 아니라 정리해고, 비정규직 전환배치, 이주노동자의 불평등 배치,[6] 여성-학생-청년의 비정규직 채용 등을 통해 노동계급을 사회화하는 한편 그 내부에 위계와 차별과 적대를 도입하는 방식으로 대응한다.

자본은 1980년대에 지속된 노동자 투쟁의 조합조직화—임금인상 요구를 노동계급의 조직된 부분(조직된 남성 부분)에 국한하여 보장하는 한편, 그 비용을 불안정노동층의 광범위한 창출을 통한 저임금—비조직 부분의 상설화를 통해 상쇄했다. 이로써 노동자간 경쟁관계는 격화되었고 노동조합 조직력은 점차 취약해졌다. 이에 반해 기업 내에서 자본권력은 상대적으로 강화된다. 자본은 정규노동자가 기피하는 작업들(위험업무나 잡무, 예컨대 청소, 시설관리, 운

---

6) 외국인산업기술연수생제도(1991), 연수취업제(1998; 2년 연수, 1년 취업허용), 고용허가제(2003; 노동기본권 허용하되 사업장 이동 금지, 2004년 8월부터 전면실시).

조정환 · 노동의 재구성과 프리터

전 등)을 비정규직의 확대를 통해 대체하고 이로써 정규직을 '비정규직을 부리는 경영자이자 마름'으로 만들어 노동계급을 위계화하고 분열시켰다.[7]

이러한 노동자 재합성은 기계화·정보화·사회화를 통해 노동과정이 기계적 과정으로, 즉 지적·정보적·기술적·사회적 과정으로 전화된 것에 조응하는 것이다. 기계화와 정보화를 통해 숙련을 요하는 생산의 주요 기능이 기계적·정보적 메커니즘으로 전환되자 노동인력은 그 메커니즘을 감독하는 보조적 위치로 놓여지고 또 상시적으로 대체가능하게 된다. 자본은 노동의 다기능화와 네트워크화(개별 자본 입장에서는 하청화, 아웃소싱=외주화)를 통해 직접적 고용노동과 간접적 고용노동, 비고용노동 등을 네트워크화된 통제체제속에 편입시킬 수 있게 된다. 고용은 점차 경제적 성격(임금)보다 정치적 성격(노동자 통제)을 더 강하게 띠게 된다. 그 결과 기업내 정규직·기업내 비정규직·하청화된(외주화된) 불안정노동자(중소영세사업체 노동자 및 특수노동자)의 분절구조가 확립된다.[8] 예컨대, 1989년 대우조선 재구조화에서 이미 이러한 노동자 재합성의 경향이 세밀하게 표현되었다.[9]

이러한 노동관계의 법제화는 김영삼 정부의 신노사관계 구상과 노동법 개정시도로 나타났으나 1996/1997년 총파업의 도전에 직면했다. 신노동법의 핵심은 한편에서는 노동조합의 활동자유 보장(복수노조 허용, 정치활동 허용)이었고 다른 한편에서는 고용관계의 유연

---

[7] 자본주의는 인간을 자연 착취의 매개로, 남성을 여성 착취의 매개로, 정규직 노동자를 비정규직 노동자 착취의 매개로, 취업자를 실업자 착취의 매개로 전환시킨다. 이것은 자본주의가 사회를 공동체 착취의 매개로 만들어 온 과정의 여러 (역사적) 측면들이다.

[8] 윤애림, 「불안정노동·철폐운동의 현주소」, 『진보평론』, 2004년 여름, 110쪽.

[9] 위의 글, 109쪽.

화(정리해고, 파견근로, 변형근로)였다. 이것은 프롤레타리아트 내부에 포섭된 부분과 배제된 부분의 선명하고 다층적인 분할을 도입하기 위한 것이었다.

1997년 경제위기 이후 IMF의 요구(주요하게는 정리해고, 재벌개혁, 그리고 외자투자의 문턱제거)를 수용하는 방식으로 전개된 김대중 정부의 일련의 위기극복 정책들은 1980년대 이후 기업체 수준에서 도입되던 신자유주의적 노동통제를 사회화된 노동자들인 다중 전체에게 전 국가적 차원에서 부과하는 과정이었다. 김대중 정부는 노사정위원회를 본격적으로 가동하여 조직노동자 상층을 신자유주의적 사회재편의 하위파트너로 활용하고자 한다. 즉 조직노동자에게 일자리의 안정성을 보장해 주는 댓가로 정리해고, 비정규직 전환배치에 대한 동의를 이끌어 내고자 한 것이다. 실제로 노동조합원들은 자신들이 기피하는 위험업무와 잡무 등에 (특히 신규채용에서) 비정규직이 사용되는 것을 일정하게 용인하고 또 그것을 자신의 노동강도 완화의 완충제이자 일자리 안정의 안전판으로 활용하려는 모습을 보였다.[10] 또 전통적 노동조합운동은 산업노동계급에 기초하고 있었던 만큼 정보서비스 부문에 비정규직이 사용되는 것을 자신의 문제로 느끼지 못하는 경향도 있었다.

---

10) "그 동안 대사업장에서의 비정규직 투쟁은 대부분 처참한 패배로 끝나고 말았다. 한라중공업 사내하청 투쟁, 캐리어 하청노조 투쟁, 공공부문의 한통계약직 투쟁이 대표적 사례들이다. 99년 한라중공업에서는 당시 파업에 들어간 정규직 노조가 함께 연대해서 싸우고자 한 사내하청노조의 요구안을 받아 안기를 거부하고 회사의 탄압에 대해서도 적극적인 대응을 하지 않은 채 방치하였다. 2001년 캐리어에서는 정규직이 사내하청 노조의 파업을 깨는 구사대로 나서기까지 하였다. 또한 한통 정규직 노조의 경우 규약에 있던 비정규직 가입 조항까지 바꿔가면서 계약직 동지들의 노조 가입을 거부하고 500일간의 처절한 계약직 투쟁이 패배로 끝날 때까지 철저히 외면하였다."(『현장노동자』 3호, 2003년 6월 25일, http://hlabor.com/newspaper/newsprint.asp?cd=22)

그래서 새로운 서비스직 노동부문(음식숙박업, A/S 기사, 배달판매, 학습지 교사, 매장관리, 계산업무)은 점차 아르바이트, 파트타임제, 책임할당제 등 특수고용이라는 형태로 발전해 간다. 이렇듯 비정규직의 확대는 IMF 이후의 기술, 고용, 법제 등 여러 차원에 걸친 재구조화를 수반하며 또 그것에 기반하여 확대되어 간다. 기술적 재구조화로서의 정보화와 기계화가 급속하게 진행된 것도 불안정노동을 창출한 중요한 요소이다. 특히 IMF 이후 외자도입 및 인수합병 부문에서 이 경향은 두드러지게 나타난다.

고용의 재구조화는 정규직의 비정규직화 및 정규직-비정규직 관계 재정립으로 나타난다. 피고용자의 대대적 정리해고는 사회의 주요쟁점으로 대두되었다. 수많은 노동자들이 해고되었다.[11] 정리해고를 면하고 살아남은 정규직 노동자들에게는 강도 높은 노동이 부과되었다. 자본은 정규직 일부를 기업가족으로 포섭하는 한편 이들을 비정규직 및 비고용노동자를 착취하는 지렛대, 즉 마름으로 이용하게 된다.

노동이 하청계열화[12]하면서 점차 비정규직이 노동력의 주력으로 된다. 그 방법으로는 모듈화를 통한 조립공정의 외주화, 부품생산의 외주화, 물량도급, 사업부제 도입과 분사화 등이 이용되었다. 이 과정의 효과는 불균등하다. 정규직은 이 과정에서 일시적으로 노

---

11) 사례들: 삼미특수강(1997. 2: 포철이 삼미특수강을 인수하면서 587명 해고), 현대자동차(1998), 만도(1998), 서울 지하철(1999), 한국통신 계약직 노동자 정리해고와 반대투쟁(2000: 계약직 노동자 7000명 해고, 2001: 114 분사, 현재: 선로유지보수부문 분사), 이랜드 노조(2000: 나이키와 유사한 네트워크 기업인 이랜드에서의 노동조합 결성과 투쟁), 대우자동차(2001), 캐리어 하청 노조(2001), 발전노조(2002), ……

12) 하청계열화는 단선적·수직적 계열화에서 분산적·중층적 계열화로 진화해 가고 있다. 윤애림, 「불안정노동철폐운동의 현주소」, 『진보평론』, 2004년 여름, 111쪽.

동조건 개선 등의 이득을 보는 경우도 있지만 하청계열화된 비정규직의 조건은 점차 열악해진다. 하청계열화를 떠받치는 임금제도는 성과급으로 전환된다. 점차 일반화되는 연봉제는 노동자 내부의 경쟁을 자극하여 단결력과 조직력을 약화시킨다. 정규직 노동자 일부는 이제 임금 외에 생산된 잉여가치의 일부를 분유받는 지대 향유층으로 발전한다.

그 결과이자 동시에 원인인 정규직 내부에 고용안정 이데올로기, 돈벌기 이데올로기가 급속하게 확산되고 비정규직을 자신의 고용안정의 안전판이자 노동강도 강화의 완충제로 사고하는 경향이 확산된다(이른바 '신기업문화').[13] 그것은 핵심업무와 주변업무를 구분하고 정규직과 비정규직을 그 각각에 조응하는 것으로 사고하는 직능주의적 관념에 의해 정당화되어 왔으나 기계화와 정보화의 가속은 사람이 하는 활동들을 점차 주변적·보조적 위치로 전환시킨다. 그 결과 역설적이게도 기업의 핵심업무라고 여겨지는 일들이 비정규직의 업무로 된다. 이러한 과정의 결과로서 비정규직이 전체 노동인구의 58%에 달하는 역전된 노동구조가 형성되었다.

법제적 재구조화는 이 과정을 법적으로 확인하며 때로는 가속시키는 기능을 수행한다. 노무현 정부는 2005년 '비정규직 법안'을 제정하여 파견근로, 하청근로 등을 좀더 쉽게 만들려고 했다.[14] 이

---

13) 위의 글, 111쪽.

14) 2005년 정부의 비정규직 법안 분석. 그 골자. 2006년부터 ① 파견업무 대상 확대 ② 파견기간 2년에서 3년으로 연장 ③ 임시직 기간 3년으로 연장 ④ 초과사용시 해고 제한 ⑤ 정규직과의 불합리한 차별금지.
각 이해당사자들의 입장. ① 정규직: 비정규직 보호법안, 특히 근로자파견법은 정규직까지 비정규직으로 만들어 노동자를 탄압하는 개악안이다 ② 비정규직: 비정규직 차별철폐를 근본 목표로 삼아 완전한 노동3권 보장을 쟁취하기 위해 비정규직 입법안의 일방적 처리에 반대 ③ 사용자: 간접고용을 통해 비정규직을 채용함으로써 노동법 또는 사회보장법상의 여러 가지 의무를 직접 근로자에게 떠

비정규직 법안은 다중의 연합을 파괴하고 다중 내부에 위계제를 도입하면서 소수의 안정된 고용노동자를 매개로 하여 다수의 비정규직 불안정노동자를 파견근로, 기간제근로 등의 형태로 착취하려는 제도이다. 이것은 비정규직을 더욱 확장하고 또 확고하게 안착시키는 기괴한 구조를 법률적 수준에서 완성한다.

현대 프롤레타리아트에서 자유, 자율의 문제

자본주의 사회에서 노동은 자본의 욕망과 노동하는 사람들의 능력과 욕망, 그리고 그것들이 놓인 사회적·기술적·지적 조건들 사이에서 다양한 모습으로 결정된다. 예컨대 그것은 여성노동/남성노동, 육체노동/정신노동, 생산노동/비생산노동, 생산직노동/사무직노동 등으로 차별적으로 분화된다.

고용된 임금노동은 인간의 삶활동의 일부가 자본관계에 포섭되면서 발생한다. 가장 먼저 임금고용관계에 들어가는 삶활동은 신체의 근력을 사용하는 육체노동이다. 육체노동은 삶을 생산하지만 그 생산방식은 간접적이다. 육체노동은 삶에 필요한 소비재나(I부문) 혹은 소비재 생산에 필요한 도구들(II부문)을 생산하는데, 이것들은 유통과 분배의 과정을 거쳐서야 비로소 일상적 삶에 유용하게 되거나(소비재의 경우), 아니면 오래도록 삶과는 매개적인 관계만을 맺는다(생산재의 경우).

넘기거나 아니면 다른 사업자를 중간 고리로 하여 간접적으로 떠넘겨 해고제한 법규를 회피할 수 있는 파견근로를 지지 ④ 시민단체: 비정규직 관련 법안의 강행처리 중단을 촉구하며 비정규직을 억제하고 해소하는 대책과 차별시정조치, 비정규직을 위한 사회보장제도 확충을 논의하자.

육체노동이 고용노동으로 되고 그것이 삶에 헤게모니적 영향력을 행사할 때에 노동하는 사람들은 자신과 분리된 생산수단과 결합되어 노동하기 위해 고용되어야 했다. 자본주의의 발전수준이 고도화되면 그럴수록 물적 생산수단은 거대해졌고 노동자는 그 거대한 기계체제에 예속되어 그것을 보조하는 역할을 떠맡게 된다. 고용 없이 소득 없다는 관념은 이 시대에 한층 강화된다. 그리고 특별한 생산수단을 요구하지 않는 비가시적이고 비물질적인 활동들은 이 시대에는 비생산적 노동으로 평가되어 노동으로 간주되지조차 못했고 마치 자연처럼 육체노동에 하위계열화되었고 자본에게 무상으로 착취되곤 했다. 예컨대 지적 활동의 성과들은 자본에게 무상으로 전유되었고 예술활동들은 후원에 의해 유지되거나 구걸에 의해 유지되었으며 돌봄활동은 성적으로 차별받는 여성에 의해 무상으로 수행되거나 하인과 같은 신분적 예속자들에 의해 수행되었다. 감옥, 정신병원, 마녀사냥, 해적퇴치 등은 이 질서를 유지하고 강화하기 위한 수단들이었다.

그러나 자본주의적 관계의 발전과 재생산은 이러한 구조를 파열시킨다. 우선 공장 노동자들의 저항이 그것을 촉진했다. 임금인상 및 노동시간 단축을 둘러싼 노동계급의 투쟁은 기계화라는 자본의 반격을 촉진했고 그것은 정보화로까지 나아왔다. 이 과정에서 과학기술이 생산에 이용되는 것은 일반화되고 직접적인 육체노동의 필요성은 줄어들었다. 잔존하는 노동은 급속히 인지적인 것으로 재편되었다. 둘째로 고용된 임금노동에 하위계열화되어 생산적 노동으로 평가받지 못하고 그래서 삶의 안전을 보장받지 못하고 있었던 비물질적 활동들의 저항과 그 여파로 고용관계는 삶의 비물질적 활동에까지 확대된다. 이 과정에서는 여성들의 저항과 학생 및 지식인들의 저항이 주요한 계기가 되었다. 비물질노동은 거대한 생산수단에의 예속을 필연적 특징으로 갖지 않는다. 그것은 인간들 사이의 소통, 돌봄, 교류를, 그리고 이러한 것들에 대한 앎을 수행하는 노동이기 때문이다. 많은 경우에 비물질노동의 수행은 사회 그 자체나 인터넷처럼 이미 보편화된 하부구조를 노동조건으로 삼으며 실제로는 노동하는 사람들의 신체만이 직접적인 생산수단으로 작용하게 된다. 그렇기 때문에 생산수단으로의 결합을 위한 고용 그 자체는 비물질노동에 부차적이다. 이러한 성격으로 인해서 비물질노동은 특정한 노동시간에 구애받지 않고 그 어느 때건 수행될 수 있게 된다.

비물질노동의 이러한 특성을 자본은 비정규직, 임시직이라는 형태로, 요컨대 불안정노동 형태로 이용한다. 비물질노동이 헤게모니적인 것으로 등장하고 또 비물질노동의 상당부분이 비정규적인 것으로 포섭되면 물질노동의 상당부분도 비정규직화할 수 있게 된다. 노동체제의 이러한 지성화와 정동화는 삶이 비물질노동의 형태로 자본·노동관계 속으로 편입되는 과정이며 고용관계가 이전과는 다른 방식으로 확대되는 과정이다.

비물질노동이 비정규직으로 더 많이 배치되는 이유에는 그것이 시간적·공간적 제약으로부터 상대적으로 더 자유로운 활동이라는 점 외에 또 여성이나 학생, 청년 등 사회에서 약한 지위에 있는 사람들이 비물질노동에 더 많이 종사하게 된다는 사실과도 연관되어 있다. 사회적·법적 보장이 취약한 계층의 사람들을 비정규직으로의 배치함으로써 이를 무기로 자본은 나머지 노동계층에 대한 더 큰 통제력을 갖게 된다.

그러나 비물질노동이 노동의 불안정화를 용이하게 만드는 조건이 된다는 사실은 그것의 일면이지 전부가 아니다. 19세기의 혁명가들은 노동의 안정을 추구했던 것이 아니라 인간이 인간을 착취하는 고용-피고용 관계로서의 자본관계 그 자체를 파괴하고자 했다. 사람들은 고용-피고용 관계 속에서 (아무리 큰 소득을 얻는다 할지라도) 결코 자유로울 수 없다.

소득의 관점이 아니라 자유의 관점에서 보았을 때 비물질노동은 노동을 불안정화한다는 점과는 전혀 다른 가능성을 나타낸다. 비물질노동은 직접적 육체노동의 필요성을 사라지게 만듦으로써, 그리고 그 노동의 특성으로 인해 지난날의 안정된 고용관계를 해체하는 경향을 갖지만, 자유의 관점에서 보면 그것은 틀지워진 '정규적 고용관계', 즉 조직된 자본주의적 사회관계로부터 자유로울 수 있는 잠재력을 더 많이 갖고 있는 노동이다. 비물질노동은 소비재나 생산도구를 생산함으로써 삶과 간접적·매개적 관련만을 가졌던 물질노동들과는 달리 소통, 교류, 돌봄, 교육 등을 통해 직접적으로 인간과 삶을 생산하고 재생산하는 기능을 수행한다. 이러한 노동들은 고용-피고용 관계에서 상대적으로 자유롭다는 특징 외에 이 노동과정이 자본의 감독과 관리의 필요성을 갖지 않는다는 의미에서도 자유롭다. 현실에서 이 노동이 고용 및 소득의 불안정성과 외부로부터의 측정과 표준화에 시달리고 있는 것이 여전히 사실이지만 잠재적으로 이 노동과정은 자율적인 성격을 갖는다.

적지 않은 사람들이 정규직 고용노동을 거부하면서 필요한 경우에만 노동하고 시간의 대부분을 자신의 욕망실현을 위해 사는 사람('프리터' 혹은 '프리커')으로 남고자 했던 것은 이러한 조건과 무관하지 않다. 이러한 사람들의 경우는 노동과 삶의 구획과 구분을 거부하는 경향을 띠며 노동과 삶을 연동시키고자 한다. 신자유주의는 프리터들의 증대 경향에 직면하여 이들을 비정규직이라는 제도적 틀에 가두고 차별함으로써 이러한 노동형태의 혁명적 잠재력을 통제하는 데 성공했지만, 프리터를 고통스럽고 불안정한 지위에 있도록 내모는 것은 노동과정의 특성이나 고용의 불안정성 자체가 아니다. 그러한 고용형태가 불안전하고 불안정한 소득으로 귀결되도록 만들어 놓은 제도(예컨대 정규직과 비정규직의 차별법)가 이 고통의 원인으로 작용한다.

비물질노동의 증대로 노동은 직접적인 고용노동 현장을 넘어 사회 전체로 산포된다. 그 결과 삶활동의 대부분이 자본 관계에 편입되면서 삶과 노동의 경계가 희미해지는 상황을 초래한다. 이것은 한편에서는 삶의 노동화의 가속이다. 근대화 초기와는 달리 21세기에는 노동 외부의 삶을 발견하기는 어렵다. (고용관계를 통해서든 아니든) 살아가기 위한 행위들 모두가 자유롭다기보다는 강제되고, 그래서 심지어 (하루의 여가시간에 강제되는 소비활동, 휴일에 강제되는 레저활동처럼) 자유 자체조차도 강제되어 자본의 축적에 복무하게 된다. 하지만 이것이 전부는 아니다. 비물질노동의 헤게모니는 노동을 통한 삶의 해방의 가능성의 증대라는 또 다른 특성도 갖는다. 비물질노동은, 사회가 공동체를 점진적으로 포섭한 결과 사회 외부에 놓여 있는 공동체가 사라지고 이 양자가 중첩되는 시대에 헤게모니적인 것으로 대두된다. 비물질노동의 헤게모니를 통해 삶과 노동의 경계가 사라지면 역설적이지만 사회적 삶 자체가 하나의 잠재적 공동체로서의 성격을 띠게 된다. 이것은 노동 외부의 삶에 속했던 활동들 대부분이 노동으로 전화되며 공동체 활동의 사회화가 이루어지는 것의 결과다. 공동체 생산활동의 사회화와 산업화의 사례를 생각해 보자. 출산(병원), 양육(베이비시터), 살림살이(파출부), 교육(교사), 보건(간호) 등의 보육산업은 인간을 재생산한다. 싸이월드, 게임산업에서 보이듯이 친목산업과 놀이산업은 인간의 정서적 삶을 재생산한다. 학교, 연구소, 방송, 극장 같은 곳에서의 연구, 연예, 정보산업은 인간의 지적 재생산을 담당한다. 택배서

비스와 정보산업은 인간들 사이의 교류를 활성화한다. 실버산업과 보험산업 등은 인간의 안전을 재생산한다. 이 사례는 더 많이 열거할 수 있을 것이다. 이러한 사실은 인간들의 사회적 관계 자체가 산업으로 조직되어 노동이 사회와 사회적 삶을 생산하고 재생산하는 활동으로 변화하고 있음을 보여준다. 그 결과 물질노동도 이 커다란 사회적 노동매트릭스의 일부로 편입된다. 노동 내용의 공동체적 경향과 그것의 자본주의적 산업형태가 가져오는 비참 사이의 모순이 증폭된다.

그러므로 우리는 비정규적 불안정노동의 증대를 노동의 비참의 증대로만 읽을 것이 아니라 전통적 자본관계의 형태들이 오늘날의 사회화된 노동을 더 이상 포섭할 수 없게 되었다는 사실의 징후로도 읽어야 한다. 고용-노동-소득의 순환은 M-C-M(자본운동)와 C-M-C(노동운동) 맞짝에 근거를 둔 것으로 근대의 물질노동 과정에서 형성된 메커니즘이며 잉여가치의 착취를 가능케 하는 메커니즘이었다. 비물질노동의 성장과 그것의 헤게모니에 의해 조직되는 사회는 이 순환 메커니즘에 의해 제대로 관리될 수 없다. 이미 자본 자신이 이 사실을 고백하고 있다. 21세기에 자본은 스스로 고용에 근거를 두는 산업자본으로서의 지위를 포기하고 금융자본으로 전환했다. 금융자본은 점점 자율화되는 노동사회를 명령으로 포획하는 자본형태이다. 자본은 노동과정을 감독하고 관리하기를 포기하고 노동공동체 외부에서 그것에 명령을 부과하고 그것을 수탈하는 자리로 이동했다. 그런데 그 명령이 외부로부터 온다고 해서 그것이 과거처럼 직접적이고 폭력적이며 외면적인 것이라는 의미는 아니다. 금융자본의 명령은 금리조절, 환율변동, 인플레이션, 디플레이션, 위기, 금융구제, 신용불량 등으로 나타난다. 그것들은 그 누구도 어쩔 수 없는 객관적인 과정처럼 체험되며 공포와 불안으로 사람들의 마음 속에 내면화된다. 이 비가시적 명령형태로서의 금융통제 사회를 극복할 수 있는 잠재력은 인지화된/되는 물질적-비물질적 노동공동체 외부에서는 찾을 수 없다.

'독특한 노동'의 잠재력과 진로

이 관점에서 다시 현실을 들여다보자. 현실에서 다양한 방식으로 표현되는 노동활동은 잠재적으로는 '노동하기'의 특이한 차원들을 갖는다. 이 차원이 직접적으로 실현되려면 현실에서 노동을 위계화하고 차별짓는 조건들을 변혁해야 한다. 노동이 처한 강제조건들의 변혁을 통해 노동이 욕구로, 자발적 활동으로 발현될 길을 열어야 한다. 욕구로 된 노동들은 특이성의 활동들에 다름 아닐 것이다. 그 활동들을 수평적인 사회적 네트워크, 사회적 협력체로 발전시킬 노동은 그 특이성과 공통성을 직접적으로 실현할 수 있을 것이다. 의미 있는 노동, 보람 있는 노동, 독특한 노동이 그것이다.

오늘날 노동은 분산된 개인들의 활동이 아니라 전 사회적이며 전 지구적이고 공통적인 인류적 활동이다. 노동은 더욱 더 깊이 네트워크화되고 있다. 오늘날 직접적으로 임금노동에 연루되었는가 않았는가는 더 이상 노동하는가 않는가를 가르는 지표일 수 없다. 노동의 비물질화, 지성화, 기계화, 정동화, 공통화 등으로 인해 삶과 노동의 경계는 점점 흐려지고 있다. 자본관계는 이처럼 양적으로 볼 때 삶의 모든 부면들을 노동화하고, 질적으로 볼 때 그것들을 더욱 긴밀하게 네트워크화시킴으로써만 재생산될 수 있게 되었다. 우리가 확인하는 새로운 임금노동형태들(게임노동, 연구노동 등)

외에, 다양한 비임금노동형태들이 이미 있어왔거나(가사노동, 아동노동, 가족구성원의 심부름 등) 새로이 대두하고 있다(자영의 소호, 생산자 공동체나 협동조합; 불안정노동 형태인 파출노동, 배달노동, 프리터). 임금/비임금, 생산/재생산을 불문한 인간의 모든 활동들이 오늘날에는 네트워크화되고 공통화되어 인류 및 생태의 삶을 생산하고 재생산하는 총화적 활동으로 전화하고 있는 것이다. 따라서 오늘날 착취는 더욱 넓고 깊게 네트워크화된 전 지구적 수준의 사회적 노동 속에서 발생한다.[15]

오늘날 전 지구적인 사회적 노동은 분명히 '정규직/비정규직', '보장노동/비보장노동', '안정노동/불안정노동'으로 분할되어 있다. 이것은 고용관계를 통한 사회적 노동의 차별화로서 비정규직에 대한 법적·사회적·경제적 차별을 수반한다. 불안정노동은 신체적 건강을 위협할 뿐만 아니라 정서적 불안을 조성하여 공황감, 조울증을 증폭시킨다. 이것은 고용불안 그 자체의 위협이라기보다 고용불안이 소득불안정으로 이어지는 사회제도가 가하는 위협의 결과이다. 이것의 여파는 비단 비정규직 사람들에게만 국한되는 것이 아니라 실업과 비정규직으로의 추락을 두려워하는 정규직에게도 동일하게 미친다.

이러한 차별의 상황은 노동이 고용/비고용, 임금/비임금, 물질/비물질을 불문하고 네트워크화되어 긴밀한 사회적 총체성을 구축하고 있다는 사실을 은폐한다. 실업자는 노동하지 않으며, 비정규직은 주변적 활동만을 하고 있다는 환상을 제공하는 것이다. 이러한 현실은 다중 속에 냉소주의의 조건을 확대한다. 실업자는 '오류도', '삼팔선' 등의 언어로 자기를 비하하며 신용불량자는 사회로부터

---

15) 노동시간의 절단에 근거하기보다 자본주의적 공리의 적용에 의거하여 그 사회적 노동을 지배한다는 점에서 실제로는 포획이라고 표현해야 할 것이다.

낙인찍히고 추방당한다. 주거를 잃은 철거민은 쉽게 노숙자로 전락한다. 이렇게 삶을 덮치는 참기 어려운 고통을 회피하기 위한 방법으로 자살을 선택하는 경우가 급속하게 늘어난다. 삶의 안전을 위해서 자본에게 고용되려는 노동자 내부의 경쟁의 격화로 인해 노동하는 사람들 사이에 장벽이 만들어지고 분열과 경쟁으로 치달으며 다중의 삶은 그만큼 불안전하게 되고 자본의 지배는 그 경쟁과 분열의 정도만큼 공고화한다.

이처럼 실업, 비정규직, 이주노동, 장애인노동 등 불안정 노동의 문제는 결코 경제적 문제에 머물지 않는 정치적 사건이며 계급투쟁이 표현되는 양태이다. 이러한 현실에 대한 대응들은 어떻게 나타나고 있는가?

우선 자본은 노동계급의 저항에 대항하는 새로운 방법들을 고안하기에 여념이 없다. 노동과정을 기계화, 정보화하고 생산계열을 하청화하며[16] 고용조건을 비정규직화[17]하는 외에 기업들을 네트워크화한다. 이렇게 비정규직을 정상화하고 확대하는 과정을, 성장이 일자리를 만들어 낸다는 환상으로 포장한다. 반면 정규직을 자본과 운명을 같이하는 존재로 가족화하여 이들을 잉여가치를 분유하는 지대수령계층으로 포섭한다. 노사일체의 기업문화운동은 이러한 전략이 표현되는 방식이다.

정규직 노동자 조직들은 어떻게 대응하고 있는가? 정규직 노동조합들은 표면적으로는 임금인상과 성과급 동일적용을 통한 임금격차 완화를 주장한다거나 비정규직에게도 4대보험, 유급휴일, 복리후생제도를 적용하라고 요구한다거나 비정규직 사용억제 및 정

---

16) 비독점기업 중심의 하청계열화.

17) 내부 비정규직화와 사내하청화.

규직화를 요구하곤 한다. 그러나 시간이 흐를수록 정규직 노동자의 의식은 자본의 이해관계와 점점 깊이 동화된다. 정규직 노동자가 지대수령계층으로 포섭되는 정도가 높아질수록 자본이 요구하는 마름의 지위를 받아들이게 되는 정도도 높아진다. 그래서 정규직 노동자들에게서는, 한편에서는 노동자로서 비정규직과의 공동운명으로 인한 연대감을 표현하면서 다른 한편에서 제도적 노동위계화와 차별의 수혜계층으로서 자신의 특권을 지키려는 이중화된 태도가 나타나게 된다. 그래서 비정규직의 정규직화를 요구하면서도 실제로는 정규직-비정규직 차별축소에 머물거나[18] 비정규직 투쟁을 자본으로부터 다른 양보를 얻어내기 위한 압력수단으로 삼는 태도까지 나타나는 것이다. 날이 갈수록 정규직 노조운동이 노동자 내부의 단결보다 기업조직, 동창회, 국민, 민족주의 등 기존의 시민사회 조직과 이데올로기에 의존하는 경향이 강하게 나타나며 이주노동자에 대한 경계심이 표면화되는 것은 이 때문이다. 전체적으로 정규직 노동자들의 운동은 한편에서는 실리적 욕망, 다른 한편에서는 공포에 의해 점점 더 많이 지배되고 있다.

이러한 상황에서 이른바 시민단체들은 비정규직의 정규직화라는 일반적 입장을 취하면서 그것에 약자를 보호해야 한다는 자선적 이미지를 새겨넣는다. 이 대안들은 비정규직을 억제하고 해소하는 대책(예: 일자리 창출)이나 차별시정 조치, 비정규직을 위한 사회보장제도 확충 등으로 귀결된다. 그래서 노동의 불안정화 속에 잠재해

---

[18] 흔히 제안되는 대책은 두 가지다. 첫째 법제도 개선으로서, 임시직 사용의 엄격한 제한, 파견제의 폐지와 불법파견의 근절, 특수고용 노동자의 노동자성 인정과 노동3권 보장, 동일가치노동 동일임금의 보장 등의 법제화, 공공부문의 비정규직 억제와 차별해소, 간접고용의 금지 등. 둘째 조직화로서, 비정규직의 노동조합 조직화. (민주노총 주진우, 「비정규직 노동의 정치, 아래로 흐르는 연대」, 『정치비평』 2003년 하반기, 67쪽.)

있는 자유와 자율의 잠재력이 현실화할 가능성은 점점 축소된다.

정작 중요한 것은 비정규직 노동자들 자신일 것이다. 비정규직 노동자 운동도 정규직화와 차별철폐, 최저임금제, 생활보호대상자 지정, 4대보험 적용영역 확대 등의 요구를 크게 넘지 않았다. 하지만 근년에 들어 기본소득 요구가 제기되고 있는 것은 주목할만한 점이며 새로운 가능성을 보여주는 것이다. 기본소득 요구는 현행의 일반화된 공통노동과는 더 이상 부합하지 않는 현재의 사적 자본관계를 척결하고 자본관계와는 완전히 다른 방향에서 삶의 안전보장을 이룰 관계를 새롭게 창출하기 위한 노력의 일부이다. 오늘날의 고용안정 쟁취투쟁은 단순한 노동기본권의 요구를 넘는 것이며 삶의 안전을 보장받으려는 삶안보[19] 쟁취투쟁의 성격을 갖는다. 그리고 이것은 다중 내부에 위계를 도입하는 것을 거부하고 다중의 연합을 추구함으로써만 그 목표를 달성할 수 있다.

그런데 모든 노동의 정규직화와 총고용도 위계 거부의 한 형태이지 않은가? 물론 그렇다. 하지만 삶의 안보가 고용을 통해 쟁취될 수 있다는 생각은 아직은 자본의 게임룰을 벗어난 것이 아니다. 위계를 거부하면서 강제노동을 받아들이는 것이기 때문이다. 삶의 안보를 도모하기 위한 다른 방향이 가능하다. 그것은 무조건적 보장소득, 삶의 위기를 초래하는 현재의 고용제도와 분배제도에 반대하면서 다중이 삶의 안전을 무조건적으로 보장받는 방법이다. 이

---

19) 안보는 일반적으로 주권의 용어로 인식되어 있다. 이것은 국가가 삶을 관리하는 주체로 인식되어 온 오랜 역사가 남긴 관념적 유산이다. 위험사회에서 안전보장은 달성되어야 할 주요한 삶의 과제이다. 하지만 우리는 삶의 안보가 국가주권이나 군사력과 같은 것에 의해 보장될 수 있는 것이라고 생각지 않는다. 오히려 지금까지 그것들은 삶을 위험 속으로 빠뜨리는 주요한 요인이었다. 따라서 필요한 것은 안보를 달성할, 오늘날에 적합한 방법을 강구하는 것인데 그것은 자본의 국가가 아니라 다중들의 공통체에 의해서만 가능한 것이다.

것은 오늘날의 생산조건과 부합한다. 다중의 일반노동이 현대의 생산과 재생산의 근거인 만큼 그 일반노동에 연결되어 있는 모든 사람들에게 삶의 안전이 무조건적으로 보장되어야 하는 것이다. 이 것이 오늘날 다중의 연합을 위한 가능한 제도적 장치이다.

무조건적이고 충분한 소득보장이 정당한가? 이 문제를 다루기 위해서는 기존의 고용-소득 기계에 대한 비판이 필수적이다. 앞서 말한 것처럼 고용-소득 기계는 더 이상 원만하게 가동되지 않고 있으며 지구 인구의 안전을 질서유지에 필요한 만큼도 보장할 수 없는 난관에 처했다. 고용-소득 기계의 부적실성은 이미 비정규직이 정규직보다 더 큰 비중을 차지하고 있을 뿐만 아니라 그 경향이 더 가속되고 있다는 사실에 의해 입증된다.

고용-소득 관계의 부적실화는 그 나름의 역사를 갖는다. 본래의 공동체들은 인간과 자연의 생산적 관계였다. 공동체에서 대지는 거주지 및 공동체의 기초뿐만 아니라 노동대상을 제공하는 거대한 작업장이자 병기고였다. 공동체에서 인간(의 노동)은 공동체 자체를 생산하고 재생산하는 공동체의 소유로서 대지와 소박하게 관계했다. 공동체에서 인간활동은 크게 보아 손발(작업), 두뇌(과학과 예술), 심장(사랑)의 활동으로 이루어졌고 이것들의 총체적 연관을 통해 공동체를 생산하고 재생산했다. 자본주의와 비자본주의는 빙산의 상부와 하부의 관계에 비유할 수 있다. 자본주의는 비(전)자본주의에 기생하면서 발전해 왔다. 혹은 사회Gesellshcaft는 공동체Gemeinschaft에 의존하여 발전해 왔다. 기생 혹은 의존을 정당화하는 방법은 포섭이다. 자본주의의 공동체포섭은 형식적 포섭-실제적 포섭-가상실효적 포섭의 방식으로 전개되어 왔다.[20] 그리고 그

---

20) 이에 대해서는 조정환, 『제국기계 비판』, 갈무리, 1995, 1장 참조.

조정환·노동의 재구성과 프롤레타리

97

포섭은, 고용이라는 '좁은 문'을 통과하는 자에게만 소득을 제공하는 제도를 통해 발전되어 왔다.

고용과 소득의 이 연계관계는 역사적으로 변화되어 왔다. 소상품생산 사회에서 노동과 소득은 자연적으로 연계되어 있었다. 근대자본주의에서 노동과 고용의 제1차 탈구가 이루어진다. 자본주의는 노동-소득 연계를 고용-소득 연계로 전화시킨다. 고용되지 않은 노동에는 소득이 주어지지 않고 오직 고용관계 속의 임금노동에게만 임금이라는 소득이 주어진다. 이 때 노동과 소득 연계관계는 계급에 따라 이중화되며 자본가는 예외지위를 갖게 된다. 즉 자본가는 노동을 하지 않아도 소득이 있지만 노동자는 노동을 하지 않으면 소득이 없게 된다. 노동의 일반화라는 사회주의 전략은 이 자본가 예외주의에 대한 투쟁으로 나타난다. 탈근대자본주의에서 노동과 고용의 제2차 탈구가 나타난다. 가사노동의 사회화에도 불구하고 '일반지성'과 '정동노동'의 많은 부분을 비고용관계에 배치하고 또 고용관계를 유연화함으로써 노동과 고용의 탈구형태를 혁신하는 것이다. 이제 고용되지 않은 노동(특히 비물질노동)이 사회 재생산에서 주요한 역할을 수행한다는 역설이 나타난다. 여기서 우리는 두 개의 괴리를 발견한다. 하나는, 노동은 사회적이나 고용은 기업적인 데서 오는 괴리이다. 또 하나는 고용은 기업적이나 소득은 차별적인 데서 오는 괴리이다.

이것은 오늘과는 다른 잠재적 소득원리를 예상케 한다. 사회적 노동 하에서의 사회적 소득 원리는 소상품생산 사회에서의 노동-소득원리의 보편적 확장이다. 그런데 노동은 다층화되고 비가시적이며 편재적이기 때문에 직접적으로 고용되어 노동하는가 않는가 여부에 소득이 구애받을 수는 없다. 소득은 그 자체로 직접적으로 생산적인 삶의 호흡이자 순환의 일부로 되어야 한다.

권위주의 하의 노동과 삶은 '고역의 삶'이었다면 신자유주의 하의 노동과 삶은 '벌거벗은 삶'으로 나타난다. 이러한 이행경향에 대한 노동의 반작용적 대응이 '고역의 삶'으로의 회귀 요구로 나타나곤 한다. 완전고용, 총고용, 정규직화의 요구가 그것이다. 노동의 불안정화는 지금까지 강조해 온 것처럼 삶과 노동이 자본에 포섭되고 그것에 의해 지배되는 형태이지만 다른 한편에서는 노동자들이 자본관계에서 이탈하려는 욕구를 표현하고 있다. 관계를 전제로 하는 '노동(기본)권'이 자본주의 사회의 탈근대적 변형에 대한 비판력을 어느 정도 갖는 것은 사실이지만 자본·노동 관계를 넘어서야만 풀릴 수 있는 탈근대 사회 고유한 문제를 드러내지는 못한다. 노동권의 차원에서 이 문제에 접근하면 탈노동의 욕망과 노력은 일탈적인 것으로 이해될 뿐이다. 그러므로 오늘날의 노동과 삶을 '벌거벗은 삶'이면서 동시에 '공통화된 삶'이라는 이중성의 관점에서 읽는 것이 중요하다. 예컨대 프리터나 특수고용은 고용–소득 형틀에 종속되어 있지만 다중의 탈노동의 욕망과 무관하지 않다. 현대 사회에서 이것들이 커다란 비참을 수반하면서 나타난다 할지라도 다른 한편에서 이것들은 '독특한 노동'의 잠재력이 자본주의 사회의 틈바구니에서 현실화되는 일그러진 모습임을 주목할 필요가 있다. 따라서 대안은 '벌거벗은 삶'에서 '고역의 삶'으로의 회귀의 방향에서가 아니라 '독특한 삶'으로의 전진적 극복의 방향에서 찾아져야 한다. 독특한 삶은 독특한 노동에 의해 구성될 것이다.

프리터는 현대 사회에서 독특한 삶에 대한 욕구가 출현하는 한 형태였다. 정규고용을 회피하면서 혹은 정규고용으로부터 배제되면서 '욕망하는 삶'을 살아보려고 하는 프리터들에게서 삶의 다른 형식이 실험되곤 했다. 프리터의 확산은 (그 자체가 새로운 삶으로 되지는 못했고 신자유주의가 이러한 실험을 이미 포섭해 버렸지만) 오늘날 새로운 삶의 잠재력이 무르익었음을 보여주는 징후임은 분명하다. 신자유주의 하에서 프리터는 그 뜻과는 달리 자본의 게임룰(고용/비고용, 정규/비정규, 취업/실업)에 도전하기보다 그것에 조응되는 방식으로 움직임으로써 자본의 발전을 돕는다는 면을 갖는다. 이것은 어떤 교훈을 남기는가? 욕망하는 삶에 대한 개인적 추구는 자본관계에 쉽게 포섭된다. 오늘날 생산조건이 공통적인 한에서 욕망하는 삶에 대한 추구도 공통적이고 집단적일 때에만 실질적으로 충족될 수 있다. 이런 의미에서 프리터 실험은 자본의 현행의 게임룰에 도전하면서 무조건적 보장소득과 자유로운 노동을 위해 투쟁함으로써 자신이 욕망하는 자유로운 노동의 삶을 집단적으로 달성하기 위한 운동으로 전화되어야 할 것이다. ▨

조정환

1956년생. 문학평론가. 서울대 대학원 국어국문학과 박사과정 수료. 중앙대, 호서대, 성공회대 강사. 저서에 『공통도시』, 『카이로스의 문학』 등이 있음. jhjoe@galmuri.co.kr

프리터의 정치학
: 다중Multitude, 아니면 불가능한 계급unmögliche Klasse?

전 상 진

프리터? 프레카리아!

프리터freeter, 자유로운free 노동자arbeiter를 뜻하는 이 용어는 일본
에서 유래한다. 이 용어가 쓰이기 시작한 이래 오늘날까지 약 30
년 동안 프리터는 세 가지 의미로 쓰였다. 1980년대 말 일본은 '조
직화된 근대der organisierte Moderne'의 첨병이었다. 조직화된 지배와 보호
로 사회의 견고한 구성 원리와 질서를 완성했던 '주식회사 일본'에
서, 프리터는 '자유의지'에 따라 특정 조직에 소속되기를 거부하면
서 사회의 구속과 간섭에 저항하였다. 그렇기에 이들은 '새롭고, 자
유로운 보헤미안으로 칭송'되었다.

하지만 이들에 대한 평가는 삽시간에 바뀐다. 부동산 거품이 꺼
지면서 시작된 장기간의 경기 침체는 일본의 자긍심에 큰 상처를
주었고, 한때 경멸의 대상이었던 '주식회사 일본'은 국가와 사회 재
건을 위한 방향타가 되었다. 바뀐 환경에서 새롭고, 자유롭고, 개인

적인 인간 유형들이 눈엣가시가 된 것은 어찌 보면 자연스러운 것이다. 프리터의 반사회적asocial 삶의 영위방식은 젊은이들의 이기적이고 게으르며 아무런 의욕을 보이지 않는 모습을 반영하는 것으로, 그와 같은 '하류지향 신인류'들이 일본을 '침몰'시킨 하나의 원인으로 간주된다(우치다 다츠루, 『하류지향』).

추락의 공포 속에서 실패와 고통의 책임을 져야 하는 속죄양이 된 프리터들에게 사회 일반, 혹은 성인세대가 연민과 동정, 더 나아가 연대 의식을 느끼기까지 그리 오랜 시간이 걸리지 않았다. 기존의 사회적 협약과 규칙에서 자유롭게 된(탈규제) 노동시장이 안정된 일자리를 희소재로 만들면서 연령이나 의사에 상관없이 프리터를 양산하는 상황이 온 것이다. 프리터의 자유는 자발적인 것이 아니라 타율적인 것이며, 맑스의 표현을 원용하자면 그들은 안정된 삶에서 자유롭게 되었다.

이렇게 프리터는 세 가지 의미, 즉 보헤미안, 하류지향 신인류, 그리고 '안정된 삶에서 자유로운 자들'이라는 의미를 획득하였다. 역사적으로 형성된 세 의미는 그러나 동시에 현존現存하며 특정 지역의 경계를 넘어 글로벌한 이슈이자 문제가 되었다. 이는 글로벌한 자본주의의 위력과 젊은이들에 대한 상이한 해석에 기인한다. 새로운 자본주의의 사도司徒들이나 그것을 운명(이른바 TINA 원칙, there is no alternative)으로 받아들이는 사람들에게 하류지향성, 즉 불안감, 추락의 두려움, 의욕상실, 무기력감과 같은 심리사회적psychosocial 특성들은 하류계급underclass의 내재적 성향으로 간주한다. 예를 들어 독일의 저명 저널리스트인 발터 뷜렌베버Walter Wuöllenweber는 열악한 조건이 그들의 의욕을 앗아가고 그들을 무기력하게 만든 것이 아니라, 자신의 심리적 성향이 그들을 하류계급으로 만들었다고 주장한다. 물론 위와 같은 '상식적' 해석, 즉 사회적 지위를 당사자의 성향으로 설명하는 사회생물학적인socio-biological 해석은 많은 비판을 받는다.

새로운 자본주의의 사도들에게 보헤미안은 자유의 상징이다. 그들은 바로 "회사, 정규직, 지시받는 일 그 어디에도 구속되지 않은 채 스스로 하고자 하는 일을 창조하고 즐기며 그 일로 경제적 자유를 누리는 디지털 시대의 자유주의자"들이다(홀름 프리베·사샤 로보, 『디지털 보헤미안』). 비판적인 관점에서 새로운 자본주의를 관찰하는 사람들은 보헤미안의 불안한 도플갱어Doppelgaönger(정확히 읽자면 도펠갱어)인 프레카리아Prekariat에 주목한다. '불안정한, 열악한, 곤란한'을 의미하는 prekaör와 프롤레타리아proletariat의 합성어인 프레카리아, 즉 '불안정한 자들'은 좁은 의미에서는 '보호받지 못하는 노동자들과 실업자'를 의미한다.

그러나 이 사회집단은 내부적으로 동질적이지 않다. 프레카리아를 넓게 해석하는 연구자들과 활동가들은 불안정한 정규직 노동자(언제 퇴출될지 모르는 노동자), 비정규직 노동자, 한부모가정, 프리터, 장기실업자 등은 물론이고 몰락한 귀족(이는 물론 유럽의 조건에서만 가능한 것이지만), 실패한 기업가나 비정규직 과학자, 성공적이지 못한 문화산업 종사자 등을 그 소속원으로 간주한다. 더 나아가 이탈리아의 정치사회학자 알렉스 폴티Alex Folti와 같은 이들은 산업사회에서 프롤레타리아의 지위와 역할, 그리고 사명을 탈산업사회에서는 프레카리아가 차지하고 행하고 부여받았다고 본다.

사실 누가 프레카리아인지를 규정하는 문제는 관련 논쟁에서 첨예한 이슈다. 그러나 이에 대한 유효한 평결을 내리는 일은 이 글의 관심사가 아니다. 다만 우리의 관심은 프레카리아로 대변되는 현재적 불평등의 문제, 그리고 이와 관련된 정치의 문제를 일별하는 일이다. 이런 의미에서 논점을 프레카리아에서 불안정성Prekaritaöt과 불안정화Prekarisierung로 이동할 필요가 있다. 불안정성과 그것의 다이나믹스화 과정을 의미하는 불안정화는 어떻게 해석되던 상관없이 프레카리아를 만들어낸 원인이기 때문이다.

불안정성과 불안정화

불안정성이라는 개념을 사회과학적인 토론의 장으로 끌어들이는 데 결정적 역할을 한 프랑스 사회학자 로베르 카스텔Robert Castel은 그 개념을 임의의 사회적 변동을 묘사하는 범주가 아니라고 주장한다(『Die Metamorphosen der sozialen Frage사회문제의 형태변환』). 그것은 오히려 당대의 노동사회들의 근원적인 전환transformation을 진단하는 범주다. 특히 그가 주목하는 바는 포드주의적 자본주의와 중부유럽식 복지국가에서 극복된 것으로 간주되던 원래적 의미의 임금노동의 형식들이 다시금 등장했다는 점이다. 쉽게 말하면, 포드주의와 복지국가는 시장에 대한 개입을 통해서 임금노동의 상품적인 속성을 약화한다. 포드주의적 생산방식은 관료제적인 조직원리(장기적 고용)와 노동에게 자본과의 협상권을 부여(내키지 않지만 양보)하는 방식으로, 복지국가는 노동시장의 불안정성을 사회보장제도를 통해 안정시켰다. 생산방식의 유연화와 복지국가의 철폐는 임금노동의 안정성을 시장 외적으로 보장하던 요소들을 제거하도록 하여 그것의 상품적인 특성을 다시금 복원시켰다(임금노동의 재상품화).

불안정성은 기본적으로는 고용관계를 중심으로 논의된다. 고용관계가 사회적이며 법률적인 어떤 규준에 미치지 못하는 상황이 불안정성이다. 전통적으로 사회적으로 보장된 '정상적인 스탠더드'

가 준수되지 않으며, 그래서 고용과 소득이 장기적인 관점에서 불확실할 때, 사회적 권리와 노동의 권리가 제한적으로만 유효할 때, 그리고 노동의 가치가 손상되기 쉬울 때 이를 불안정성이라 한다. 하지만 문제는 그리 간단하지 않다. 왜냐하면, 불안정성은 특정한 상태를 칭하는 것인데 반해서 현실에서 직면하는 문제는 시간적 축을 따라 이동하기 때문이다. 다시 말해서 현재는 안정적인 고용 관계가 지속되고 생존을 위한 소득이 보장되더라도 그것은 단지 '다음 통지가 있을 때까지만'(지그문트 바우만의 표현) 그렇다는 점을 '특정 상태'를 조준하는 개념으로 파악하기는 불가능하다. 이런 까닭에 불안정 개념은 불안정화라는 '과정'을 포함하는 동적인 개념으로 대체되어야 한다.

그러나 불안정화는 비단 고용과 소득과 같은 '객관적인' 지표로만 측정될 수 없다. 그럴 수 없는 가장 큰 이유는 안정과 불안정을 가르는 기준이 그 기준선의 양편을 비교함으로써 생기기 때문이다. 쉽게 말해서, 모든 고용이 불안정하다면 불안정성은 존재할 수 없다. 모든 소득이 특정 수준에서(그것이 아무리 열악하다고 하더라도) 평준화되어 있다면 불안정성은 있을 수 없다. 바로 이런 점에서 우리는 독일의 사회학자 클라우스 크래머Klaus Kraemer 지적한 "지각적知覺的 불안정화gefuöhlte Prekarisierung"에 주목해야 한다.

지각적, 혹은 감정적 불안정화는 전반적인 안정에 대한 기대가 무너지고 파괴될 때를 말한다. 더 자세히 말해서, 감정적 불안정화는 노동세계와 사회적 지근거리(작은 생활세계)에서 이제껏 유효했던 안정성에 대한 기대가 근원적으로 파괴되는 경험들을 자양분으로 하여 자라난다. 예를 들어 '고생 끝, 행복 시작'이라고 여겨지던 장애물(명문대 입학, 대기업 취업, 고시 합격)을 넘어섰지만 그 앞에 놓인 냉엄한 현실(대학 진학보다 더 큰 장애물인 취업 전쟁, 언제나 잘릴 수 있다는 기업의 '공포 문화', 변호사들이 도처에 널린 상황)을 실감하면서 불안감을 느끼는 것을 우리는 감정적 불안정화라 할 수 있다. 또한 본인은 안정적인 상황에 있더라도 자신의 신분과 지위가 자녀들에게 안정적으로 전수될 수 있을지에 대한 신분추락에 대한 불안감(혹은 반대로 자녀가 부모와 같은 삶의 수준을 영위할 수 있을지에 대한 두려움)도 이에 속한다.

감정적 불안정화를 통해 우리가 알 수 있는 중요한 사실은 두 가지다. 먼저 빈곤과 불안정성을 동일시하지 말아야 한다. 물론 빈곤은 불안정성이 가장 응축된 것이라고 할 수 있다. 하지만 후자는 전자의 범위를 넘어서서 존재할 수 있다. 그래서 두 번째로 지적할 바는 불안하다는 느낌, 두렵다는 감정, 불투명한 미래에 대한 전망이 객관적인 지위와 일치하지 않을 가능성이다. 상대적으로 안정적인 직업, 비교적 안전한 지위, 남다른 신분도 미래의 확실성을 보장하지 못한다. 감정적 불안정화를 로베르 카스텔은 "불확실성이 귀환Ruöckkehr der Unsicherheit"한 결과라고 보며, 그것이 단지 언제나 어려운 상황에 있었던 하류계급뿐만 아니라 중간계층까지 엄습했다고 주장한다. 그렇기에 피에르 부르디외는『맞불』에서 다음과 같이 선언한다. "불안정성은 오늘날 도처에 있다."

불안정화와 정치 : 두 가지 관점

사회적 "불확실성의 귀환"은 서구나 일본, 혹은 한국과 같이 발전한 국가들에서 단순히 객관적인 상황이나 물질적인 위협의 수준을 넘어 사회의 가장 깊숙한 곳까지 침투하였다. 불안정화의 사회적 작용과 결과는 이 과정을 개인들이 수용하고 그에 따라 자신을 맞추는 방식뿐만 아니라 점증하는 사회적 불확실성을 정치적으로 가공하는 방식에도 영향을 미친다. 이들 사항들은 궁극적으로 민주주의 체계의 발전에 작용한다.

불안정화와 정치의 관계를 다르게 해석하는 두 관점이 있다. 로베르 카스텔과 피에르 부르디외, 그리고 로익 바캉Loic Wacquant으로 대표되는 비관적 관점과 마리오 칸다이아스Mario Candeias가 대변하는 낙관적 관점이 그것이다. 낙관적 관점의 열쇠말은 프레카리아다. 칸다이아스는 프레카리아의 조심스럽지만 명료한 '준동'이 미국과 유럽에서 시작하여 전 세계로 확산된다고 본다(「Das "unmögliche" Prekariat. Antwort auf Wacquant」). 1990년대 미국에서 시작된 "최저임금 캠페인living-wage campaign"과 청소노동자와 같은 프레카리아들의 노동조합 운동인 "Organizing", 그리고 2000년대 유럽에서 시작된 다양한 반불안정화Anti-Prekarisierung 캠페인, 특히 "유럽노동절 퍼레이드EuroMayday parade"(후에 유럽의 경계를 넘어서기 위해 MondoMayday parade가 추가된다)가 증거로 제시된다.

칸다이아스가 주목하는 점은 바로 프레카리아들의 "사회적 배제에 기인한 공통된 체험과 고통"이 "집합적인 저항의 기초"를 제공한다는 것이다. 물론 낙관적 전망의 지지자들이 마냥 순진하게 공통된 체험과 고통을 기초로 프레카리아가 순식간에 집합적 행동 능력을 함양할 수 있으며 정치적 동원의 주체이자 객체가 될 수 있다고 보는 것은 아니다. 앞서 언급한 알렉스 폴티의 주장, 즉 "산업사회의 프롤레타리아를 뒤이은 탈산업사회의 프레카리아"라는 주장은 투쟁 구호이지 현실에 대한 분석은 아니다. 이런 의미에서 이들은 이제 살펴볼 비관적 관점의 진단을 대부분 수용한다. 그러나 작지만 결정적인 차이는 분명 존재한다. 이 점은 비관적 관점을 살핀 후에 다시 다룰 것이다.

카스텔은 "절망의 현실주의Realismus der Hoffnungslosigkeit", 사회로의 재통합 시도의 포기, 현재의 열악한 상황을 수동적으로 체념하면서 수용하는 것, 자기파괴적인 속성을 지닌 반복적인 폭력 등을 프레카리아의 모습으로 묘사한다. 요컨대 개체로 분열되고, 익명적이며, 체념한 프레카리아는 간단히 말해서 '조직화가 불가능'하다. 물론 이 모습들은 상황의 산물이다. 부르디외는 『맞불』에서 왜 그런 모습들이 나타나는지 이유를 설명한다.

새로운 유형의 지배 레짐, 그것도 "실업, 불안정 취업, 해고 위협에 의한 공포"에 기초한 지배 레짐인 불안정 취업은 심각하게 그것을 겪는 이들에게 영향을 미쳐 "미래를 불안하게 하고, 모든 합리적 기대를 금하며, 특히 미래에 대한 최소한의 믿음과 희망도 금지한다." 그것의 영향력은 외견상 안정적인 모든 직장에도 영향을 미친다. 노동 기회가 희소재가 되면서, 그리고 고용주들이 자신의 권한을 남용하면서 취업 경쟁은 "만인의 만인에 대한 진짜 투쟁"이 되어서 인간의 모든 "연대와 인간성의 가치를 파괴"하여 사람들을 "고립시키고 원자화하며 개인화하고, 비동원적이고 탈연대적"으로 만든다.

바캉은 한 논문("Territoriale Stigmatisierung im Zeitalter fortgeschrittener Marginalitaöt진전된 주변성의 시대의 영역적 낙인화")에서 카스텔과 부르디외의 주장들을 다음과 같이 요약한다. 프레카리아는 "불가능한 계급eine unmögliche Klasse"이다. 잉여인간, 무용한 인간들은 통합되지 않았으며, 통합 될 수도 없다. 왜냐하면 사회적 통합의 핵심계기를 상실했기 때문이다. 즉 노동을 통한 긍정적인 정체성을 형성할 수 없기 때문이며, 또한 사회적인 분업에서 이들이 차지하는 이질적인 위치 때문이다. 그들은 사회적인 행위자가 될 수 없고, 오히려 체념하면서 자신의 운명을 받아들이는 '주변화된 사람들의 비非계급'이다. 다른 사회적인 집단들과 탈골된 채 "집합적인 운명을 고안할 수 있는 공통의 이미지와 기호의 저장소를 강탈"당한 사람들이다. 따라서 이들은 "어깨를 겯고, 머리를 맞대고, 대오를 좁혀 발맞추어 행진"(지그문트 바우만, 『액체근대』)하기보다 "나만 아니면 돼"라는 인기 TV 프로그램 〈1박2일〉이 설파하는 정신으로 개인적인 탈출구를 모색하거나 우익 포퓰리즘(후에 상술)의 준비된 메뉴를 따라 자신의 분노와 두려움을 완화하거나 치유하려고 노력한다. 스스로 계급이 될 수 없는 이들은 "비판적 심급"으로서 지식인들의 개입을 필요로 한다(피에르 부르디외 외, 『세계의 비참』). 이들을 '대표하고 재현하는 Repaösentanz' 지식인들이 국가가 자신의 사회적 책임을 기억하고 탈주하는 시장을 규제하도록 독촉해야 한다.

낙관적 관점의 지지자들은 위의 비관적 전망과 한 가지 점에서 결정적으로 다르다. 비관적 시각은 불안정한 자들을 스스로 조직할 수 없는 파편화된 개체들, 목표를 상실한 존재들의 '덩어리'로 보는데 반해서, 낙관적 진영의 사람들은 프레카리아(엄격히 말해서 이 명칭을 사용하는 것 자체는 낙관적 관점에 경도되었음을 보여주는 것이라 할 수 있다. 다만 여기서는 이런 조심스러운 엄격함을 따르지 않겠다)를 "형성 과정에 있는 계급 분파Klassenfraktion im Werden"로 평가한다. 불안정한 자들을 하나의 계급 분파로 보는 관점의 바탕에는 "다중Multitude" 개념이 깔려 있다. 기존의 집합행동론이나 계급론에서는 절대로 하나로 조직화될 수 없는 단위들, 서로 경쟁하고 모순적이며 갈등하는 단위들을 하나로 묶어낼 수 있는 괴력의 '단위', 다중! 불안정한 사람들이 다중(적 존재)이라는 단위로 '재서술Respecifikation'되면서 이들은 형성되는 계급 분파가 된다.

낙관적 전망 지지자들이 경험적인 발판은 프레카리아의 자발적 조직화(예컨대 미국의 Organizing, 혹은 유럽의 다양한 퍼레이드)이다.

불안정한 다중의 정치 세력화가 단지 그러한 '반불안정화 캠페인'으로만 나타날까? 상황이 그렇지 않음을 우리는 부르디외의 언급에서 포착할 수 있다. 『맞불』에서 부르디외는 잉여인간에게서 투쟁의식을 찾기는 힘들며, 오히려 극우주의의 "매력"에 현혹될 가능성이 높다고 밝힌다. 다시 말해서 우익 포퓰리즘은 불안정성으로 고통 받는 사람들이 선택할 수 있는 매력적인 정치적 옵션이다.

관련 연구들은 우익 포퓰리즘이 유럽에서 재 창궐한 시점을 대략 1970~1980년대로 잡는다. 이 시기는 경제적 침체가 시작된 때이기도 하고, 자본주의의 변환이 시작된 시점이기도 하고, 또한 복지국가에 대한 자유주의자들의 저항이 본격화되었던 때이기도 하다. 다시 말해서(적어도 시기상으로 보면) 우익 포퓰리즘은 '사회적인 것das Soziale'의 불안정화를 정치적으로 다루는 한 방식이라 할 수 있다. 이러한 추측이 허황된 것만이 아님을 우리는 포퓰리즘에 대한 경험 연구에서 알 수 있다.

우익 포퓰리즘에 유혹되는 사람들에게서 공통적으로 확인되는 심리사회적 특성은 불안감, 추락의 공포, 무기력감, 그리고 불공정하다는 인식 등이다. 특히 중요한 요소들은 무기력감과 연결된 추락의 공포와 불안감이다. 외르크 플렉커Joörg Flecker와 만프레드 크렌Manfred Krenn의 연구에 따르면 우익 포퓰리즘에 매혹된 많은 사람들은 나름 안정된 삶을 살았던, 하지만 갑작스런 사회 변화로 고용과 수입에서 불안정해진(객관적·주관적 측면 모두를 포함하여) 프레카리아다(「Politische Verarbeitungsformen gefuöhlter sozialer Unsicherheit. "Attraktion Rechtspopulismus"감지된 사회적 불안전성의 정치적 가공 형식. "우익 포퓰리즘의 매력"」).

이런 이들을 우리는 '불안정해진 프레카리아'라고 부를 수 있다. 불안정한 자를 뜻하는 프레카리아를 '불안정해진'이라는 수식어로 꾸미는 일은 당연히 매끄럽지 않다. 하지만 이 표현을 굳이 쓰는 이유는 우익 포퓰리즘의 주된 수요자들의 특성을 보여주기 위함이다(이외에 프레카리아 내부의 다양한 분파들을 구분하는 것이 필요하다. 이에 대해서는 추후 재론한다). 불안정해진 프레카리아는 하류계급적인 프레카리아와 달리 나름 안정된 삶을 살았던 사람들이다. 그렇다고 심대한 사회적 변환에 대해 적절히 대응할 수 있는 자원들, 예를 들어 문화자본이나 '위기를 기회로 생각하는' 심리적 강고함을 지니지 못한 처지다. 몇 개월 앞을 예견하면서 무엇인가를 계획할 수도 없는 상황이 의미하는 바는 자신의 삶에 대한 통제력, 바로 이전까지 가지고 있었다고 생각했던 그 소중한 자산을 상실했다는 르상티망Ressentiment과 공포를 느끼게 된다는 것이다. 구체적으로, 경제적 발전과 익명의 힘들이 내 운명을 농단하는 상황, 내가 지금 겪는 사회적 고통에 대해 누군가에게 책임이라도 묻고 싶은데 그럴 수도 없는 상황, 울리히 벡의 표현처럼 내가 체계들의 '조직화된 무책임성'에 농락되는 장난감이 되었다는 인식, 어떤 강력한 적이 자신의 욕심을 채우기 위해 나를 희생시키고 있다는 편집증적 생각을 갖도록 만든다. 독일 사회학자 헬무트 두비엘Helmuth Dubiel이 지적한 것처럼 이런 관점은 우익 포퓰리즘이 창궐하는 데 매우 비옥한 토양을 제공한다.

이제 정리하자. 프레카리아를 형성 과정에 있는 계급 분파로 보는 입장은 그들을 불가능한 계급으로 보는 관점에 대립한다. 후자는 불안정한 자들을 스스로 조직할 수 없는 파편화된 개체들, 목표를 상실하고 체념한 존재들의 '덩어리'로 본다. 강력한 공포의 레짐은 이들을 원자화, 익명화, 체념하도록 만든다. 이에 반해 전자는 공포의 레짐의 강력한 영향력과 매우 이질적인 사회분업적 위치'에도 불구하고'(!) 이들을 하나의 단위, 즉 다중으로 만드는 까닭은

'사회적 배제에 기인한 공통된 체험과 고통'이다. 두 입장의 대결은 말 그대로 박빙이다. 두 가지 모두 나름의 경험적 근거를 제공한다. 낙관적 관점은 주장의 근거로 반불안정화 캠페인을 든다. 비관적 관점은 우익 포퓰리즘을 증거로 제시한다. 과연 우리는 누구의 편에 서야할까?

프레카리아의 다양한 분파들

서로 대립하고 충돌하는 범주들을 하나로 묶는 가장 쉬운 방법은 그들을 하나의 이론적 건축물의 상이한 장소에 분리하여 가두는 것이다. 프레카리아의 정치 역량을 둘러싼 대립적 입장들을 그런 방식으로 체계화할 수 있다. 이를 위한 시금석을 앞의 논의에서 찾을 수 있다. 우익 포퓰리즘에 쉽게 유혹되는 프레카리아를 우리는 '불안정해진 프레카리아'로 불렀다. 이들은 임금노동이 본격적으로 재상품화되기 전까지 안정적인 상황에 있던 이들이다. 따라서 이들은 하류계급적인 프레카리아, 즉 대대손손 언제나 불안정했던, 사회적 위계에서 가장 하층에 속한 프레카리아와 구별된다.

하지만 불안정해진 프레카리아는 사회적 격변에서 스스로를 방어할 수 있는 자원들이 부족하다. 예를 들어 문화자본이 부족하여 적응력과 경쟁력이 떨어지고, 위기를 기회로 삼아 이를 정면 돌파할 수 있다는 심성, 심리학에서 'coping strategies'라 부르는 심성도 없거나 빈약하다. 이런 점에서 이들은 우리가 '보헤미안적 프레카리아', 혹은 '불안정한 보헤미안'이라고 부를 분파와 다르다. 이 명칭의 근거도 앞에서 어느 정도 제시하였다.

프리베와 로보는 보헤미안을 매우 이상화하여 정의하였다. 되풀

이해서 적으면, 디지털 보헤미안은 "회사, 정규직, 지시받는 일 그 어디에도 구속되지 않은 채 스스로 하고자 하는 일을 창조하고 즐기며 그 일로 경제적 자유를 누리는 디지털 시대의 자유주의자"들이다. 이러한 비현실적인 정의를 베르톨트 포겔Berthold Vogel의 연구와 알렉산드라 만스케Alexandra Manske의 작업에 기대어 현실화하면, 불안정한 보헤미안은 자율적인 삶과 일을 추구하지만, 추락에 대한 공포, 미래에 대한 두려움에 시달리는 자들이다. 이들이 다른 불안정한 자들과 차별화되는 바는 무엇보다 단단한 문화자본을 지니고 있다는 점, 또 심리적으로나 실제적으로 견고한 극복 전략을 구사할 수 있다는 것이다. 주로 문화산업이나 교육 분야에 종사하는 불안정한 보헤미안들도 불안정한 위치에 있다는 점에서 다른 동료 프레카리아와 '체험과 고통'을 공유한다. 기본적으로 프로젝트의 형태로 노동하며, 제도화된 보호장치가 없기 때문에 외부 환경의 변화에 다치기 쉽다.

이렇게 프레카리아는 크게 세 분파로 나뉜다. 전통적인 하류계급에 기원을 둔 하류계급적 분파, 새로운 자본주의의 도래로 객관적·감정적으로 불안정해진 프레카리아, 마지막으로 상대적으로 많은 문화자본을 지닌 불안정한 보헤미안. 프레카리아의 조직화 가능성에 대해서 비관적으로 보는 이들의 주된 관심 대상은 아마도 앞의 두 분파이고, 낙관적 전망을 지지하는 이들은 마지막 분파를 프레카리아의 대표로 간주한다고 할 수 있다. 다시 말해서 서로 대립하는 두 관점의 투쟁은 누구를 불안정한 자들의 '진정한 대리인'으로 간주할 것인지를 겨루는 싸움이다. 추측컨대, 학술적으로나 현실적으로 이 싸움의 승자는 없을 것이다. 왜냐하면, 설령 누군가가 승리하더라도 나머지 분파(들)에서는 승리자의 해석이 관철되기가 지극히 힘들 것이기 때문이다. 다만 이 싸움을 관전하면서 우리들

113

이 얻을 수 있는 교훈은, 불안정화로 탄생된 "세계의 비참"을 한 가지 방법으로 해결할 수 없는데, 그 원인은 프레카리아의 이질적인 내부 구성 때문이라는 것을 모두가 인식해야 한다는 점이다. 말하자면 비판적 심급으로서의 '유기적 지식인'들은 국가의 사회적 책임을 일깨우고 시장의 지배 야욕을 제어하는 고삐를 틀어쥐도록 채근해야하며, 동시에 프레카리아의 자기조직화도 모색되어야 할 것이다.

프레카리아와 공동체

지금까지 외국의 사례와 이론에 대해 실컷 예를 들었다. 그렇다면 한국은? 이 질문에 답변하기 위해서는 먼저 공동체의 문제를 다뤄야 한다. 공동체는 정치의 '바로 그' 출발점이다. 샹탈 무페가 『정치적인 것』에서 밝혔듯이 제도 정치를 포함하는 모든 "정치적인 것das Politische"은 '우리'와 '적'의 적대, 즉 '우리' 공동체와 외부의 적대에서 시작한다. 불안정화와 관련하여 공동체주의가 부각되는 이유는 공동체가 자기 방어적 행위이기 때문이다. "공동체에 대한 욕망은 자기 방어적인 것이다. 확실히 '우리'라는 것이 혼돈과 해체를 막는 방어 수단으로 사용될 수 있다는 것은 거의 보편법칙이 되었다."(리처드 세넷, 『신자유주의와 인간성의 파괴』)

앞에서 살펴본 서구의 프레카리아들은 불안정화로 인해 생긴 '혼돈과 해체를 막는 방어 수단'으로서 나름의 공동체를 건설한다. 반불안정화 캠페인은 새로운 자본주의의 주도세력을 공동체의 외부에 놓음으로써 '우리 공동체'의 경계를 설정한다. 우익 포퓰리스트들은 탐욕스럽고 무능한 권력자, 복지혜택을 남용하는 장기실업자와 같은 '사회적 기생충', 그리고 누구보다도 자신들의 밥상을 빼앗은 외국인 노동자들을 '적'으로 간주한다. 그렇다면 한국의 프레카리아들은 어떤가?

한국에서는 위의 두 사례에 비견할 만한 공동체들이 부재하다. 혹시 한국의 불안정화가 서구에 비해서 덜 진행되었거나 프레카리아가 수적으로 적기 때문일까? 그것이 사실이 아님을 한 가지 통계 수치만 보아도 분명해 진다. 정규직과 비정규직의 숫자가 대등하다! 즉 한국은 OECD 국가들 중에서 고용의 불안정화가 가장 강력하게 진행된 국가다. 그렇다면 고용은 불안정해졌지만 소득의 불안정화는 덜 하기 때문인가? 사회안전망이 강건하여 고용과 소득의 불안정화에도 불구하고 삶의 조건이 안정적이기 때문일까? 혹시 객관적 불안정화는 강화되었지만 정서적 불안정화는 제어할 수 있는 수준에 있기 때문인가?

위의 질문들에 대한 답은 모두 동일하다. 그렇지 않다! 그렇다면 대체 왜 한국의 프레카리아들은 '우리'를 혼돈과 해체를 막는 방어 수단으로서 사용하는 데 게으른 것일까? 아마도 가장 먼저 떠올릴 수 있는 바는, 한국의 프레카리아들이 불안정성의 경험에 대처하는 방식으로 공동체적인 것보다는 개인적인 것을 선호한다는 예상이다. 이렇게 '함께' 불안정한 경험에 대처하기보다 "나만 아니면 돼"라는 정신으로 나 혼자 이 비참한 국면을 타개하려는 자세가 선호되는 것일 수 있다.

이 예상 답안의 이유를 추정하자면, '국가부도 사태'라는 트라우마가 개개인들로 하여금 양보를 당연한 것으로 수용하도록 했을 수 있다. 신자유주의적 윤리, 예컨대 승자독식, 내 불행은 오로지 내 책임이라는 윤리를 체화했기 때문일 수도 있다. 자본의 헤게모니에 완전히 승복했을 수도 있으며, 같은 맥락에서 공포의 지배 레짐에 완전히 짓눌려 파편화되고 익명화되고 체념했기 때문일 수도 있다.

또 다른 예상 답안은 어떤 유형의 공동체가 우리들을 장악했기 때문일 수 있다. 먼저 이 현상에 대한 바우만의 얘기를 들어보자.

"그들이 이곳에 모여든 이유는 저녁 공연 때문이다. (…중략…) 공연장에 들어서기 전에 그들은 길거리에서 입던 외투나 파카를 극장에 있는 짐 보관소에 모두 맡긴다. 공연 동안은 모든 눈은 무대를 향한다. 모든 이들의 주의 또한 그러하다. (…중략…) 그러나 마지막 커튼이 내려가면 관객들은 짐 보관소에서 소지품을 챙겨들고 다시금 길에서 입던 옷을 걸치고 그들의 일상적인 평범한 역할로 돌아간다. 그들은 길거리를 가득 메운 다양한 군중 속으로 감쪽같이 스며든다."(『액체근대』)

바우만은 이 유형의 공동체를 "짐 보관소/카니발 공동체"라 이름 붙인다. 짐 보관소 공동체는 평소에는 전혀 다른 개인들의 내면에 있는 유사한 관심사에 호소하는, 그리하여 이들 모두를 잠깐 동안, 다른 관심사들은 잠시 제쳐두고 모두 모여들게 만들 어떤 구경거리를 필요로 한다. 이 공동체는 잠시 존재하는 하나의 행사로서, 구경거리들은 개인의 관심사들을 집단적 이해와 뒤섞지 않는다. 구경거리들이, 카니발이 이전 시기의 '공동의 명분'이나 이해를 대신한다. 그것의 근본적인 쓸모는 억눌린 울적함을 해소하고 이 볼만한 구경거리가, 흥청망청 카니발이 끝나면 반드시 돌아가야만 할 일상을 좀더 잘 버티게끔 해 주는 위안에 있다.

21세기 한국에는 무수히 많은 공동체들이 명멸했다. 거대한 월드컵 거리응원이 벌써 세 차례 치러졌다. 사람들은 여중생을 위해, 줄기세포를 위해, 대통령을 위해, 광우병을 위해 광장에 모여 촛불을 켜고 껐다. 불안정성은 이슈도 되지 못했고 프레카리아들은 공동체를 만들지도 다른 공동체에 연합하지도(어떤 관찰자는 가장 강력하고 질겼던 마지막 촛불도 프레카리아에게 지극히 냉담했다고 본다) 못했다. 혹시 그 이유가 짐 보관소이자 카니발 공동체가 사람들의 공동체적인 욕망과 에너지를 모두 집어 삼켰기 때문일까? 그 '비참한' 이슈가 구경거리로 적합하지 않았거나 카니발의 분위기와 어울리지 않았기 때문일까? 🔳

전상진
1962년생. 사회학자. 서강대 사회학과 부교수. 주요 논저에 「세대 개념의 과잉. 세대 개념의 빈곤」, 『한국사회학』 등이 있음. sachun@sogang.ac.kr

프리터, 88만원 세대, 기업 사회를 넘기 위해 필요한 것은 '운동'이다
양 돌 규

"정사원이 돼도 구조조정. 앞으로 망하면 끝이네. 타이타닉 침몰처럼. 그런데도 회사 때문에 매일매일 권력싸움과 아부, 출세 레이스…. 쓸데 없어. 전부 쓸데없는 일이야. 불경기가 100년 지속돼도, 일본 회사가 전부 쓰러져도 나는 걱정 없어. 파견사원이 믿는 건 자신과 시급뿐이야. 살아갈 기술과 스킬만 있으면 자기 마음대로 살아갈 수 있어."[1] (일본 드라마 〈파견의 품격(ハケンの品格)〉, 2007)

"지금의 청년층 중 다수는 단순한 노동조건의 향상이 아니라 더 풍족하게 사는 것을 요구하고 있습니다. 그런 뜻에서, 청년이나 프리터는 '격차사회의 희생자'일 뿐 아니라 지금까지의 기업중심사회를 바꾸어가는 잠재력을 지닌 존재라는 것입니다. 지금 노동운동에서는 '사는 것'

---

[1] 2007년 방영된 일본 NTV의 드라마 〈파견의 품격〉은 시청률 20.1%로 역대 일본 드라마시청률 39위에 랭크될 만큼 불안정노동이 일반화된 일본에서 폭넓은 관심을 받았다. 기업 내에서 파견노동자들이 겪는 갈등, 차별, 그리고 정규직들의 실업에 대한 공포감과 파견노동자들에 대해 갖는 적대감 등을 매우 치밀하게 묘사했다.

그 자체를 풍요롭게 하기 위한 자유로운 자기표현이 필요하다고 생각합니다."[2] (미사카 미라이(三坂未來), 1984)

들어가며 : 프리터, 새로운 노동자의 등장?

세계적으로 청년실업과 불안정노동이 사회적 문제로 등장한 것은 전후 자본주의 황금기라 불리는 완전고용-복지국가 체제의 위기 이후인 1970년대라고 할 수 있다. 그러나 그러한 현상이 각국마다 단일하게 나타났던 것은 아니었고 각국 노동시장 구조, 제도, 정치적·경제적 상황이 매개가 되면서 그 양상과 시점이 다르게 나타났다.

일본은 종신고용과 연공임금으로 상징되는 일본적 노동시장을 가지고 있었고 이것이 청년노동시장 문제가 악화되지 않는 점으로 꼽히면서 국제적 찬사가 이어졌다. 그러나 1985년 플라자 합의 이후, 저금리와 엔고 기조, 과잉생산, 부동산 투기 과열로 특징지어지는 거품경제가 지속되다가 1990년대 초반 거품경제의 붕괴를 맞이하고 만다. 이로 인해 일본 경제는 장기불황의 늪에 빠졌고 이것이 기업의 신규 채용 인원 축소로 이어졌다. 거품경제의 정점이었던 1991년, 약 84만 명에 달하던 신규 채용 인원은 1997년 약 39만 명까지 감소한다. 이것은 연공임금과 종신고용으로 상징되는 일본의 노동시장의 총체적 변화와 맞물려 진행되었다. 바로 이 일본사회의 전환 시점, 더 정확히 말해 거품경제의 정점에 있을 때

---

2) 기노시타 다케오 외, 「좌담회: 지금 왜 젊은층 노동운동인가?」, 한국노동운동연구소 번역, http://kilm.nodong.net/gnu/bbs/board.php?bo_table=lab_seminar&wr_id=17

프리터와 니트족이라는 새로운 개념이 등장했고 사회문제로 등장하게 된다.

　한편 일본의 프리터, 니트족처럼 청년노동시장에서의 변화를 드러내주는 현상이 중국과 한국을 비롯한 동아시아에서도 등장했다. 한국에서는 20대 불안정노동자를 지칭하는 '88만원 세대'라는 용어가 생겨났음은 주지의 사실이다. 중국에서는 1980년대 이후 출생한 이른바 바링허우세대A+後를 지칭하는 동시에, 이른바 고학력, 저임금, 집단거주를 대표적 특징으로 하는 개미족蟻族[3]이라는 신조어가 생겨났다. 이들에 대한 동아시아 각국에서의 담론은 일정한 동형성을 지니고 있는데 그것은 교육-청년노동시장-인구학적 변화-자기책임론으로 이어지는 담론 구조가 그것이라 할 수 있다. 즉, 경제적 풍요 속에 성장하고 높은 학력을 가진 이들 세대가 노동시장에의 진입을 꺼림으로써 부모세대에의 의존, 결혼 기피, 출산율 저하, 세수 감소, 연금 체계의 위기, 고령화, 경제 성장 저해 등의 사회적 문제를 야기한다는 것으로 무책임한 세대로 취급되어 사회적 지탄을 받고 있는 것이다. 이에 대한 반론은 청년노동자들의 책임이라기보다는 기존 체제와 경제적 시스템이 낳은 결과일 뿐이라는 것이다. 더 나아가 이미 노동시장에 진입한 윗세대가 경제적 자원을 독점함으로써 이후 세대에게 물려줄 자원을 착취하고 있다는 이른바 세대착취론을 제기하는 논자들도 있다.

---

3) '개미족'은 '신세대농민공'과 함께 중국에서 새롭게 등장하고 있는 청년노동자들을 대표한다. 개미족에 대해서는 황경진, 「중국판 88만원 세대 개미족의 개념, 발생 원인 및 현황」, 『국제노동브리프』, 한국노동연구원, 2010년 4월호. 도시에서 태어나고 자란 '신세대농민공'과 그들이 주축이 돼 인터넷, 핸드폰 등을 활용해 성공적으로 전개했던 2010년의 노동자대중투쟁에 대해서는 노동자운동연구소(준), 「2010년 5~7월 중국 노동자 연쇄 파업의 배경과 전망」, 『사회운동』, 사회진보연대, 2010년 9~10월호; 김용욱, 「중국 노동자 투쟁 : 신세대 노동계급 운동의 탄생」, 『레프트21』 35호, 2010년 7월 3일.

이 글은 일본에서의 프리터의 등장과 그 배경에 있는 일본적 노동시장이 형성되는 역사적 과정을 분석하고 프리터의 출현이 일본의 '기업 사회'로부터의 거대한 세대적·인구학적 이탈이라는 측면과 일본 자본의 노동에 대한 적극적인 신자유주의 공세의 결과라는 두 가지 점이 공존하고 있음을 지적하고자 한다. 마찬가지로 한국에서의 '88만원 세대론'의 등장과 불안정노동의 증대 배경에는 1987년 노동자 대투쟁으로 구조화된 한국의 노동체제가 1998년 IMF 구조조정으로 해체되고 노동의 힘이 밀리면서 새롭게 구조화된 과정이 있었다. 새로운 청년세대의 노동자층이 진정 새로운 주체성으로 형성되기 위해서는 학교와 노동세계에서 새로운 학생운동-노동운동의 시도가 필요하며 그러한 운동의 사례로 프랑스 최초고용법 반대투쟁을 소개하고 한국과 일본에서의 새로운 사회운동과 노동조합운동의 시도들을 소개하고자 한다.

일본 노동운동의 역사적 패배와 일본형 노사관계의 형성[4]

일본적 노사관계는 이미 주어진 고정불변의 어떤 것이 아니었다. 또 초역사적인 일본적 전통도 아니었고 일본 기업가의 경영철학에서 그 연원을 찾을 수 있는 것도 아니다. 긴 역사를 가진 것도 아니며 모든 노동자들에게 적용되었던 것도 아니었다. 오히려 일본적 노사관계는 전후 일본의 노동운동이 국가·자본과의 투쟁에서 패

---

4) 이 절 전체는 기노시타 다케오(木下武男), 「일본 전후 노동운동사」, 『노동의 지평』 5~7호(2010년 1~3월호), 한국노동운동연구소, 2010을 주로 참조했다. 기노시타 다케오의 글은 『격차사회에 도전하는 노조』, 花伝社, 2007의 3부를 번역한 것이다.

배하는 가운데 고착화된 체제라고 보아야 한다. 역사적 패배로 구조화된 이 일본적 노사관계가 '기업 사회', '일본주식회사'로 귀착된 배경이었다.[5]

그렇기 때문에 일본적 노사관계의 특징으로 얘기되는 연공임금과 종신고용제뿐만 아니라 사실상 그것이 가능하도록 만들었던 '기업별노조',[6] 그리고 그에 기초해 전개된 노동운동의 역사적 패배 과정을 살펴보는 것은 프리터와 청년실업 문제를 살펴봄에 있어서 우회할 수 없다. 프리터의 출현은 바로 이러한 일본 '기업 사회'에 대한 광범한 이탈 현상의 하나였으며 '회사형 인간'으로 살아가는 것에 대한 거부라는 측면을 지니고 있기 때문이다.

전후 일본의 노동조합은 블루칼라와 화이트칼라의 구별 없이 기업 단위로 조직되는 기업별노조 체계였다. 서구 여러 나라에서는 기업별노조는 거의 존재하지 않고 존재하더라도 기업별노조는 회사노조company union, 즉 어용노조로 보는 것이 일반적이다. 세계 여러 나라 중 기업별노조가 중심이 된 나라는 일본과 한국뿐이다. 하지만 일본에서 1949년 최고에 달했던 노동조합 조직률인 55.8%가 보여주듯, 노동조합운동이 강성했던 시기에는 기업별노조 체계는 별 문제도 되지 않았고 오히려 공장, 기업별로 많은 노동자들이 조

---

5) 한경구는 노자간의 힘 관계가 역사적으로 구조화된 이 같은 일본 기업을 '공동체로서의 회사'로 개념화하고 있다. 그는 일본의 한 중소기업의 경영관행 및 노사관계의 과거와 현재를 인류학적 현지조사를 통해 분석하면서 그러한 '공동체로서의 회사' 성립이 전후 급진적으로 전개되어 간 맑스주의적 급진적 노동운동에 대한 기업 측의 대응, 산업별 노동조합으로의 전환을 이뤄내지 못한 노동운동의 한계 등의 결과였다는 점을 지적하고 있다. 한경구, 『공동체로서의 회사』, 서울대학교출판부, 1994.

6) 일본의 노동운동가들은 기업별노조, 연공임금, 종신고용, 이 세 가지를 묶어 일본 신화의 아마테라스오오미카미(天照大御神)가 천황에게 하사했다는 삼종신기(三種神器)에 빗댄다. 자본의 강력한 무기가 되었다는 의미이다.

직될 수 있는 기제이기도 했다. 2차 대전 직후 일본의 노동운동은 1946년 결성된 전일본산업별노동조합회의(산별회의, 163만)가 주도했는데 산별회의 역시 기업별노조를 근간으로 만들어졌음은 물론이다. 산별회의는 1946년 10월, 산업별 통일투쟁을 전개했고 산별회의의 일본전기산업노동조합협의회(전산협)의 투쟁 결과 만들어진 소위 '전산電産(덴산)형 임금체계'가 연공임금제의 원형이 되었다.

전산형 임금체계는 연령에 따라 증액되는 본인급과 부양가족의 수에 따라 지불되는 가족급을 생활보장급으로 하고 여기에 능력급과 근속급을 추가해 기본급으로 했다. 이러한 연공임금은 정기 승급제도와 인사고과제도가 결합됨으로써 노동자 개개인의 임금을 경영자가 결정할 수 있다는 약점을 지니고 있었다. 그래서 특히 1960년대 이후 노무관리의 강력한 수단이 되어 일본 노동운동이 협조주의적 노사관계로 전환되는 결과를 낳게 되고, 조합원들에게 기업에 대한 충성심을 낳게 되었다.

일본 자본은 고용과 인사 분야를 단체교섭의 사항이 아닌 자본의 관할에 두는 경영권을 확립했다. 1940년대 말까지 모든 기업경영권은 경영측이 장악했고 이 경영권 인정을 바탕으로 해서 종신고용제가 확립[7]되었다.

이로써 자본이 기업 내 노동자 개개인에 대한 통제를 해낼 수 있는 주요한 장치들이 이미 1950년대 완성된 것이다. 하지만 이것이 현실화하기 위해서는 강력했던 일본 좌파 노동운동의 영향력을 차단해야만 했다. 1950년 한국전쟁이 그 계기가 되었다. 미점령군은

---

[7] 그러나 종신고용은 모든 노동자에게 적용되는 것은 아니었다는 사실을 기억할 필요가 있다. 정규직의 고용 안정은 임시공, 사외공, 계절공, 파트타이머 등 고용 조정이 가능한 노동력과 짝을 이루어 실현된 것이기도 했다. 특히 1950년대 일본의 신규 채용 방식은 주로 임시공들이었다.

양동규 · 프리티, 88만원 세대, 기업 사회를 넘기 위해 필요한 것은 '운동'이다

일본 노동운동 내의 좌파에 대한 대대적인 숙청Red Purge에 나섰고 많은 좌익 노동운동가들이 축출된다.

그러한 가운데 1950년 7월 일본노동조합총평의회(총평, 조합원 377만 명, 참관 조합원 63만 명)가 결성되면서 일본 노동운동은 총평을 중심으로 재편되고 이후 총평에 의해 주도되었다. 1950년대 도시바, 히다치, 닛산 등 민간대기업에서의 쟁의가 빈번하게 벌어졌다. 이 쟁의들은 매우 전투적인 양상을 띠었으나 그 내용에 있어서는 개별 기업에서의 임금인상 투쟁에 불과했다. 그러나 1950년대가 지나면서 민간대기업의 임금인상투쟁은 노동조합의 붕괴로 이어지는 패턴을 갖게 됐고 노사협조주의적 지도부가 들어서거나 그러한 성향의 제2노조 출현 후 제1노조 붕괴와 같은 양상으로 전개되었다. 결국 1960년 미이케=池쟁의[8]의 패배 이후 민간대기업의 쟁의는 자취를 감추었다. 자본은 미이케쟁의 이후 노동조합의 기반이었던 연공적 숙련에 기초한 공장 내 자율적 작업 조직을 파괴하고 작업장 수준에서의 노무관리기구를 확립하는데 성공했다.

1970년대, 일본 노동운동은 공공부문이 주도하면서 춘투도 외양적으로는 강화되어 간 것으로 보인다. 춘투의 내용은 기업 내 임금기준을 몇 퍼센트 올릴 것인가 하는 투쟁이었고 상당한 임금인상을 이루어냈다. 그러나 기업별로 분절화된 내부노동시장을 특징으로 하는 일본에서 결국 그러한 춘투의 성과는 기업규모와 성별, 고용형태를 넘어설 수 없었다. 즉 민간대기업, 남성, 정규직 노동의 생애소득과 그러한 성과 배분에서 배제된 이들 간의 격차를 확대

---

8) 미이케노조는 사측의 1,278명의 해고와 직장폐쇄에 맞서 1960년 1월 무기한 파업에 돌입했으나 3월, 협조주의적 제2노조(일본은 복수노조가 허용되어 있다)가 결성돼 노-노 간의 충돌과 야쿠자의 개입이 있었다. 총평과 일경련이 각각 노사를 지원하는 가운데 '총노동과 총자본의 대결'로 불리는 미이케쟁의는 결국 노동의 패배로 끝나면서 민간대기업 운동의 종식을 가져왔다.

시켜 갔다. 노동운동이 기업별체계를 극복하지 못한 가운데 노동자들은 점차 기업주의적 통합 구조 속에 묶여 갔다. 결국 1975년, 철도부문 노조들이 주도한 8일간의 총파업 패배 후 일본 노동운동은 급격하게 추락한다. 힘을 잃은 노동운동은 1980년대 정부와 자본 측의 국철JR을 비롯한 공공부문 민영화, 임조행혁臨調行革이라 부르는 신자유주의적 행정개혁이 공무원노동자들을 겨누면서 총평의 주력인 공공부문 노동운동은 약화되었다.

총평은 기업별노조 체계를 전혀 극복하지 못했다. 오히려 자본의 공격 앞에서 기존 노동조건을 방어하기 위해 연공임금을 고수했고, 동일노동 동일임금론, 기업을 넘어서서 직종별임금이 관철되어야 한다는 횡단임율론橫斷賃率論을 채택하지 않았고 조직론에 있어서도 직종별노조, 산업별노조로의 전환 논의가 있었음에도 현재적 상태를 보존하고자 했다.

결국 1989년 12월, 총평은 해산하고 일본노동조합총연합회連合, 렌고가 결성[9]되었다. 렌고는 77개 단위 산별연맹, 4개의 우호조직 등 총 조합원 수 800만 명에 달해 전체 노동자 중 18%, 전 조직노동자의 65%에 달해 일본노동운동 역사상 최대의 조직으로 출범했다. 하지만 작업장과 노동자 개개인의 삶이 회사에 이미 포획된 상태에서 렌고로부터 희망이 나오기는 힘들었다. 지역조직을 주요한 축으로 두었던 총평의 해산으로 지역 운동에 공백이 생기기도 했다.

1990년대 일본 노동운동에 대한 중요한 문제제기는 여성노동운동에서 나왔다. 여성노동운동이 공정임금운동에서 제기되어 온 동

---

9) 렌고의 성립 과정과 민사당, 사회당, 공산당 등 정당구조와의 관계에 대해서는 다음을 참조할 수 있다. 권혁태, 「80년대 일본의 노동조합 조직변화」, 『동향과 전망』, 한국사회과학연구소, 1991년 3월호.

일가치노동 동일임금원칙을 내세운 것이다. 이는 연공임금과 정면으로 대립하는 개념이었다. 주지하다시피 연공임금은 생계비에 의거해 지불되어야 하고 따라서 연령, 근속에 따라 임금이 상승하는 것은 당연하고 남녀 간에 격차가 있는 것은 어쩔 수 없다는 생활급 사상에 기초한 것이었다. 연공임금에 기초한 차별을 바꾸어내기 위한 여성노동운동의 노력 중에 대표적인 것으로는 1996년 자동차 경보기를 제조·판매하는 회사 마루코丸子의 사례다. 마루코의 여성임시사원들은 임시직이지만 근속연수가 4~25년에 이를 정도로 길고 여성 정사원들과 같은 라인에서 동일노동에 종사했으며 근무시간 및 근무일수도 동일했다. 하지만 연공임금 적용을 받는 정사원과 달리 임시사원들은 일급으로 임금을 받았고 임금격차는 근속연수에 따라 오히려 확대되었다. 이에 마루코의 여성임시사원들은 이러한 차별 임금을 법원에 제소했고 이에 대한 지방재판소의 판결이 1996년 3월 15일 내려졌다. 재판소는 동일노동 동일임금 원칙을 인정하지는 않았고 임금격차를 위법으로 판결하지는 않았다. 그러나 최소한 이념적으로나마 균등대우 이념을 인정하고 이에 따라 양자 간 임금격차가 20%를 넘는 경우는 위법하다고 판결[10]해 일정 정도 그 정당성은 인정받았다고 할 수 있다.

마루코 판결에서 보듯 동일가치 동일임금 원칙은 연공임금체계에서는 실현이 어려웠다. 그래서 이 판결이 실제 노동시장에 준 영향은 미미하다고 평가된다. 그러나 노동운동에 준 영향은 작지 않았다. 여성운동은 노동운동진영에 대해 임금정책의 전환을 촉구했

10) 균등대우 원칙과 마루코 판결에 대해서는 다음 논문들을 참조할 수 있다. 박선영, 「파트타임 노동과 균등대우의 원칙」, 『산업노동연구』 제3권 제1호, 산업사회학회, 1997; 박선영, 「일본 여성 비정규 노동의 특징과 정책 과제」, 『페미니즘 연구』, 한국여성연구소, 2002.

다. 이에 따라 일본 최대 내셔널센터인 렌고는 2002년 춘계 생활투쟁의 방침에서 "파트타임 노동자, 파견노동자 등 비전형적 노동자의 처우개선을 위해 동일가치노동 동일임금을 기본으로 전형적 노동자와 균등대우를 목표로 한다."라고 하여 동일가치노동 동일임금을 제기했고 2003년에는 렌고 외부평가위원회에서 '노동자의 관점에 선 공정임금론을 제기'하고 직무급으로의 전환과 젠더 중립적인 평가항목을 세우는 것에 유의하도록 했다.[11] 임금론의 변화는 조직론의 변화를 수반할 수밖에 없다. 렌고 외부평가위원회는 "기업별조합주의에서 탈각하여 모든 노동자가 결집할 수 있는 새로운 조직전략"을 제기하고 있다. 이는 산업별노동조합, 일반노동조합, 지역업종노조 등의 새로운 조직노선이 제기되었다고 할 수 있다.

여기서 잠시 실적관계實績關係라 불리는 교육과 선발시스템에 대해서 살펴보자. 일본은 학교가 직업 알선에 적극적으로 관여하는 관행을 갖고 있는데 이는 전후 노동조합의 공격으로부터 자본이 경영권을 방어해낸 1940년대 말 확립되었다. 1949년 개정된 '직업안정법'이 그것이다. 직업안정법은 학교에 의한 직업소개, 직업알선을 법적으로 보장하고 기업이 학생 개인에 대해 구인활동을 하는 것을 금지하고 있다. 이는 신규졸업자의 취업이 '자유로운 노동력 시장'의 존재를 전제로 설계된 것이 아니라 '교육기관과 기업을 결합시키는 장'으로서 설계되었다는 것이다. 각급 학교에서 매년 3월 졸업하면 신규졸업자新卒를 학교로부터 소개받아 4월 1일부로 일괄 채용하는 관행이 확립된 것이다.

이러한 실적관계는 일본적 고용관계와 연결되어 있는 하부시스템으로서 '학교를 매개로 졸업과 동시에 취업으로 연속적으로 이

---

11) 일본 노동운동 내에서의 연공임금을 둘러싼 대안적 논의에 대해서는 정이환, 「기업내부노동시장을 넘어?」, 『경제와 사회』 2010년 여름호, 한울 참조.

엄묘구·프리터, 88만원 세대, 기업 사회를 넘기 위해 필요한 것은 '운동'이다

행하는 생애과정'이 '정상적인 것'으로 간주되는 규범이 일본 사회에 자리 잡게 된다. 또 기업별로 분절화된 노동시장과 기업복지체제는 상대적으로 임금 수준이 높은 민간대기업으로 진출하기 위해서 좋은 대학에 입학해야 했다. 일본 기업은 학생의 전공은 거의 중요시하지 않았고 훈련가능성만 보았기 때문에 취업에 있어서 더욱 중요해지는 것은 출신대학의 브랜드였다. 이는 동경대학으로 상징되는 일본의 학벌사회, 살인적인 입시체제가 이러한 노동구조로부터 비롯되었다는 점을 말해 준다.

프리터의 등장과 일본의 근대적 생애 과정에 대한 거부

프리터는 독일어로 노동자를 나타내는 'Arbeiter'와 영어 'Free'의 합성어로서 1987년 일본의 아르바이트 정보지 《프럼 에이from A》에서 처음 사용되었다. 이 정보지는 이 용어를 '정규직에 취업하지 않고 꿈의 실현을 위해서 노력하는 아르바이트 하는 이들을 응원하려는 의도'에서 만들었다고 한다.[12] 하지만 일본 거품경제의 붕괴 이후인 1991년 이후 대학이나 고등학교를 졸업하고 사회에 첫발을 내디딘 25~35세 연령층 사람들, 이른바 '로스트 제너레이션'(잃어버린 세대)이 마주한 것은 '취업빙하기'라 불리는 얼어붙은 청년노동시장이었다. 이들은 정규직이 아닌 아르바이트, 파견사원 등 비정규

---

12) 쓰마키 신고, 「청년불안정취업자의 석출(析出)과정과 사회적 불평등의 세대간 재생산」, 한국사회학회 2009 국제사회학대회, 2009.12, 597쪽. 한편 프리터라는 용어가 등장하던 시기, 니트족이라는 신조어가 함께 등장했다. 니트는 원래 1999년 영국 국무부에서 작성한 「Briding the Gap」이라는 조사보고서에서 만들어졌는데 '교육, 고용, 직업훈련 등 어느 것도 접하지 않는 젊은 사람들(NEET : Not in Education, Employment or Trainig)'을 지칭하는 용어이다.

특집 : 프리터와 한국사회

직으로 사회생활을 시작했다.

그렇다면 프리터는 1991년을 기준으로 해서 그 이전과 그 이후로 나누어 그 양상이 다를 거라고 추정해 볼 수 있다. 즉, 1991년 이전에 출현한 프리터는 일종의 '자발적 프리터'의 유형으로서 회사로 가는 직업을 갖지 않고 아르바이트로 생계를 이어가면서 꿈을 추구하는 형이라고 할 수 있겠다. 1991년 이후에는 일종의 '타율적 프리터'로서 프레카리아트[13)]가 되는 불안정 청년노동자라고 할 수 있을 것이다.

이에 대한 기존 연구로는 일본노동연구기구가 2000년 발행한 인터뷰 조사보고서 「프리터의 의식과 실태」를 들 수 있을 것이다. 여기서는 프리터를 세 가지 유형으로 분류하고 있다. 첫째는 '모라토리움형의 프리터'다. 이 유형은 교육기관을 수료할 때나 다니던 직장을 그만둘 때 뚜렷한 전망을 갖지 않는 경우를 가리킨다. 둘째는 '꿈 추구형 프리터'로서 예능인이나 전문인, 프리랜서 등을 지향하는 이들을 가리킨다. 마지막으로 '상황형 프리터'가 있는데 이는 선택의 여지가 없이 프리터가 된 경우를 가리킨다. 정규직이 되기 위해 비교적 정사원에 가까운 파견직이 된 경우나 학비 마련 혹은 다음 입학, 취업 시기까지 한정된 기간 동안 프리터가 된 경우, 그리고 가족의 병이나 사업 도산, 이성관계 등 일상적 문제로 인해 프리터가 된 경우 등이 여기에 해당된다.

---

13) '불안정한'을 뜻하는 영어 'precarious'와 '프롤레타리아트(proletariat)'를 결합한 합성어로서 불안정한 삶을 살아가는 비정규직·파견직·노숙자 등을 일컬어 부르는 말이다. 2003년 이탈리아 노상 낙서에서 처음 발견되었다고 한다. 2005년 프랑스 최초고용계약법(CPE) 시위 때부터 널리 쓰이기 시작했고 일본에서는 '프레카리아트 운동의 잔다르크'로 불리는 아마미야 카린이 쓰기 시작해 대중화되었다. 김은남·박근영, 「아마미야 카린 인터뷰, "한국 젊은이들, 위기감 약한 것 같다"」, 『시사IN』, 2009년 5월 6일, (주)참언론; 아마미야 카린·우석훈, 『성난 서울』, 꾸리에, 2009.

그렇다면 1991년을 기준으로 '꿈 추구형 프리터'가 대세였다가 '모라토리움형 프리터', '상황형 프리터'의 급증으로 진행되었던 것일까? 그건 불분명할 뿐만 아니라 의미가 없다. 왜냐하면 프리터 자체가 고정되어 있는 안정적 상태를 의미하지 않기 때문이다. 오히려 고도로 유연화된 노동시장에서 유동성을 갖는 노동자로 볼 수 있다. 오히려 '꿈 추구'라는 유형이 다른 유형의 프리터들에게도 항상 잠복해 있고 또 그것이 이 새로운 세대의 노동자들이 기존의 '회사형 인간'들과 다른 점이라 말할 수 있지 않을까?

여기서 중요하게 참고해야 할 것은 청년노동자들의 빈번한 이직률이다. 미국발 금융위기가 닥치기 전인 2007~2008년 일본 신규졸업자들의 취업률을 살펴보면 대졸자와 전문대졸업자, 고졸자는 거의 100% 가까운 취업률을 보였다. 중졸도 75~88%에 가까운 취업률을 보였다. 문제는 취직 후 3년 안에 고졸취업자의 50%, 대졸자의 35% 전후가 이직을 한다. 이 이직의 이유는 주로 '자발적 이직'이다. 일본의 노동시장, 노사관계, 사회보험이 모두 정규직 노동자에게 맞추어져 있다는 점을 상기한다면 이러한 이직률의 증가, 프리터-니트족의 증가는 일본의 새로운 청년노동자들이 지니고 있는 '회사형 인간'에 대한 광범한 거부감과 '교육-노동시장'으로의 연속적 이행이라는 신화에 대한 거부감을 잘 보여준다. 2000년 프리터가 된 동기에 대한 일본의 한 리크루트 조사 결과(중복응답 가능)에서도 '아르바이트의 경우가 시간을 자유롭게 쓸 수 있기 때문'(47.1%), '자신에게 맞는 일을 찾고 싶기 때문'(37.7%), '일과 하고 싶은 것이 동시에 가능하기 때문에'(32.5%), '정규직은 회사에 얽매이기 때문에'(31.2%), '장래의 꿈과 희망을 실현하기 위해'(24.0%) 등으로 1~5위를 차지하고 있다. 사실 유럽의 파트타임 노동자들도 80%에 가까운 수가 풀타임으로 일하는 것을 바라지 않는다고 응답하고 있으며 네덜란드의 경우는 무려 90%에 달하는 수가 같은 대답을 하고 있다고 한다. 이렇게 볼 때 '일본의 근대적 생애과정'에 대한 거부가 프리터 현상 속에 있다고 봐야 한다.[14]

이러한 측면의 배면에는 일본 자본이 기존 노동체제에 대한 공격을 통해 불안정노동을 양산했다는 측면도 있다. 비정규노동시장의 확대, 파트타임노동자와 아르바이트에 의한 노동력 조달 경향은 1995년 5월 일본경영자단체연맹(일경련)이 발표한 '신시대의 일본적 경영'이라는 제언에서 잘 드러난다. 여기서 종신고용의 적용은 ①'장기축적 능력활용형'에 국한되고 ②'고도전문 능력활용형'과 ③파트타임으로 고용되는 '고용 유연형'은 일시 계약직으로 고용해야 한다고 제언한 것이다. 이 같은 자본의 전략은 1985년 포지티브 리스트 방식으로 제정된 근로자파견법을 여러 차례 개정해 네거티브 방식으로 전환(1999), 제조업에 파견법 적용하고 파견 기간 연장(2003)하는 등의 개악으로 이어지면서 결국 2003년 이후 일본 사회에서 비정규직이 급증하게 되는 배경이 된다.[15]

그렇다면 프리터의 규모는 얼마나 될까? 이는 프리터에 대한 정의를 어떻게 내리느냐에 따라 달라지는데 내각부가 정의한 방식과 후생노동성에서 정의한 방식이 조금 다르다. 그러나 어떤 방식이 되었든 프리터의 숫자는 경향적으로 증가했다. 내각부에 따르면 프리터의 수는 1990년 183만 명에서 2001년에는 417만 명으로 2.3배 증가했다. 후생노동성의 분석에 따르면 프리터의 수는 2009

---

14) 이에 대해서는 김현철, 「급변하는 일본의 청년노동시장」, 『한국청소년연구』 제13권 제1호, 2002. 일본과 한국에서의 자퇴생의 증가도 이러한 근대적 생애과정에 대한 거부의 학교판 현상으로 볼 수 있을 것이다.

15) 쓰마키 신고, 앞의 글; 은수미 외, 『주요 국가들의 경제위기 탈출과 고용전략』 중 7장 「일본 경제위기 탈출과 고용 전략」, 한국노총 중앙연구원, 2009.

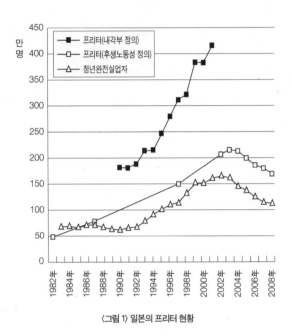

〈그림 1〉 일본의 프리터 현황

년 178만 명에 이른다.

청년실업의 원인에 대해서 일본사회 담론은 몇 가지로 나눌 수 있다. 첫째는 경기침체로 인해 악화된 고용사정 때문이라는 것이다. 둘째는 일본적 고용제도, 즉 연공임금과 종신고용제의 붕괴 때문에 고용문제가 악화되었다는 것이다. 기업은 신규졸업자보다는 중도채용을 늘려갔고 비핵심적 노동에 대해서는 파트타임노동자나 파견노동자를 늘림으로써 노동유연성을 제고시켰다. 셋째는 청년노동자 자신의 문제라는 것으로서 일자리는 넘쳐나는데도 새로운 노동자세대가 노동을 회피하고 선호하는 직종으로만 몰린다는 것이다. 직업의식이 희박해 회사에 입사하더라도 이직률이 다른 세대보다 높고 또 부모세대로부터의 원조16)를 받으며 생활하면서

16) '패러사이트 싱글(parasite single, 기생하는 독신)'은 결혼적령기를 넘었음에도 독립하지 않고 미혼으로 부모와 함께 사는 청년층을 가리키는 말로 이 역시 사

직업을 가지는 것을 회피한다는 지적도 있다. 이것은 청년노동자의 자기책임론의 핵심이다. 네 번째는 1990년대 말 이미 노동시장에 들어간 중고연령층, 특히 단카이 세대[17]가 기업 내부에서 고용을 유지하면서 그 기득권으로 인해 청년노동자의 고용이 저해되었다는 것이다. 이는 한국에서의 88만원 세대론처럼 세대착취론이라 할 수 있다.

한국, 정체에 빠진 노동운동과 88만원 세대의 등장

일본에서의 노자관계가 노동운동의 패배 가운데서 기업별노조를 기반으로 연공임금, 종신고용으로 귀착되었다고 앞서 살펴본 바 있다. 그렇다면 한국에서의 노자관계는 어떻게 형성되어 왔을까? 주지하다시피 한국의 노동운동은 1950년 한국전쟁과 박정희 정권기를 거치면서 폭력적으로 뿌리 뽑혔다. 하지만 1970년 청년노동자 전태일의 분신 이후 1970년대 민주노조운동이 전개되면서 서서히 고양되었다. 하지만 1979년 12월, 쿠데타를 통해 정권을 장악한 신군부는 국가보위비상대책위원회(국보위)를 설치하고 핵심 활동가들과 노조 간부들을 노동계 정화조치로 축출하는 한편, 한국노총의 지역지부 105개를 해산시켜 노동조합 개편을 단행해 기업별노조로 재편했다. 이로 인해 영세사업장·중소사업장 노동조합 결성과 운영이 어렵게 되었고 그 결과 1년여 사이에 조합원 숫자는

회문제의 하나로 다루어지고 있다.

[17] 단카이 세대는 1947~1949년에 태어난 세대를 지칭하는 것으로 이 시기 출생자의 숫자는 그 이전보다 20%, 이후보다 26% 많다.

18만여 명이 줄어든 94만 7,736명으로 떨어지게 된다.[18]

신군부의 탄압에도 불구하고 급진적 사회민주주의 이념을 지닌 대학생들이 대거 노동현장으로 진출하고 청계피복노조, 원풍모방 등 1970년대 민주노조운동의 활동가들은 새로운 노동조합 조직화와 활동을 이어나갔다. 이러한 노력은 결국 1987년 789월 노동자대투쟁[19]으로 이어지게 된다. 울산의 현대엔진노조 결성으로 불붙기 시작한 789월 노동자대투쟁은 전국으로 확산되었다. 신규노조 1,361개가 결성되고 조직노동자의 숫자도 90만 명에서 150만 명으로 증가했다. 789월 노동자대투쟁으로 조직된 노동자들은 마창노련을 필두로 각 지역에서 노동조합협의회를 결성해나가고 이를 기반으로 1990년 1월, 전국노동조합협의회(전노협)이 630개 노조, 26만 명의 조합원으로 결성된다. 전노협은 이후 '노동해방'이라는 주요 구호를 내걸고 1990년대 한국 노동운동을 선도해나간다.

그러나 1990년대 초반, 일부 지식인들을 필두로 전노협의 운동노선과 이념에 대한 소위 '노동운동 위기론'[20]이 제기된다. 하지만 전

---

18) 전노협백서발간위원회, 『전노협백서』 제7장 4절 「침체기의 노동운동」, 논장, 2003.

19) 여기서 중요하게 살펴봐야 할 것은 노동자 대투쟁이 벌어지던 당시 대중투쟁의 주요 요구는 '임금인상'보다 '폭력관리자 처벌', '두발자유화' 등 억압적이고 병영적인 통제방식의 해체와 '민주노조' 설립이 더 앞섰다는 점이다. 하지만 이후 민주노조운동은 기업별노조 체계를 극복해가지 못하면서 그 활동이 수평적, 횡적 연대의 확대보다는 기업규모별, 성별로 분절된 노동시장 가운데 임금격차가 진행되는 결과를 낳았다. 789월 노동자대투쟁에 대해서는 다음을 참조하라. 김진균, 「87년 이후 민주노조운동의 구조와 특징」, 『산업노동연구』 1996년 제1권 제2호, 한국산업노동학회, 1996.

20) 박승옥, 김형기, 최장집이 주도가 된 이 '위기론'은 전노협에 그 초점이 맞춰졌는데 '관념적 급진주의로 치달은 운동이념', '전투적 투쟁 일변도의 운동방식'이라고 비판한다. 이 논쟁에는 참여하지 않았지만 김동춘 역시 1990년대 중반의 '노동운동의 사회적 고립'은 이같은 전투적 조합주의를 고수한 운동의 주체성으로부터 비롯되었다고 지적한다. 김동춘, 『한국 노동자의 사회적 고립 : 1987년 이후

노협의 전투적 조합주의는 내용적으로는 그리 강한 것이 아니었다. 임금인상과 단체협약에 국한된 기업 단위의 쟁의가 노태우 정권의 공안기관, 그리고 사측의 교섭 해태와 맞물려 상승했던 측면이 크다. 특히 노태우 정권이 1989년 이후 민중운동 전반에 대한 탄압 자세로 전환하면서 매년 구속자가 500여 명 이상 발생했던 사실을 염두에 둔다면 전노협의 전술 반경은 매우 제한적이었다고 할 수 있다.

탄압이 집중되는 가운데 전노협이 지향했던 산별노조로의 전환은 이루어지지 못했다. 일본의 노동운동이 민간대기업/공공부문(관공노)/중소기업 등으로 나누어 진행된 것처럼, 전노협은 실질적으로는 노동운동을 선도해갔지만 조직화에 있어서 업종회의(공공부문과 화이트칼라 주축), 대기업연대회의(뒤에는 현총련, 대노협 등 재벌기업노조연합체) 등을 포괄하지 못했고 이러한 부문들과 함께 산별노조로 전환하지는 못했다. 그러한 가운데서도 전노협 주도로 ILO 공대위, 전국노동조합대표자회의 등으로 이어지던 연대의 노력은 1995년 11월, 전노협, 업종회의, 현총련, 대노협 등이 모여 결성한 전국민주노동조합총연맹(민주노총)으로 이어진다. 그 과정에서 전투적 민주노조운동의 성격이 일정하게 탈각되고 '노동해방'으로 상징되던 전노협의 '대안사회 지향성' 역시 민주노총에 와서는 '사회개혁적 성격'으로 무뎌지게 된다.[27] 그러나 민주노총이 처음 결성되던

<hr />

중공업 노동자의 노동조합 활동을 중심으로』, 서울대학교 박사논문, 1993. 이에 대한 반론은 주로 임영일, 김진균 등에 의해 제기되었는데 이러한 위기론의 '개량주의적 성격'을 비판하면서 전노협과 민주노조운동을 옹호했다.

27) 전노협이 민주노총으로 전환하는 과정을 '한국 사회의 근본적인 변혁을 추구했던 전노협 노선을 청산하고 합법·개량(혁)주의 운동 노선인 민주노총으로 변화'하는 과정으로 분석한 내용에 대해서는 김창우, 『전노협 청산과 한국노동운동』, 후마니타스, 2007을 참조할 수 있다. 또 전노협과 민주노총의 이념이 '대안사회

당시만 해도 민주노총이 완전히 노자협조주의적 노선을 걷게 되지도 않았고 여전히 기층 활동가들은 전노협이 주도했던 1990년대 전반기의 노동운동의 분위기를 간직하고 있었다. 민주노총은 비록 부침은 있었으나 산업별연맹 체제로 재편되고 그 조직형태는 꾸준히 변화되어 갔다.

하지만 1997~1998년 IMF 정국 속에서 새로 집권한 김대중 정부는 1998년 1월, 노사정위원회를 출범시킨다. 여기서 민주노총은 이른바 '경제위기 극복을 위한 사회협약'에 합의[22]하게 된다. 이 협약의 핵심 내용은 '정리해고제 도입'과 '근로자파견제 도입' 등 노동

지향성'과 '사회개혁 지향성'으로 큰 차이를 보이며 그러한 이념적 차이가 각 조직의 활동내용의 차이를 낳게 되었다는 주장은 안태정, 「노동 조직의 이념 : 전평·전노협·민주노총의 이념 비교」, 『전노협 건설 20주년 기념토론회 자료집 : 민주노조운동, 이념과 계급을 다시 이야기하자』, 노동자역사 한내·김진균 기념사업회·성공회대학교 민주자료관, 2010을 참조할 수 있다.

22) 여기서 잠시 우리는 1998년 민주노총이 합의했던 '정리해고제'와 '근로자파견제'를 핵심으로 한 노사정합의에 대해 생각해 보자. 민주노총이 이 합의 대신 정부와 자본으로부터 양보 받은 것 중 하나는 전국교직원노동조합(전교조)의 합법화였다. 이러한 '거래'는, 당시 법외노조였던 전교조가 합법노조로 전환되는 계기였는데, 세대의 관점에서 보자면 아이러니하다. 1989년 전교조가 출범하던 당시 이를 적극적으로 엄호, 지지했던 당시 중고등학생들이 1998년 이미 노동시장에 진입했거나 곧 진입할 상황에서, 이들을 해고 또는 파견노동자화하는 법안에 대한 합의 대가로 교사들이 자기 조직의 합법화를 이루어낸 것이다. 이는 1,500여 명의 교육노동자가 해고됐던 1989년, 연인원 50만 명에 달하는 중고등학생들이 시위에 참여했던 '연대'에 대한 (사후적) '배신'이었다. 너무나 당연하게도 이러한 '배신'에 기초해 합법화된 전교조는 많게는 8~9만 명에 달할 정도로 조직 확대를 이루어냈지만, 1989년 당시 전교조 탄압에 앞장섰던 어용 교사들(1998년 이후 고용 불안에 시달리던)까지 포괄함으로써 전교조가 지니고 있었던 운동성과 투쟁성은 상실되었다. 그것이 2000년대 교육 현실에 대해서 전교조가 아무런 행동도, 학교 현장 차원에서의 변화도 만들어내지 못하는 원인이다. 2008년 10월, 이명박 정부의 일제고사 당시 전교조가 보여줬던 무기력한 대응, 고작 7명의 해직교사만이 '교사의 양심'에 따라 개별적으로 싸우다가 해고된 것은 이러한 역사적 과정을 이해할 때 전혀 특별하지 않다. 전교조의 절망적 행보에 대한 제언으로는 양돌규, 「1989년의 기억과 전교조」, 『진보평론』, 2009년 봄호.

유연화 정책이었다. 현장 노동자들은 반발했고 1998년 2월 9일 열린 대의원대회에서 67.6%이 반대표를 던져 합의안을 부결시켰다. 이에 따라 민주노총 1기 지도부가 총사퇴하고 비대위가 들어섰지만 이미 때는 늦었다. 뒤이어 벌어진 대규모 정리해고에 맞선 현대자동차노조의 전면 파업이 실패로 돌아가고 만도기계 파업현장에 공권력이 투입되면서 대기업노조는 변변한 파업조차 어렵게 되었다. 항시적인 구조조정이 사회 전반에 횡행했고 이후 한국의 정규직 노동자들은 만성적인 고용불안에 시달리게 된다. 또 1998년 현대자동차 투쟁의 패배 이후 한국의 비정규직 규모는 급속하게 늘어난다.

우리 사회가 IMF 이후 정규직과 비정규직으로 분할된 노동시장을 갖게 되었다고 말할 때, 그것은 이런 역사적 과정을 이해하는 것을 전제로 해야 한다. 정규직의 고용불안, 비정규직의 급속한 비율 상승, 이는 동전의 양면과도 같다. 민주노조운동의 패배를 기초로 노동유연성이 제고되었고 불안정노동자의 양산과 정규직 고용 역시 급속도로 불안정해진 상황은 동시적으로 진행된 것이다. 정규직이 비정규직을 착취하고 기존 세대가 아랫 세대를 착취하는 것처럼 보이더라도 소위 노동시장 인사이더의 취약한 상황을 염두에 둔다면 이는 신자유주의 구조조정이 노린 노동 분할 전략의 결과였고 정규직/비정규직의 적대감은 이러한 자본의 전략이 효과적으로 발휘되는 것으로 보아야 할 것이다. 또 이러한 분할된 노동시장에서의 노동자들 간의 대립은 궁극적으로는 노동운동 속에서 해결되어야 하는 것이다.

아무튼 이러한 구조조정의 결과 IMF 이후 10년이 지난 2008년, 비정규직 비율이 한국 전체 노동자의 52%로 높아졌다. 청년층의 신규노동시장 진입도 어려워졌다. 그런 가운데 '88만원 세대론'이 등장했다. 우석훈, 박권일이 쓴 『88만원 세대』[23]의 출판과 함께 불어 닥친 이 담론의 열풍은 그해 대통령선거를 통해 더욱 증폭되었다. 청년실업, 대학-노동시장으로 이어지는 생애주기의 위기가 만연화된 상태에서 이를 어찌 풀 것인가가 정책적 담론으로 회자되었던 것이다. 88만원 세대론은 이미 노동시장에 진입한 '윗세대'들이 '뒷세대'에게 주어져야 하는 자원과 권한을 독점함으로써 88만원 세대가 처음부터 불평등한 생존게임에 돌입했다는 노동시장에서의 세대착취론에 기초해서 설명한다.

그러나 이러한 분석이 사실일까? 정말 '윗세대'는 '뒷세대'를 착취하고 있을까? 이에 대한 강력한 반론은 신광영의 노동임금분석 결과[24]이다. 신광영은 1998년과 2007년 노동연구원의 노동임금패널 자료를 비교·분석한 결과 10여 년간 전체 불평등이 크게 증가했지만 그것은 '세대 간 불평등'의 증가로 인한 것이 아니라 '세대 내 불평등' 증가로 인한 것이고 특히 생애주기 상 노동시장의 끄트머리에 가까워지는 장년층과 고령층에서 세대 내 불평등이 크다고 밝혔다. 즉, 40~50대의 연령층의 삶의 취약성이 커진 것이다.

신광영의 반론은 청년층 노동시장의 위기 자체를 부정하는 것은 아니다. 또 특정 산업과 특정 노동시장에서 세대 착취가 없다고 말하기도 힘들다. 다만, 전체 세대를 놓고 세대 착취가 이루어지고 있다고 말할 수는 없다는 것이다. 실제로 『88만원 세대』는 마치 '윗세대'가 안정적인 직업생활을 향유하고 있는 것처럼 묘사하고 그 편안한 자리를 결코 놓지 않을 것처럼 묘사한다. 대부분의 정규직이 항상적으로 겪고 있는 고용불안 상황, 그리고 실제로 벌어지는

---

23) 우석훈·박권일, 『88만원 세대』, 레디앙미디어, 2007.

24) 신광영, 「세대, 계급과 불평등」, 『경제와 사회』 한울, 2009년 봄호.

대규모 구조조정의 상황을 얘기하지 않는다.

물론 신광영에 대한 다른 방식의 재반론 역시 가능하다. 우석훈이 얘기하는 세대 간 불평등에서 매우 중요한 것은 '윗세대'는 부동산 등의 자산소득을 갖고 있다는 점이다. 신광영처럼 임금소득만 분석해 세대 간 불평등이 미미하다고 말하기는 힘들다는 것이다.

하지만 88만원 세대론의 중요한 긍정적인 면은 '20대가 처한 현실'을 '노동시장에 대한 분석'에서 출발해 사회학, 경제학적으로 보여줬다는 사실에 있다. 그리고 더 중요한 사실은 '88만원 세대론'이 등장하기 전, 이들 젊은 세대를 방어하는 담론은 존재하지 않았다는 것이다. 한윤형은 "눈높이를 낮추지 않는 청년세대", "청년세대 때문에 한국 경제의 활력이 떨어졌다"는 등의 비난이 횡행하는 때에 88만원 세대론은 우익의 세대담론에 대한 방어담론이었고 평가한다.[25]

문제는 담론이 실천을 대체할 수는 없다는 것이다. 88만원 세대론이 '담론 정세'에서 긍정적이었을지라도, 그리고 그것이 아무리 무성한 '파생 담론'을 낳았을지라도 중요한 것은 그것이 어떤 실천을 낳았는가 하는 점이다. "88만원 세대"가 당면하고 있는 현실을 바꾸어나가는 운동, 그것이 필요했다. 하지만 당연하게도 그 담론이 갖고 있는 한계인 개별적 실천(창업 프로젝트와 세대적 소비), 혹은 국가 정책 문제로는 아무것도 해결될 수 없었다. 특히 '당사자 운동' 방식으로는 고립분산적 실천으로 협애화할 가능성이 농후했다. 세대운동이 아니라 불안정한 노동자의 운동 속에서 세대적 문제도 풀어나가야 했다.

그런 점에서 『88만원 세대』의 공저자인 박권일이 밝힌 바는 많

---

25) 한윤형, 「월드컵 주체와 촛불시위 사이, 불안의 세대를 말한다」, 『문화과학』, 문화과학사, 2010년 여름호, 76쪽.

은 시사점을 준다. 그는 '88만원 세대'의 기획이 "불안정노동의 전면화라는 다분히 계급적인 문제에 세대론의 '당의糖衣'를 입힌다는 것"이었는데 "세대 내부의 양극화, 20대와 50대에서 쌍봉형으로 나타나는 불안정노동과 같은 주요 문제들이, 언급되긴 하지만 상대적으로 소홀히 취급"되었다고 밝혔다.[26] 그렇다면 세대론보다 중요해지는 것은 신자유주의가 파괴하고 있는 삶을 지켜내는 구체적인 '운동'일 수밖에 없다. 불안정노동을 강제하고 있는 구조를 철폐하고 그 운동 속에서 20대와 50대가 만나고, 여성과 남성이, 이주노동자와 한국 노동자가 만나서 부딪치는 과정에서 새로운 주체성은 빚어진다. 그렇지 않을 때 이들 청년들은 국가, 그리고 자본의 의도 속에 발가벗겨진 채 노출되고 호명되어 포획되기 마련이다. 다카하라 모토아키가 말하는 '불안형 내셔널리즘'[27]에 포획된 청년층이 우석훈이 말하는 '애국주의적 마케팅'에 포획되는 것과 같은 현상은 '운동'이 사라진 청년층의 삶의 현장에서 다른 주체성을 빚어낼 수 있는 수단도 경험도 없기 때문이 아니겠는가.

그런 가운데 이들 청년들이 대학의 청소용역노동자들이나 식당 여성노동자들, KTX 여성승무노동자들의 정규직 전환을 요구하는 투쟁에 적대적인 것도 당연하다. 제한된 신규노동시장에 진입하려는 격화된 경쟁 상황에서 개별적으로 대응하는 20대들이 볼 때, KTX 여성승무노동자들은 정규직 전환시켜달라고 일방적으로 떼쓰는 것으로 비치는 것이다. 한정된 양질의 일자리를 '정상적이지 않은 방식'을 통해 강탈하는 것으로 본다. 계급 분할을 통한 통치

---

26) 박권일, 「88세대론 〈조선〉 독우물에 빠지다」, 레디앙, 2009년 1월 30일. http://www.redian.org/news/articleView.html?idxno=12455

27) 다카하라 모토아키, 『한중일 인터넷 세대가 서로 미워하는 진짜 이유』, 삼인, 2007.

전략을 이처럼 잘 보여주는 예는 없다. 그리고 그러한 계급 분할이 청년들의 경우에는 청소용역노동자들에게는 '세대 간 적대감'으로, KTX 여성승무노동자들에게는 '세대 내 적대감'으로 분출되는 것이다.

그렇다면 한국에서 청년층 불안정노동자들이 자신을 새로운 주체성으로 직조하고 빚어낼 수 있는 운동적 수단이 있는 것일까? 우리는 언뜻 학생운동과 노동운동을 떠올리지만, 한국의 학생(회)운동은 1997년 한총련 출범식 사태 이후 사실상 소멸됐으며 이후 학생운동은 대학 내에서 고립되었고 노동운동은 청년층 불안정노동자 조직화에 특별한 방식으로 대처하고 있지는 않다.

학생운동은 1990년대 중후반, 어떤 전환을 이루기 위한 노력이 있어야 했다. 우석훈은 이에 대해 "학생운동이 대리인 운동에서 시대 변화에 맞추어 적절하게 '당사자 운동'으로 어느 정도 전환됐어야 했는데, 그러지 못한 것 같다"[28]라고 하는데 뒤이어 제기한 대학 내 생협 활성화나 대학등록금 문제 해결의 당사자는 10대라는 듯한 발언 등은 그 전환의 방책들로서는 함량 미달이다. 또 우석훈의 이야기가 '대학소비자론'에 빠질 위험성과 정당에 20대 문제 해결을 위탁하는 대리주의적 전망이 유지되는 측면도 있다. 그러나 이러한 반박보다는 1990년대 어떤 전환이 필요했다면 그 전환은 어떤 것이어야 했는지, 지금은 잊혀진 논의들을 소개하면서 어떤 전망을 세워가야 하는지 살펴보자.

먼저 서울대 학생운동 그룹인 공간이음은 "대학의 정원 확대로 인해 대학생의 지위가 '지식인으로서의 규정력을 거의 상실'했고 '사회적 노동자'로 토대적 계급규정성이 변동"했다고 주장하면서 학

---

28) 우석훈, 『혁명은 이렇게 조용히』, 레디앙미디어, 2009, 138쪽.

생운동은 "노동계급의 보조자로서의 위치"에서 벗어나 "노동자 운동의 명백한 일주체"로서 "취업과 관련한 정부정책지원확대, 취업제도와 관련된 법률체제, 회사 내 관행 타파, 매몰비용으로서의 대학 등록금에 대한 문제제기" 등의 운동 내용을 펼쳐야 한다고 주장한다. 또한 학생운동은 "대학의 사회적 역할 및 기능을 급진적으로 설정하는 과제와의 연관 속에서 자치권 투쟁을 재편"할 필요가 있다고 주장했다.[29]

이보다 더 근원적으로 신자유주의 시대 대학의 성격과 학생 노동에 대한 탐구 속에서 학생운동의 성격이 바뀌어야 한다는 주장이 있다. 조정환은 1990년대 대학은 "자본이 요구하는 노동력 상품의 제조공장"으로서의 본질이 보다 적나라하게 드러나고 있다고 지적한다. "자본주의적 대학의 생산과정은 학생들의 수업노동의 투하 없이는 완성될 수 없"고 "학생들이 원료이면서 동시에 생산수단으로서 작용하는 이 특이성" 가운데 부단히 "수업 노동"을 해나가는 "노동자"로 규정한다. 이러한 변화 가운데 "학생들과 노동자 사이에 그어졌던 분리선을 철거하고 서로의 계급적 동질성을 부각"하고 있으며 따라서 학생은 더 이상 자신이 "민중을 대리하는 선도적 투쟁 주체라는 대리주의적 전망"을 유지할 수 없고 "학생대중 자신의 계급적 요구의 제기가 필요"하다고 본다.[30]

표면적으로 학생운동은 2010년 현재 거의 소멸된 것처럼 보인다. 그러나 1990년대 중반의 공간이음과 조정환의 분석과 같은 대학 사회의 성격 변화는 보다 더 분명히 드러나고 있다. 2000~2008년

29) 공간이음, 「학생운동을 위한 제언사회적 노동자/민중블럭 창출에 투신하라!」, 『학회평론』 제14호, 1997.

30) 조정환, 「오늘날의 계급 구성에서 학생운동과 노동운동의 관계 재정립에 관한 시론」, 『고대문화』, 1999년 여름호.

까지 있었던 교육인적자원부라는 말처럼 이러한 교육−대학의 성격을 잘 보여주는 말은 없다. 교육인적자원부는 말하자면 대한민국주식회사의 인사관리부서다. 그리고 각 대학이 그 부서의 하부 단위를 이루고 있다.

이명박 정권이 들어서도 김대중−노무현 정부의 신자유주의 대학정책은 지속되는 가운데 사립대의 기업화, 국립대의 법인화를 통해 대학의 영리추구 자유가 추진되고 있다. 다수의 대학이 학교기업의 형태로 산학협동, 투기[31] 등을 하고 있다. 학생들에게서 걷은 등록금은 투기자금으로 쓰이고 있다. 직접적인 기업의 행태를 보이고 있는 와중에도 대학이 자본에게 안정적인 노동력을 생산−공급하고 있음은 물론이다. 대학진학률 85%가 넘는 가운데 보다 질 좋은 상품을 고르기 쉽도록 생산 공장 대학의 위계에 따른 서열 강화 또한 이루어져 있다. 명품 상품과 중저가 브랜드, 저가 보세품[32]을 나누고 그 노동력상품마다 노동시장에 들어갔을 때 기대소득과 고용안정성이 달라질 것은 물론이다.

대학 학생운동의 소멸은 어쩌면 다른 기회로 이어질 지도 모른

---

[31] 이를 극명하게 보여주고 있는 것이 2010년 홍익대 자본과 지역 주민들이 충돌했던 성미산 사태라고 할 수 있다. 부동산 투기의 일환으로 성미산을 사들여 중고등학교를 이전하려는 홍익대 사례는 빙산의 일각이다. 서울 17개 사립대가 소유하고 있는 부동산의 면적이 여의도의 5배에 이르고 많게는 자기 캠퍼스 면적의 11배에 이른다.(《경향신문》, 2010년 10월 7일) 부동산뿐만 아니라 2007년 12월 교육인적자원부가 대학의 펀드 매입을 허용했고 상당수 대학이 투자에 나섰으나 2008년 세계적 금융위기 때 손실을 봤다.

[32] 명문대는 '서연고'(서울대·연세대·고려대), 준명문대는 '서성한'(서강대·성균관대·한양대)이라 할 수 있다. 준명문대의 아래에는 '중경외시'와 '광명상가'가 위치하는데 각각 '중앙대·경희대·외국어대·시립대'와 '광운대·명지대·상명대·가톨릭대'를 의미한다. 그보다 아래 '한서삼'(한성대·서경대·삼육대)이 있고 더 아래에는 '지잡대'(지방대), '이하잡'(이하 잡대)이 있다. 엄기호, 「김예슬 읽기, 속물과 동물 사이 어디쯤」, 『르몽드 디플로마티크』, 2010년 5월 10일.

다. 이른바 '비운동권 학생회'가 오히려 학생들의 요구로부터 출발하는 긍정성을 보이고 있고 운동권은 대학 바깥 민중운동 단체의 영향력에서 벗어나고 있지 못하다는 우석훈의 분석을 두고 하는 말이 아니다. '비운동권 학생회'가 요구하는 학생들의 권리—그것이 등록금 문제를 고리로 하든 주거권 문제를 고리로 하든—는 '교육소비자론'을 크게 벗어나는 것은 아니다. '돈을 낸 만큼 서비스 하라'로 요약되는 이 같은 운동은 때로는 '서비스 품질이 좋지 않으면 값을 내려라'와 같은 방식을 띠는데 이것이 가장 급진적으로 표출되어 봐야 총선-대선 시기 등록금 문제를 의제화시켜 정당에 전달하는 벨트, 정당을 통해 실현하는 대리주의적 전망과 정책론적 접근 이상으로 이어질 수는 없다.

오히려 새로운 학생운동의 가능성은 대학-노동에 대한 거부로부터 나온다. 그것은 마치 프리터의 출발처럼 '생애 규범'에 대한 거부와 관련되어 있다. 김예슬 선언이 그것이다.

이제 나의 이야기를 시작하겠다. 25년 동안 긴 트랙을 질주해왔다. 친구들을 넘어뜨린 것을 기뻐하면서. 나를 앞질러 가는 친구들에 불안해하면서. 그렇게 '명문대 입학'이라는 첫 관문을 통과했다. 그런데 이상하다. 더 거세게 채찍질 해봐도 다리 힘이 빠지고 심장이 뛰지 않는다. 지금 나는 멈춰 서서 이 트랙을 바라보고 있다. 저 끝에는 무엇이 있을까? '취업'이라는 두 번째 관문을 통과시켜 줄 자격증 꾸러미가 보인다. 다시 새로운 자격증을 향한 경쟁 질주가 시작될 것이다. 이제야 나는 알아차렸다. 내가 달리고 있는 곳이 끝이 없는 트랙임을.

(…중략…)

일단 멈춰야 했다. 내가 지금 이 때를 놓치고 만다면, 여기서 다시 멈춰 서지 못한다면, 나는 태어날 때부터 좋은 대학에 가기 위해 살았던 것처럼 대학 내내 좋은 직장에 들어가기 위해 살아갈 것이다. 그리고 직장인이 되어서는 좋은 직장에서 쫓겨나지 않기 위해 열심히 살아갈 것이고, 내 아이는 그렇게 살지 않길 바라지만 또 그렇게 살아가게 될 것만 같았다.[33]

김예슬의 '탈주'는 학생운동이 구성해 나가야 할 운동의 방향이 바로 노동력 생산공장으로서의 대학을 바꾸어나가야 하는 쪽으로 정향되어야 할 필요를 잘 보여준다. 대학의 서열을 없애고 문턱을 낮추고 민중의 대학으로 전변시켜야 하는 과제가 학생운동에게 놓여져 있다. 그리고 그것은 노동운동과 긴밀한 연관 하에 추진되어야 할 어떤 과제일 수밖에 없다.

그러나 한국의 민주노총은 출범 당시부터 '사회개혁 투쟁'을 내걸었지만 교육 문제를 둘러싼 논의와 청년실업 문제에 대한 논의는 민주노총 차원에서 제기된 적이 없다. 교육 문제는 '사교육비 절감, 공교육 정상화' 차원에 국한되어 전교조에 일임하는 방식이고 다른 부문의 요구들 역시 해마다 나열되는 요구의 한 항목으로 위치할 뿐이었으며 특히 대학과 관련한 민주노총 차원의 접근은 거의 전무했다시피 하다. 한국 학생운동의 소멸, 청년층에 대한 한국 노동운동의 무관심, 이것은 세대적으로 등장하는 새로운 주체성을 조직하지 못하는 상황을 잘 보여준다. 소위 '20대의 보수화'란 이같은 운동의 소멸이 가장 큰 바탕이 되었던 것이다.

양돈규 · 프리타, 88만원 세대, 기업 사회를 받기 위해 필요한 것은 '운동'이다

---

33) 김예슬, 『김예슬 선언』, 느린걸음, 2010.

길은 어디에 있는가?

신자유주의에 맞서는 프랑스 학생운동

프랑스에서의 학생들과 노동자들의 2006년 반 CPE 투쟁을 돌이켜보는 것은 우리에게 시사하는 바가 크다. CPE 투쟁은 반신자유주의 투쟁 속에서의 학생운동과 노동운동의 융합, 그리고 각각의 운동이 서로 교통하고 공명하는 과정이었다.

프랑스 드 빌팽 총리는 2006년 1월 16일, 실업 문제를 해결하겠다는 명분으로 '최초고용계약제Contrat Première embauche(이하 CPE)'를 발의했고 이 법안은 2월 9일 국회를 통과했다. CPE의 내용은 '20인 이상 사업장에서 16~25세 노동자를 고용할 경우 최초 고용 2년 동안 정당한 사유 없이 자유롭게 해고할 수 있도록 허용한다'는 것이었다. 또 최초고용계약으로 채용된 청년 노동자들은 정규 채용 급료의 절반만 받으며 노동조합에도 가입할 수 없다.

이에 대한 학생들의 반발은 즉각적이고 대규모적이었다. 2월 7일 40만에 이르는 대규모 학생시위를 시작으로 3월 7일 시위에는 프랑스 전국 주요 도시에서 주최 측 추산 100만 명이 참여하는 시위가 벌어졌으며 3월 8일에는 학생들이 파리 소르본 대학을 점거했고, 전국 84개 대학 가운데 60여개 대학 이상에서 동맹휴업이나 점거농성이 진행됐다. 이후 3월 13일, 3월 16일에도 고등학생들까지 대거 가세한 가운데 최루탄, 돌멩이가 오가는 격렬한 시위가 전개됐다. 3월 18일에는 대학생, 고등학생, 노동계, 학부모, 야당까지 결집해 전국적으로 150만, 파리에서 35만이 참여한 시위가 이루어졌다. 프랑스 노동계는 3월 28일로 파업을 선언했다. 시위대는 "우리는 크리넥스(휴지)가 아니다", "CPE는 착취와 불안정 계약", "시라크와 드빌팽은 끝났다" 등의 구호를 외쳤다. 프랑스 학생들은 "100만이 부족하면 200만을 모으겠다"면서 70여 개 대학에서 점거농성, 1,000여 군데 고등학교에서 행동이 진행됐고 공공부문 노동자들을 중심으로 진행된 파업은 500만 명이 참여해 주요 교통수단이 멈췄고, 관공서와 병원이 문을 닫았다. 그리고 마침내 4월 10일, 프랑스 대통령 시라크가 "최초고용계약CPE 조항을 폐기하겠다"고 밝히면서 프랑스 학생, 노동자, 교사 등의 승리로 끝났다.[34]

CPE 법안 반대투쟁에 나선 고등학생, 대학생들의 뒤에는 쉬드SUD: Solidarity, Unity, Democracy노조[35]가 있었다. 쉬드노조는 프랑스의 다른 노조, 즉 민주노조CFDT, 노동총동맹CGT 등이 기존 조합원들 이익을 지키기 위한 이익집단적 성격을 갖고 있는 것과는 달리 소속 노동자들의 이익만을 대변하지 않고 반신자유주의 입장에서 사회적 필요와 공공적 성격을 중심으로 운동을 펼치는 특징을 갖고 있다. 쉬드노조는 1995년 프랑스 반신자유주의 투쟁에서 크게 성장했고 2006년 최초고용법 투쟁에서도 이를 주도해갔다. 쉬드노조는 프랑스의 다른 노총들과 달리 대학과 고등학교에서 학생들을 조직했고 그 조

---

34) 편집부, 「신자유주의에 맞선 노동자-학생 연대」, 『사회운동』 2006년 3월호, 사회진보연대. 한편 반 CPE 투쟁이 가능했던 요인이 프랑스 시민교육에 있었다는 지적이 있었다. 1995년부터 프랑스에 도입된 교과과정 '시민교육'에 포함된 '노동교육'이 학생들로 하여금 노동의 권리를 인식할 수 있도록 만든 중요한 배경이었다는 것이다. 박권일, 「노동악법 막은 힘 교과서에 있었다」, 월간 『말』 2006년 5월호. 이러한 논의를 토대로 한국에서도 2004년 청소년노동인권네트워크가 꾸려졌고 '교과서 개정'을 통한 '노동교육 교과서' 문제를 제기하며 활동을 시작했다. 그리고 '최저임금 투쟁'에 함께하거나 '청소년노동 실태 및 건강권 실태 조사' 등도 진행하고 중고등학교에서 학생들을 대상으로 '노동권리 교육'을 진행하기도 했다. 그리고 근래 들어 '청소년 노동자 조직화'를 화두로 신림동 순대촌이나 편의점을 중심으로 청소년노동자들을 직접 조직화하기 위한 캠페인 등을 전개하고 있다.

35) 쉬드노조에 대한 자세한 소개로는 『프랑스 노조·정당 방문 면담록』, 민주노동운동연구소, 2006; 이학수, 「신자유주의와 프랑스의 청년들」, 『역사와 문화』 12호, 문화사학회, 2006.

직이 쉬드노조 대학생조합SUD-etudiant과 쉬드노조 고등학생조합SUD-Lycéenne이다. CPE 법안 반대투쟁과 이후의 투쟁 과정에서 쉬드노조 학생조합이 주도적으로 참여했음은 물론이다.[36]

프랑스 학생운동이 교육 부문에 관한 신자유주의 개혁 정책에 맞서 싸워온 것은 어제 오늘의 일이 아니다. 그리고 그러한 운동의 과정에서 노동과의 연대를 해온 적도 빈번했다. 그러나 더욱 중요한 것은 학생운동의 내용 자체가 이미 노동의 의제였다는 사실이고 '학생'이라는 위치에 한정해 스스로의 의제를 좁히지도 않았고 광범한 사회적 연대 속에서 교육을 바꾸어내기 위한 운동을 펼치고 있다는 사실이다. 예컨대 프랑스 고등학생들은 2008년 사르코지 정부가 추진하는 교사 8만 명 감축안에 맞서 3월부터 두 달 넘게 가두로 나서 가두시위, 집회, 학교 내 각종 선전 활동을 펼쳤다. 이들은 교사 정원이 줄어들면 교육 환경이 열악해질 것이고 인문 과목과 예체능 과목이 축소될 것이라며 반발했다. 학생들은 "또다시 1968년이 필요한가"라는 플래카드를 걸고 3월 27일 파리에서 5,000여 명이 시위를 시작한 이래 5월 중순까지 경찰 추산 연인원

---

[36] 프랑스 학생운동 조직은 대학생과 고등학생으로 나누어져 있다. 대학생 조직으로는 프랑스 최대 학생단체인 사회당계의 UNEF(프랑스전국학생연합)이 있다. 최근 UNEF는 보다 더 투쟁적인 학생 조직들인 쉬드노조SUD-etudiant, FSE, CNT로부터 타협적이고 투쟁에 소극적이라고 비판받는다. 로안 옹엔, 「프랑스 학생운동 : 2009년 1월부터 6월까지」, 『진보평론』, 2009년 겨울호. 한편 프랑스 고등학생들의 조직으로는 회원이 6,000여 명인 전국고등학생연합UNL이 있고 회원 7,000여 명인 '독립적이고 민주적인 고등학생 협회(FIDL)'가 있다. 이외에도 쉬드노조와 긴밀한 연관을 가진 '쉬드노조 고등학생조합SUD-Lyc enne'이 900여 명, 프랑스의 노총 중 하나인 '노동자의 힘(FO)'과 연관되어 있는 '고등학생의 힘Force Lyc enne'도 있다. 이들 고등학생 활동가들은 반 CPE 투쟁 당시 자신의 학교나 주변의 고등학교들을 방문해 동료 고등학생들을 설득하고 조직했고 주말 시위에 함께 참여했다. 고등학생 조직에 관해서는 김길수, 「프랑스 사르코지 교육정책에 맞선 투쟁」, 『진보교육』, 진보교육연구소, 2008년 6월호.

15만에서 20만 명이 참여하는 시위와 집회가 전국적으로 이어졌다. 4월 8일과 10일에는 전국에서 각각 5만명의 고등학생들이 거리에 나섰고, 4월 17일에는 파리에서만 약 4만 명이 거리 시위에 참여했다.

이처럼 프랑스에서 노동운동과 융합되는 학생운동과 사회연대의 망을 적극적으로 조직하는 노동운동의 모습은, 그리고 그런 가운데 적극적으로 저항의 주체로 등장한 프랑스 청년들의 모습은 '운동'이 사라진 한국의 청년학생-노동자들에게 유의미한 모델이 되어줄 수 있을 것이다.[37]

빈곤에 맞선 일본의 프레카리아트 운동

2008년 10월, 미국에서부터 불어 닥친 세계금융위기는 일본 경제에 직접적인 타격을 가했다. 수출의 감소, 무역적자 규모 확대, 제조업 매출 급격한 감소로 이어졌다. 그러자 일본 기업들은 발빠르게 행동에 나섰다. 비정규직을 대량 해고함으로써 위기를 불안정노동자들에게 전이한 것이다. 2008년 10월부터 2009년 3월까지 6개월 동안 제조업에서만 15만 7,806명이 해고됐다. 큰 기업들만 해도 소니 16,000명, 도요타자동차 5,800명, 파나소닉 15,000명, NEC 20,000명 등이다. 이렇게 해고된 노동자들 중 68%가 파견노

---

37) 2009년에도 신자유주의적 대학 개편에 맞선 학생들의 투쟁이 프랑스, 독일 등 유럽을 휩쓸었다. 이는 1999년 유럽 29개국 교육부 장관이 모여 각국의 대학체계를 단일화시키기로 합의한 볼로냐 프로세스에 대한 저항이었다. 볼로냐 프로세스는 각국 대학체계를 비교와 교환이 가능하게 통일시킴으로써 유럽 대학 내 인적 유동성을 향상시키고 유럽연합의 강화에 기여할 수 있는 대학의 경쟁력 강화에 그 목적을 두고 있다. 이에 대한 프랑스와 독일 학생들의 투쟁에 대해서는 로안 응엔, 앞의 글, 메이데이; 한귀용, 「유럽 대학의 변화와 고민」, 『황해문화』, 2010년 봄호.

앙드루·프리터, 88만원 세대, 기업 사회를 넘기 위해 필요한 것은 '운동'이다

동자였고 18%가 계약직노동자들이었다.[38]

이때의 해고를 계기로 기업이 제공하던 숙소에서 쫓겨난 이들이 부지기수였다. 이들이 대거 해고된 2008년 12월 30일, 도쿄 히비야 공원에 텐트들이 설치됐다. 이른바 '새해맞이 파견촌(도시코시 하켄무라)'이 만들어진 것이다. 파견촌에서는 연말연시 기간 동안 갈 곳이 없는 해고 노동자들에게 음식과 숙박시설을 제공했다. 600여 명에 달하는 해고노동자들이 모여들었고 자원봉사자 1천여 명이 함께 했다. 일본의 방송국과 언론이 연일 취재경쟁에 나섰다.

이 운동을 주도한 것은 반빈곤 네트워크라 불리는 시민단체였다. 반빈곤 네트워크는 정당, 노동조합, 시민사회단체를 매개하여 상호 연계시켰고 생활보호와 고용보험에서 배제된 불안정노동자에 대한 지원 대책을 요구했다. 그리고 이러한 노력을 렌고 등이 수용하면서 일본 정부의 긴급 대책에 반영되게 된다.

파견촌 투쟁의 배경에는 또 불안정노동자들의 다양한 형태의 노동조합들과 비영리단체가 있다. 파견 회사들의 불법 수수료 취득을 폭로한 파견유니온, 성별노조 형태로 조직되어 있는 동경여성노조, 또 수도권청년유니온 등이 이러한 노동조합들이다. 또 비정규 블루칼라 노동자들을 조직한 가텐계연대, 비정규노동자들을 지원하는 단체인 POSSE와 같은 비영리조직NPO들도 있다. 이러한 새로운 노동조합과 사회운동은 기업별노동조합 외부에서 렌고와 전노련 등 일본의 내셔널센터로부터 독립적으로 활동하면서 일본 노동운동을 새롭게 탈바꿈시켜 가고 있다.

[38] 은수미 외, 앞의 글, 한국노총 중앙연구원, 2009.

한국의 비정규직노동조합과 청년유니온 출범

한국의 노동자들 중 노동조합으로 조직된 비율은 1989년 19.8%를 정점으로 지속적으로 낮아져 왔다. 그 결과 2006년 현재 전체 조직노동자 수는 약 173만 명으로 노동조합 조직률은 11.3%에 불과하다.

2006년 통계를 놓고 살펴보자면 조직노동자 173만 명 중 정규직은 약 150만 명, 비정규직은 약 23만 명에 불과해 정규직과 비정규직 조직률은 각각 21.6%와 2.8%이다. 정규직노조는 대부분 300인 이상 사업장에서 조직된 경우이다. 이렇게 봤을 때 한국의 노동조합운동은 '300인 이상 정규직 중심의 기업별 노동조합'이라 할 수 있다. 달리 말하면 300인 이상 정규직 노동시장에서 노동조합은 거의 조직될 만큼 조직됐다고 말할 수 있다. 실제 정규직들이 노동조합이 있는데 가입하지 않은 비율은 9.8%에 불과하다. 이는 비정규직 노동자들도 마찬가지인데 노조가 있는데 가입하지 않은 비율은 비정규직의 경우 1.6%에 불과하고 노조가 없기 때문에 가입하지 않은 비율은 88%에 달한다.

결국 기업별노조 체제를 산별체제로 바꾸어낼 때 정규직 중 미조직노동자들의 조직이 가능하고, 비정규직은 산별노조, 지역일반노조, 지역업종노조, 고용형태별(특수고용, 기간제) 조직을 통해 조직을 해나가야 한다. 신규노조 설립과 조직화 자체가 필요한 상황이라 할 수 있다.[39] 그런데 한국의 노동조합운동은 비록 비정규직 조직률은 낮지만 매우 다양한 형태의 노동조합이 존재한다. 〈표 1〉은 한국 비정규노동자들의 조직화 현황이다. 그리고 그러한 비정규직 조직화 사례가 얼마만큼 일반화되고 성공적으로 조직 확대가

---

[39] 김성희, 「미조직·비정규 조직화 현황과 민주노조운동 과제」, 『미조직·비정규사업의 새로운 조직화 전략 모색을 위한 대 토론회 자료집』, 민주노총, 2009년 5월 20일.

앙드레 꼬르너, 88만원 세대, 기업 사회를 넘기 위해 필요한 것은 '운동'이다

고용형태	노조 또는 지부의 수	조합원 수	주요 직종	주요 조직 형태
기간제	78	14,984	교육과 문화예술, 행정 중 민간위탁 부문	사업장별
간접고용	79	11,426	제조업 사내하청, 공공부문 청소 비롯 용역	기업별(제조업), 업종별(공공)
특수고용	27	34,568	건설운송, 학습지, 경기보조원 중심	업종별(화물, 덤프), 기업별(경기보조원), 혼합(건설운송, 학습지)
지역업종	43	56,104	지역 건설업종	건설 업종별 지역조직
지역일반	51	18,270	중소영세업체+비정규직	지역일반노조
전국여성노조	11	4,733	여성 중소영세업체(학교 또는 공공부문)	전국여성노조 지부형태
총계	289	140,085		

〈표 1〉 고용형태별 비정규 조직화 현황(2006년 12월 기준, 한국비정규노동센터 집계)
편집부, 「비정규노조 실태조사」, 『비정규노동』 2006년 12월호, 한국비정규노동센터

이루어질 것인지가 '300인 이상 정규직 노동조합운동'이라는 한국의 노동조합운동을 바꾸어내게 될 관건이라 하겠다. 하지만 그 과정은 정규직 노동자/비정규직 노동자를 대립시키는 것으로 이해할 수는 없다. 세대간 대립이 부당한 것처럼 정규직/비정규직의 대립도 부당하다. 노동조합운동은 그러한 대립을 운동 속에서 실천적으로 극복해가야 한다. 이러한 비정규직 운동 속에 새로운 청년 불안정노동자와 40~50대 비정규노동자들의 연대의 미래가 달려있음은 물론이다.

그런 점에서 2009년 쌍용자동차에서 정규직/비정규직이 연대하

여 77일간 옥쇄 파업을 전개했지만 공권력의 투입 앞에 무릎을 꿇었던 사실[40]은 매우 뼈아프다. 산별노조인 금속노조가 비록 '무늬만 산별'이고 실 내용에 있어서는 '기업별노조 체계'인데 여기서 현대자동차지부, 기아자동차지부, 더 나아가 금속노조가 총파업 한번 조직하지 못한 상황을 상기해 보면, 조직형식이 문제가 아니라 노동조합운동의 이념과 내용이 무엇인가가 중요하다는 점을 다시 한번 되새기게 된다. 정규직노조가 77일간 그야말로 정권, 자본과 '전쟁'을 벌이면서 옥쇄파업을 해도 지키지 못하는 일자리라고 한다면, 그리고 그것을 금속노조와 민주노총이 함께 지켜내지 못하는 노동운동이라 한다면 어떻게 그보다 훨씬 취약한 상황에 놓여 있는 비정규직들이 스스로를 조직할 수 있을까.

이런 가운데 한국에서는 2010년 3월 13일 청년유니온[41]이 출범했다. 청년유니온은 만 15세부터 39세까지 가입하는 '세대 노동조합'이지만 노동조합의 조직형태로는 전국 일반노동조합이라 할 수 있다. 청년유니온의 온라인 커뮤니티 회원 수는 1700여 명이고 2010년 6월 현재 조합원 수는 110여 명이다. 청년유니온의 주요 요구와 활동은 최저임금 현실화, 청년 고용할당제, 고시원과 PC방 등 주거권 제기, 학자금대출제도 개선 등이었고 지방선거에서 조합원 일부는 사회당 금민 후보가 제기한 '노동 요구 없는 기본소득'에 공감해 선거 유세에 합류하기도 했다.

청년유니온은 노동조합과 사회운동의 경계에서, 학생운동과 청

---

40) 쌍용자동차 투쟁에 대해서는 양돌규·이승원·정경원, 『해고는 살인이다: 금속노조 쌍용자동차지부 77일 옥쇄 파업 투쟁백서』, 한내, 2009 참조.

41) 청년유니온에 대해서는 MBC스페셜(2010년 8월 13일, 20일)를 참조할 수 있겠고 글로는 김영경, 「청년운동, 새로운 노동운동으로 전환이 필요하다」, 『문화과학』 62호, 문화과학사, 2000; 김영경 인터뷰, 「청춘의 눈빛에서 후레쉬맨이 보인다」, 『고대문화』 2010년 여름호 참조.

년운동이 제기해야 할 주제들까지 포괄하고 있다고 밝히고 있다. 그러나 합법성 쟁취 이후 조합원 수가 크게 늘어나고 조합원들이 있는 사업장과의 교섭틀이 만들어질 경우 한국의 지역 일반노동조합이나 여성노조가 겪고 있는 여러 가지 문제, 즉 조합원이 일하는 사업장 수가 많은 관계로 '1년 365일 내내 교섭에 매몰될 위험' 등은 여전히 존재한다. 그럴 때 청년유니온이 일본의 수도권유니온과 같은 사회운동적 성격을 가진 노동조합운동 노선을 얼마나 지킬 수 있을 것인가 하는 문제가 제기될 수 있다.

하지만 일단은 청년유니온은 더욱 많은 가능성을 열어두고 있다고 봐야 할 것이다. 청년노동자를 어떻게 조직할 것인가 하는 문제는 단순히 특정 세대를 조직하는 문제를 넘어서 한국 노동운동의 성격과 체질을 변화시키는 문제와 잇닿아 있기도 하고 조직 한계에 다다른 한국노동운동을 불안정노동자층을 중심으로 한 노동운동으로 변화시켜 낼 것인가의 문제이기도 하다.

산별노조 전환과 미조직노동자 조직화·불안정 노동자 조직화를 통한 노동조합의 조직률 제고의 방향과 노동조합의 전투적인 사회운동적 성격의 복원과 반신자유주의 전선을 통해 노동의 불안정성을 제거해나가는 운동이 필요하다. 그것은 지난 시대의 '노동 사회'로의 복귀 노선은 아니다. IMF 이전 한국의 노동 사회란 돌아갈 수 없는 사회일 뿐만 아니라 돌아가서도 안 되는 사회가 아닌가. 한국적 포스트 포드주의란 유혈적 테일러주의라 부르는 억압적 노동통제가 여전했던 체제였고 기업별노조가 계급적 단결을 가로막았던 체제가 아니었던가. 그렇게 볼 때 새로운 노동운동이 추구해야 할 방향은 성별, 연령별, 고용형태별, 기업규모별 차이를 불문하고 전면적으로 삶이 보호되는 체제, 신자유주의가 파괴하고 있는 모든 계기에 대한 개입과 투쟁을 전개하는 운동이어야 할 것이다.

나가며

1960년대 이후 일본의 고용관계를 특징지었던 기업별노조와 연공임금, 그리고 종신고용제는 노동자를 회사의 운명과 함께하도록 만들었고 노동조합과 기업을 결합시켰으며 '회사형 인간'이라는 일본적 생애 규범을 확립했다. 이러한 점에서 버블경제 말기에 나타난 프리터의 성향, 즉 "회사형 인간이 되기보다는 자신의 꿈을 위해 살겠다"고 하는 면모는 일본적 고용관계가 해체되어 가는 과정에서 '회사형 인간'에서 벗어나 살고자 하는 일본 다중의 긍정적 측면이라 말하지 않을 수 없다. 하지만 그런 긍정적 측면은 '탈주'하는 삶이 개별적으로 불안정 노동자로 포획되어 자본에 의해 이용되고 있다는 측면과 짝을 이룬다. 결국 중요한 것은 그런 사회를 바꾸어내는 '운동'이며 그 운동 가운데서 신자유주의 체제를 해체할 새로운 주체성이 성장할 것이라는 점이다. 히비야 파견촌 투쟁은 그 단초를 어느 정도 보여주는데 이는 렌고로 대표되는 일본의 기존 노동운동을 넘어서려는 새로운 노동운동, 사회운동의 사회연대적 투쟁의 활력을 드러냈다.

한편 한국에서도 청년 불안정노동자는 빠른 속도로 증가하고 있고 이들을 둘러싸고 '88만원 세대론'이 회자되고 있다. 청년 불안정노동자의 증가 배경에는 이들을 보호, 방어하지 못하고 있는 '300인 이상 정규직 중심의 기업별 노동조합'이 있고 이 노동운동의 주류조차도 매우 불안정한 고용 상태에 있다. 이는 '세대 착취'를 얘기하기에는 노동시장 내부의 보호조치가 매우 취약하다는 점, 계급 불평등의 구조가 세대를 불문하고 광범하게 나타나고 있다는 점을 잘 보여준다. 따라서 이에 대한 '세대적 대응'은 20대와 40~50대 불안정노동자들의 연대일 수밖에 없고 그것은 학생운동,

155

노동조합운동을 위시한 광범한 사회운동이 기존의 노동 사회를 넘어서는 대안을 추구해나갈 때 가능할 것이다. 團

양돌규

1973년생. 전 노동자역사 한내 조직국장. 성공회대학교 사회학과 대학원 석사 과정 졸업. 저서에 『오래된 습관 복잡한 반성2』, 『해고는 살인이다』 등이 있음. redgadfly@lycos.co.kr

프리터, 자유의 기획?

정 은 경

'자유로운free'과 '노동자Arbeiter'의 합성어인 프리터는 비정규직 일을 통해 생계를 유지하며 취미활동에 몰두하는 등 자유롭게 사는 사람들을 의미한다. "쓸 만큼만 벌고, 번 만큼만 쓴다"를 모토로 하는 이들의 유목적 '삶'의 방식은 용어의 새로움만큼이나 신선하고 요샛말로 '쉬크'한 데가 있다. 일본 정부가 90년대 초 프리터의 증가를 '조직문화에 얽매이기 싫어하는 새로운 문화현상'으로 보았을 때만 해도, 그리고 한국사회에 이와 유사한 니트족NEET: Not in Education, Employmentor Training, 키덜트, 프리터족들이 출현하기 시작했을 때만 해도 이 용어는 숨막힐 듯한 이 신자유주의 사회에 등돌리는 청춘이라는 의미에서 어느 정도 낭만성을 표상하고 있었다고 할 수 있다.

2001년 417만 명으로 추산되는 일본 프리터의 급증은, '프리터'를 청년세대의 새로운 트렌드가 아닌, 청년 실업, 경제구조, 저출산 등과 이어진 국가적 재난이라는 인식을 불러오면서 정부차원의 대책 논의가 활성화되었고, 이러한 흐름은 청년실업자 100만 명이 넘어선 한국에도 이어져 '신빈곤층'의 청년 실업 문제로 확산되었다. 2000년대 한국문단의 중요한 이슈가 '백수' '고시원' '옥탑방' '반지하방' 'PC방' '알바생' 등으로 상징되는 청년 낙오자들의 빈곤을 둘러싼 논의였다는 것도 이를 방증하는 예라 할 수 있다.

프리터에 대한 접근 방식은 다양할 수 있지만, 일본은 물론 한국의 경우 가장 확고한 흐름은 이렇듯 프리터를 청년 실업과 경제구조 속에서 이해하는 것이다. '고용난민'의 한 형태로서의 프리터의 모습은 일본의 〈조난 프리타〉(2007)라는 다큐멘타리 영화에 잘 드러나 있다. 감독이자 주인공을 맡은 이와부치 히로키는 "머리좋은 오랑우탄도 할 수 있는" 잉크에 뚜껑 붙이는 일을 하는 파견직 근로자이다. 임시 파견직, 일회용 도시락, 임시 기숙사, 임시친구까지 '임시'로 둘러싸인 불안한 자신의 삶을 자조적으로 찍어 낸 그는 이렇게 질문한다. "매스컴과 사회는 나를 노예 혹은 패배자라고 부른다. 나는 누구에게 진 것일까, 누구와 싸워야 하는 걸까?"

'배틀로얄'로 상징되는 승자독식 논리에 희생된 청춘, '미래의 노숙자' '루저'로 불리는 이들이 던지는 '누구와 싸워야 하는 걸까?'의 문제는 곧 '88만원 세대', '노동 유연화' '청년 유니온' '기본 소득' 등의 담론과 실천으로 이어진다. 청년 실업을 세대 간 경쟁으로 풀어낸 『88만원 세대』, 유럽, 특히 법정 근무시간을 주당 39시간에서 35시간으로 단축시켜 일자리 창출을 시도했던 프랑스의 '오브리법'으로 대표되는 노동 유연화, 개인이 자유롭게 가입할 수 있는 새로운 노조인 '청년 유니온'의 창설 등은 '프레카리아트precarioust'(불안정한이라는 뜻의 이탈리아어와 프롤레타리아트의 합성어로 일자리가 불안정한 노동자를 뜻함)로 대변되는 새로운 하층계급을 둘러싼 새로운 사회 패러다임의 등장을 의미한다. "젊은층 자립 도전 플랜"을 만들어 프리터의 실업 문제를 해결하고자 나선 일본 정부, 워킹 푸어 working poor의 빈곤문제를 해결하기 위한 시민 단체인 '반빈곤 네트워크' '카바쿠라(카바레와 클럽의 합성어로 일본식 단란주점) 노조' '미용원 노조' '청년 유니온' '넷카페 난민', 다시 베스트셀러가 된 1929년의 고바야시 다키지의 『게공선』과 마르크스주의에 대한 관심 등이 화제가 되고 있는 일본의 현실은 특히나 프리터가 어디로, 무엇과 연계된 문제인지를 직접적으로 보여주는 단적인 사례들이라고 할 수 있다.

프리터에 대한 이러한 다양한 해법을 따라가다 보면, 한국 사회의 경제구조나 세대간 갈등보다 더 음험한 우리 시대의 난제와 마주치기도 한다. 그것은 전 세계적으로 증가하고 있는 청년 실업률과 일자리의 감소가 제기하고 있는 노동과 고용의 문제이다. 고용의 미래를 우리 시대의 핵심적인 이슈로 문제 삼은 『노동의 종말』의 저자 제러미 러프킨에 의하면, 2050년쯤이면 전통적인 산업부문을 관리하고 운영하는 데 전체 성인 인구 5퍼센트 정도만이 필요하게 될 것이라고 진단하고 있다. 즉 현재와 같은 하이테크 기술의 진보는 '인간의 노동력'을 대체하면서 생산성을 높이게 되고, 결국 인간은 노동으로부터 해방되는 시대를 맞게 되리라는 예고이다. 그에 따르면, 전통적으로 새로운 기술이 생산성을 높이는 경우, 노동 시간의 단축과 임금 및 부가 급부의 상승을 초래했다. 가령 산업 혁명 당시 주당 노동 시간은 70시간이었으나, 산업 기술 혁명은 노동시간을 단축시켰고 과거에 비해 많은 여가시간을 가져왔다. 각종 가전 제품과 시장 분업화에 따라 가사노동으로부터 해방된 주부도 그러한 예에 속할 것이다. 그러나 현재 새로운 기술은 모든 나라에게 노동자가 거의 필요치 않는 농장, 공장 및 사무실을 일반화시키고 있다. 러프킨이 예를 들고 있듯, CAD(computer-aideddesign)는 많은 제도사와 기술자를 없애버렸고, 회계사들이 했던 전형적인 업무의 대부분이 새로운 소프트웨어 프로그램에서 이루어지고 있다. 속기사, 필사자, 서기라는 직업이 퍼스널 컴퓨터에 의해 사라졌고, 턱없이 비싼 '기계장치'를 구비해야만 가능한 수많은 의료서비스들이 늘어나고 있다. 제러미 러프킨은 고도로 전문화된 직업들조차 지적 기술에 의해 빠르게 대체될 것이고, 결국 미래의 노동력은 점차 소규모 대행업자처럼 될 것이라고 예견한다.

경영대학원MBA 졸업자도 구직난을 겪고 있는 미국, 프랑스의 캥거루족(부모 품을 떠나지 않는 청년들), 그리고 앞서 열거한 일본의 조난당한 청년들과 한국 사회의 88만원 세대에 이르기까지, 현재 세계 각국이 골머리를 앓고 있는 당장의 청년 실업문제에 '노동의 종말'은 너무나 먼 문제이다. 그러나 부정할 수 없는 것은 전 세계의 빈곤 청년과 고용불안은 현재 인류가 당면한 '불안정 노동'과 새로운 노동 패러다임과 무관하지 않다는 것이다. 그것은 곧 노동으로부터 해방된 삶, 그 가능성과 의미, 그리고 그 내용에 대한 문제를 제기한다.

그간 'PC방, 고시원, 옥탑방, 편의점'으로 표상되는 청년 백수와 빈곤 문제는, 세대 담론과 신자유주의 맥락에서 논의되곤 했다. 그것은 앞서 언급한 비루한 현실과 직접적으로 맞닿아있다는 의미에서 대체로 수긍할만한 것이었다. 본고는 그러한 치열한 논쟁들의 성과를 전제로 하여, '프리터'라는 용어에 애초에 함축된 '자유로운' 청년들의 내면을 살펴보고자 한다. 그것은 대체로 '신경향파 문학'으로 지적되는 타율적 프리터가 아니라 비교적 자율적 프리터라 불리는 이들의 삶의 기획들에 관한 논의가 될 것이다.

죽음 혹은 해방

　서유미의 『쿨하게 한 걸음』(창비, 2008)에는 다양한 백수들이 등장한다. 우선, 남자친구와 헤어지고 회사도 그만둠으로써 '33'살의 끈 떨어진 신세가 되어버린 주인공 연수. 평범한 사무직 직원이었던 그녀에게 십년 간의 회사생활이란 비겁한 처세술과 패배주의─자존심을 누르고 분위기를 잘 파악한 뒤 상황에 맞게 여러 개의 가면을 잘 바꾸어쓰고, 회사를 자기 인생의 전부라고 말하는 사람들이 꼭 회사를 망친다는 모토에 충실한─로 점철된 순응적 삶을 뜻하는 것이었다. 퇴사 또한, 그녀의 자유로운 의지보다는 구조조정이란 칼바람이 불어닥친 살벌한 '초특급 감시체제'에서 타율적으로 감행된 일이다. 실업자가 된 그녀는 대개의 취준생(취업준비생)처럼 대학 도서관, 구립 도서관 등을 오가며 처음으로 자신의 재능, 소망에 대해 고민하게 되고 영화 관련 일을 준비한다.

　연수가 구립 도서관에서 만난 학과 동기 '동남'은 청년실업의 한 전형을 보여주는 인물로, 졸업 후 취직한 회사에서 월급만 떼이고, 그 뒤로 영업직을 거쳐 공무원 시험 대열에 끼게 된다. 그는 부모님의 타박, 적대적인 사회적 시선 등에 괴로워하다가 결국 회사 면접에서 떨어진 후 자살에 이르게 되는데, "문제투성이인 사회와 오류투성이인 인생에 대한 비판과 비관을 오가다가" 결국 '오류투성이인 자신'을 삭제한, 우리 시대 절박한 청년 백수를 대변하고 있다.

　또 한 명의 흥미로운 백수는 연수의 아버지이다. 이년 전 정년 퇴직한 그는 처음에는 등산, 낮잠 등으로 노동으로부터 해방된 삶을 만끽하다가 한 달이 지나자 "이제는 더 이상은 못 놀겠다. 돈이 문제가 아니라 가만히 앉아서 시간을 허비하는 건 사람이 할 짓이 아니다. 나가서 막노동이라고 해야겠다"고 결심하고 젊은이 못지 않은 열성으로 이력서를 쓰고 염색을 하는 등 취업 운동을 하게 된다.

청년 백수 연수, 동남은 스펙 쌓기와 불안정한 고용의 살벌한 현실에서 자리를 잃은 젊은 노동자들의 세태들을 보여주지만, 이들에게 '직장'과 '노동'이란 연수의 아버지의 그것과 크게 다르지 않다. 환갑의 연수 아버지에게 노동이 돈벌이를 떠나 나날의 일상을 채워줄 핵심적 내용인 것처럼, 이들에게도 노동은 어떤 노동이냐의 문제가 아니라 '보통의 삶'을 보증하는 '신성한 노동'인 것이다. 물론 생계라는 절박한 문제로 인해 '놀 수 없는' 동남의 경우, '노는 법을 모르는' 노년층의 경우와 다르지만, 이들이 '출퇴근, 소속, 월급' 등으로 이루어진 회사형 인간을 지향한다는 점에서 전통적인 '직업관'을 공유하고 있다. 이들에게 실업이란, 곧 사회적, 물질적 층위를 포함한 죽음을 의미한다는 것이다.

이와 달리, 전통적인 '회사형 인간'에서 벗어난 '선영'은 생계와 개인의 자유를 유연하게 기획하는 프리터의 한 전형을 보여준다. 명문대를 졸업한 그녀는, "샤기커트에 귀고리를 두 개씩 하고 티셔츠에 카고팬츠를 즐겨"입고 '요란한 화장' '염색' 등 자유분방한 생활을 즐기는 피터팬 형 인물이다. 졸업 후 IMF 구제금융사태의 한복판에서도 대기업에 취직해 남들의 질시를 한 몸에 받았으나, 부당하게 잘린 동료의 일인시위를 목격하고 한낱 부품으로 추락시켜버리는 '기업 시스템'에 반기를 들고 회사를 그만둔다. "내 인생을 해방시켜주고 싶었어. 대기업이야 나 같은 사람 없어도 잘만 굴러가니까, 괜히 내 인생까지 바칠 필요없잖아"라고 말하고, 취직 대신 돈이 필요하면 번역일, 옷가게 운영, 액세서리 만드는 일, 클럽 디제이, 학원 강사, 포토그래퍼 어시스트, 대필 등 "자신이 하고 싶은 일만" 골라서 하며 생활을 하는 선영이야말로 '프리터'의 의미를 가장 적극적으로 실행하며 사는 청년의 표상이라고 할 수 있다. 그러나 "천재의 본성과 날라리의 습성이 공존하는 보기 드문 인간형"인 이 우아한 프리터도 어느 날, "마흔 살의 안과의사와 결혼"을 선언함으로써 그 모든 자유분방을 청산하고 어른의 세계로 진입할 것을 천명한다. 어쩔 수 없이 직장과 결혼에 목매고 있는 친구들에게 '자유'의 표상이자 '로망'이었던 선영이 밝힌 전향의 변은 다음과 같다.

"내 삶이 좀 지겨워졌어. 아니 한심해 보였다는 게 정확해. 그동안은 나이에 맞지 않게 반항하면서 살았던 것 같아. 좀 제대로 살아야겠다는 생각이 들었어. 꼬부랑 할머니가 되어도 내 맘대로 하면서 살 거라고 큰소리쳤는데 그게 똥고집이더라고. 예전에 나 어땠는지 너 잘 알잖아. 술 좋아하고 음악 듣는 게 인생의 낙이고, 하기 싫은 건 절대로 안 하고 내 멋대로 살았잖아. 세상에 길들지 않겠다고 버티면서 말이야. 그런데 내 꼴을 보니까 나이 먹기 싫어서 발악하는 거더라고. 회사 안 다닌다고 영혼이 자유로워지는 것도 아니고 나이 어린 남자 만난다고 내 나이가 진짜 어려지는 것도 아닌데 말이야. 피터팬 콤플렉스였나봐."
(179쪽)

"마약을 끊은 갱생 청소년처럼" 자신의 과거를 반성하는 이 거듭난 '웬디'는 프리터의 기획이 '다른' 삶에 대한 도전이 아니라 반동이자 일탈이었음을 고백함으로써 프리터를 비현실적인 '키덜트'의 것으로 봉합해버리고 만다. 물론 젊은이들의 세태풍속도라 볼 수 있는 이 작품이 본격적으로 '진정한 자유의 다른 삶'의 가능성을 탐색하고 있는 것은 아니지만 선영이 보여주는 프리터적 기획의 실

163

패, 동남의 자살, 노년의 고통스러운 무위, 연수의 막연한 희망 등은 '직장-백수'라는 이분법적 구도에 갇힌 현실의 완강한 시스템을 증명함으로써 그 사이의 다양한 노동과 삶의 형태의 불가능성을 드러내고 있다. 경비원, 결혼, 자살 등으로 안착하는 이들 백수들의 곤혹스러운 행진은 결국 '직장'이란 단순히 돈벌이의 방편이나 유희의 결합이 아니라 그 '이상의 것'이며, 고로 직장이 없으면 곧 죽음이라는 '신성한 노동'으로서의 전통적인 직업관을 역설하고 있는 것이다.

"나 같은 사람 없어도 잘만 굴러가는" 기업에 헌신하는 대신 "내 인생을 해방시켜주고 싶었"다는 선영의 자유의 기획, 곧 '제대로 된 직장'에의 거절이 갖는 해방의 의미를 적극적으로 탐색하고 있는 작가는 구경미이다. "하루 일과라는 게 고작 몇 시간씩 게임하고 글 조금 쓰고 다시 게임하고 심심하면 책 읽고" "친구도 안 만나고 청소도 안 하고 열두 평 짜리 집안이 행동반경"인 「노는 인간」의 주인공을 비롯하여, "잠자기와 걷기" 이외에는 재능이 없어 직장 대신 결혼을 선택해버린 「그리고 싱가포르」의 주인공, 서른일곱이 되도록 "긴 세월 동안 온갖 구박에도 굴하지 않고" 놀아온 백수 김세준(『미안해 벤자민』)에 이르기까지, 그의 소설에는 온갖 무위의 인간들이 총 출현하고 있다. "돈을 버는 행위를 경멸"하기 때문에 주변에 기생하면서 최소한의 생활을 영위하는 이 인물들이 보여주는 '권태와 무기력', '데카당스적 삶'은 자본주의로 대변되는 근대적 생산성을 일체 거부한다는 점에서 낭만적 저항성의 한 지점을 점유하고 있다.

가령, 「게으름을 죽여라」와 같은 작품에서 게으름 치료센터의 26살의 백수 주인공 '나'를 비롯해 대학교 휴학생 '미조', 고등학교 휴학생 '동화'는 "난 저 나이 때 애 키우고 살림하고 시부모 봉양하고 가게에서 허리 부러져라 곱창 구웠다. 다 큰 게 방안에서 뒹굴거리는 꼴 더는 못 본다"라고 일갈하는 '할머니'로 대변되는 기성세대에 의해 "공공의 적" 내몰린 '노는 인간'들이다. 물론 주인공 진원형이 취업 준비생이고, 다른 이들 또한 '백수'를 지향하지 않는다는 점에서 신념에 기반한 자발적 '백수'라고 볼 수는 없다. 그러나 "사회에 대해, 현대인이라면 반드시 가져야 할 '증'들에 대해 열변을 토하는" 어른들에 맞서서 "뭘 하고 싶은지 몰라서 하지 않았을 뿐"이라는 '미조'와 '동화'의 게으름은 '개발과 성장' 일변도의 경쟁사회로부터의 자유와 해방의 의미를 지니고 있는 것이다.

마흔한 살의 생애 동안 한 번도 스스로 선택한 적이 없었다며 새로운 삶을 궁구하는 「새로운 삶」의 주인공 '나'가 드럼을 배우는 것도 그러한 자유의 기획의 하나이다. 뇌전색을 앓고 공무원직을 휴직하면서 삶이 병을 통해 그에게 어떤 말을 건네고 있다고 생각하게 된 그는, 이제껏 '성적, 사회, 텔레비전'이 선택한 것에 의해 수동적으로 끌려왔던 '타인의 삶' 대신, 그만의 '개별적인 생애'를 꿈꾸게 되는 것이다. 「노는 인간」에서 작가이자 노는 인간인 '나'나 혹은 '나는 도대체 왜 살고 있는 걸까'를 끊임없이 질문하다가 생생한 삶의 현장에서 그 답을 심문하는 「초지일관 그녀는」의 '그녀'가 추구하는 것도 동일하다. 산보 나간 「노는 인간」의 주인공이 동네 주민들의 삶에서 상투성만을 보고, 현재 집필중인 〈최후의 인간 K〉에서 K를 M으로 바꾸라는 동거남의 충고에 대해 왜 K가 M이 될 수 없는지, 된다면 왜 M이어야하는지의 필연성을 묻는 것, 그리고 「초지일관 그녀는」의 '그녀'가 어디서도 살아야할 목적, 의미, 가치, 명분을 발견하지 못해 죽게 된다는 등의 이야기는 작가 구경미 인물들이 갖는 무위의 성격, 즉 보편, 평균, 일반 등으로 지칭되는 전체성을 거부한 '개별성 추구'를 보여주는 것이다. 그러나 그 무위의 삶이 어떤 누구의 강요나 타율성이 개입되지 않은 온전한 자신만의 것이고 따라서 전혀 '다른 삶'일 수는 있으나 '텅 빈 삶'일 뿐이라면?

룸펜의 고독

『사라다햄버튼』(문학동네, 2010)의 이십대 주인공은 프리터는 아니지만, 프리터적인 조건과 상황을 지니고 있는 인물이다. 방사선사였던 그는 일 년 반 동안 동거해오던 애인이 떠나버리자 곧장 회사를 그만두고 방안에 칩거하게 된다. 그러니 정확히는 백수이긴 하지만, 자발적 백수에 해당한다. 그것이 가능한 것은 어머니로부터 물려받은 스물네 평의 아파트와 삼천만 원 정도의 잔고가 있기 때문이다. 그리하여 그는 이 느닷없는 실연을 통해 '모닝커피와 지하철역으로 향하는' 일상에서 완전히 벗어나 성찰의 시간을 갖게 된다. "왜 보건대학에 들어갔는지, 무엇 때문에 하루 종일 사람들의 가슴 사진을 찍고 항문에 고무호스를 쑤셔넣고, 머리가 아플 정도로 화학약품 냄새가 지독한 암실에 들어가 필름을 현상하며 살았는지 모르겠다" "평균적인 삶이 평균적인 행복을 가져다주는 것도 아닌데 난 그것에 너무 집착해왔던 건 아닐까"라는 회의는 '모닝커피, 지하철, 엑스레이 사진, 화학약품'이 없는 삶의 모색으로 이어지고 그것은 곧 '노동하지 않는 삶'이 되어버린다.

　노동은 하지 않지만, 그의 일상이 텅 비어버린 것은 아니다. 그는 '울버햄튼'의 축구 경기를 보고 있을 때 아파트 베란다를 기웃거리다가 '나'가 먹던 '샐러드'를 맛있게 먹어치운 고양이를 벗삼아 하루를 보내고, 가끔 달러웨이라는 바에 나가 사장과 R이라는 여대생 아르바이트생과 담소를 나누기도 한다. 그럼에도 불구하고 그는 고독하다고 느낀다. 그것은 우선 그를 떠난 연인에서 비롯되는데, 갑작스레 자카르타로 떠난 알 수 없는 연인 'S와의 소통 부재도 그렇거니와 고양이 탐정이라는 사내를 통해 알게 된 길고양이 '사라다햄버튼'의 옛 주인과 '그녀'와의 의문스러운 관계 때문이다. "인간은 누구나 고독하고 외로운 존재이고, 항상 고독과 죽음에 익숙해져야 한다"라는 말을 남기고 떠난 S를 통해, 주인공은 혼자 있으나 같이 있으나 고독할 수밖에 없는 인간의 숙명을 서서히 깨닫게 된다. 친부가 아님에도 캐나다의 새로운 가정을 잠시 떠나와 그를 보살피고 그에게 가족과 타인의 소중함을 일깨우는 아버지, 어머니의 얼룩진 웨딩 드레스 이야기, 친부와의 만남, 학교수업과 아르바이트, 일본어능력시험에 치이며 살아가는 여대생 R과의 소통을 통해 '나'는 서서히 상처에서 벗어나게 되면서 타인과의 관계를 회복하게 되는 것이다. 이런 맥락에서 보자면, 『사라다햄버튼의 겨울』은 실연의 상처를 통해 타인의 의미와 관계를 탐색하고 있는 일종의 성장소설이다.

그러나 중요한 것은 그 과정에서 주인공 '나'가 "인간의 자아실현은 사회 속에서만 가능하다"는 아리스토텔레스의 말을 거듭거듭 곱씹게 된다는 것이다. 그것은 단순히 타인에 대한 성찰이 아니라, 타인과 만남의 방식에 대한 성찰로 이어진다.

"진화심리학에서는 인간이 사회성을 가질 수밖에 없는 가장 큰 이유가, 타인과 더불어 살아가는 것이 자신과 가족의 생존과 번영을 위한 최선의 방법이라는 사실을 깨달았기 때문이라고 말한다. 그렇다면 타인을 위한 마음 역시 그 기저에는 인간의 이기심이 작용할 수밖에 없다. 하지만 그 이기가 자신과 더불어 타인에게도 이로울 수 있다면 충분히 환영받을 만한 일이 아닐까? 당장 수입이 좀 줄더라도 그 줄어든 수입보다 더 가치 있는 일에서 즐거움을 찾는다면, 그 즐거움이 또한 다른 사람들에게도 쉽게 전이될 수 있는 조건을 가졌다면 더더욱……"
(80쪽)

타인의 행복이 결코 자신의 행복과 상치되는 것이 아닐뿐더러, 수입의 많고 적음을 떠나 자신과 타인에게 이로운, 가치있는 일이 있을 수 있다는 위의 인용문은, '노동'에 대한 성숙한 태도를 보여준다. 친부가 운영하는 신촌의 디자인 회사에서 아르바이트를 하면서 그가 "사회생활을 하면서 느끼는 가장 중요한 것들 중의 하나가 바로 긴장감이다. 적당한 스트레스는 인간의 정신을 맑고 건강하게 만들어준다"고 느끼는 것 또한 노동이 단순히 돈벌이나 노역이 아닌 '존재'를 가꾸어가고 실현해가는 능동적 행위임을 깨닫는 장면이라고 할 수 있다.

더러 사람들은 농담 삼아 로또복권에 당첨되면 '지긋지긋한 일을 그만두겠노라'고 말하곤 한다. 때로 진심일 경우도 있으나, 대체로 농담인 것은 생계를 위해서만 일을 하는 것은 아니기 때문일 것이다. 『사라다햄버튼의 겨울』의 주인공이 무위의 성찰에서 사회성을 곱씹는 게 되는 것은, 일을 한다는 것이 단순한 돈벌이나 생산만이 아닌 "사회 속에서 자기 존재를 인정받는다"는 것이며, '타자로부터의 배려', '타자에 대한 배려'(강상중, 『고민하는 힘』)라는 적극적인 의미를 띠기 때문이다. 그러나, 그렇기 때문에 억압적이고 지속적인 관계에 종속될 수밖에 없는 '회사형 인간'을 포기하고 적당히 거리를 둘 수도 있고, 또 내키는 대로 관계를 디자인할 수 있는 '프리터'를 지향한다면? 완전한 고독과 완전한 종속 그 사이?

존재의 이유

　강남 빌딩 숲 한가운데 있는 편의점을 배경으로 한 『담배 한 개
비의 시간』(창비, 2010)은 타인과 적극적으로 관계하는 것을 꺼려하
는 프리터의 이야기가 들어있다. 이 작품의 주요인물은 편의점에서
오전 8시까지 근무하는 주인공 '나', 야간 근무자 J, J가 좋아하고,
건너편 카페에서 아르바이트하는 '물고기를 닮은 여자', 편의점 사
장, 그리고 '나'의 과거 남자친구인 M으로 이루어져있다. 이들의 관
계는 대체로 도시의 익명성과 이동성에 기반한 '비책임'과 '조형성'
(기든스적인 의미의)을 그 특징으로 하고 있으며, 일 또한 그러하다.
타인과 일, 대체가능한 것들의 일시적 조합이 프리터의 특징이라면
이들에게 온전히 유일한 것이란 무엇일까?
　"쐐-한 표정을 보여주기 위해", 그 표정이 담배의 본질이라도 되
는 듯 담배를 피우는 J는 야간 편의점 아르바이트를 7년째 하고
있는 청년이다. 색바랜 헐렁한 티셔츠에 청바지, 밴드에 어울릴법한
외모의 그는 휴대폰도 컴퓨터도 MP3도 운전면허증도 없는 '천연기
념물' 같은 인물이다. 고등학교를 졸업하고 대학에 가지 않았고, 군
대 대신 공익근무를 할 때도 아르바이트를 계속해 온 그가 편의점
을 고집해온 것은 "의무감이 성실함" 때문이 아니라 단지 그 일을
좋아하기 때문이다. 그 이유는? 알 수 없으나 12살 때 지붕에서 떨
어진 이후, "그냥 살아있기만 해라"라는 주위의 소망대로 그냥 살
아있는 것으로 존재의 이유를 대신하고 있는 "너무 자유로운" 프리
터족이다. 언젠가 때가 되면 절에 들어가 살아보고 싶다(스님이 되
겠다는 것이 아닌)는 그는 세속적인 것들을 초월한, '자유로운 영혼'
의 1인이다.
　J가 좋아하는 '물고기 여자'는 23살로 오전에는 카페에서 일하

정은경 · 프리터, 자유의 기획?

고 밤에는 근처 피씨방에서 일한다. 그녀가 사는 어두운 반지하방은 가구가 전혀 없이 모든 것이 평면처럼 그냥 늘어져있는 이차원적 세계인데, 그녀의 삶 또한 복잡한 굴곡과 이면을 포함하지 않고 있다. 꿈꾸고, 꿈꾸는 걸 하고 또 다시 꿈꾸는 그녀에게 현실의 복잡한 지형은 무의미하기 때문이다. 주인공이 "왜 우리는 최저임금의 경계에서만 일하고 있을까?"라고 묻자 그녀는 이렇게 대답한다.

"왜냐하면, 그게 제일 마음 편하니까. 사천이나 사천오백원이나 결국엔 마찬가지야. 최저임금이 올랐다는 게 무슨 뜻인지 알아? (…중략…) 그건 바로 물가가 올랐다는 거지. 그리고 네가 좀더 나이를 먹었다는 거고. 봐봐, 다른 일 해서 한 시간에 오백원 더 벌면 뭐 많이 모으게 될 것 같지? 근데 너한테 오백원이 더 있으면, 너는 그 오백원만큼 돈 쓸 일이 더 생기는 거야. 한마디로 피곤한 거지."(91~92쪽)

더 많은 소유를 꿈꾸지 않으므로, 더 많은 일을 필요로 하지 않는 그녀는 "쓸 만큼만 벌고, 번 만큼만 쓴다"는 프리터족의 강령을 실천하며 살고 있는 '자유로운 영혼' 2인이다. 그녀는 야간 피씨방 알바를 최상의 일자리라고 생각하는데 그 이유는 "밤새 지뢰찾기를 해도 아무도 뭐라 하지 않고, 담배도 맘껏 피울 수 있기 때문"이다. 세계 일주를 꿈꾸며 "이곳을 떠나기만 하면, 그 순간부터 어디에도 머물지 않을 거야. 아주 천천히 모든 곳을 밟을 거야"라고 얘기하는 물고기 여자는 '나'라는 화자에 의하면 '그리스인 조르바'와 닮아 있다. "꿈을 꾸는 것처럼 늘 바닥에서 10쎈티쯤 둥둥 떠" 있는 듯한 그녀에게 삶은 여행같은 것이고 그렇기 때문에 사랑도 일도 깊어지면 짐이 된다고 생각한다. 사랑을 고백한 J에게 결혼했노라고 거짓말 한 것도 '가벼워지기 위해서'이다. 주인공은 그녀에게서 "자유에 대한 야생적인 행복감과 고향 없는 인간의 슬픔"을 지닌 유목민 같은 '니나'(『생의 한 가운데』)를 본다.

"기본적으로 모두에게 불친절했으나 예의가 없지는 않으며" "누구에게도 필요 이상의 감정을 드러내지 않는" 편의점 사장은 자유로운 영혼이라기보다는 사이보그형 인간이다. 알바생은 물론 손님들에게도 대체로 무심하고, 심지어 J가 교통사고로 죽었을 때도 평정심을 유지하는 그는 "늘 시원했고, 대부분은 평화로웠고, 거의 모든 게" 있는 편의점과 그 안의 아지트에서 완벽한 단독자적 삶을 살아가고 있다. 꽤 좋은 기업의 좋은 직위를 버리고 편의점 운영을 택한 사십대 후반의 사장은 타인에 관한 한 궁금한 것이 없어 사랑조차 불가능한, 개인주의적 성격을 철저히 보여주고 있다.

21살의 휴학생인 '나'가 편의점에 들어온 것은 대학 입학 후 자신이 '어디로 가길 원하는지 알지 못했기' 때문이다. "내가 움직이지 않아도 지구는 저만의 속도로 돌고 있다"며 우주와 세계를 상대로 자신의 존재 이유와 방향성을 질문하는 '나'의 프리터족 입성은 자유의 기획이 아닌, 방황의 거처쯤 될 것이다. 이 방황 속에서 그는 J와 물고기 여자, 편의점 사장들의 삶을 관찰한다. 그리고 또 한 명이 있다. 그녀의 과거 애인이었던 M. 고시원에 기거하는 M은 대학을 갓 졸업하고 취업을 준비하고 있으나 여전히 혼란을 겪고 있다. 스펙 쌓기의 경쟁 대열을 바라보며 자신을 "한 무더기의 미식 축구 선수들 사이에서 호각을 물고 서 있는 중년의 심판" 같다고 느끼는 M은 스스로를 아웃사이더라고 느낀다. 그러나 졸업 후 M은 그런 경계선 같은 건 없었으며, '뭔가가 되기' 싫었던 것이 아니라 "무언가가 되고 싶지 않아했던 자신과 헤어지는 것이 겁이 났던" 것이라고 고백한다. 주인공 '나'는 M과 만나지만 그들이 어떤 식으로든 '연루'되어 있다고 느끼지 않는다. 같이 있지만 언제나 각자일 뿐이다. 그것은 M뿐만 아니라 다른 이들과도 마찬가지이다.

주인공은 이 흩어진 개별자들의 운행을 관찰하고, J와 물고기 여자의 우연한 교통사고를 겪으면서 M과 마찬가지로 '아무것도 아닌 컨셉'으로 살아가고 싶었던 자신과 결별한다. 대신 그녀는 그 무엇도 아닌 자신이 되기로 결심한다.

"얼마 전까지만 해도 나 또한 무엇이든 될 수 있을 것 같았고, 무엇이든 할 수 있을 것 같았다. 그러나 애초에 나는 그것을 꿈꾸어서는 안 되었다. 나는 그저 점점 더 내가 되어가고 있을 뿐이다. 이제껏 그래왔듯이 앞으로도 계속. (…중략…) 나는 더 이상 나의 성장에 저항할 힘이 없다. 나는 자라는 데 지쳤다."(165~166쪽)

주인공 '나'가 '아무 것도 아닌 컨셉'을 고집했던 것은 어른이 된다는 것을 곧 타자의 욕망, 강요에 의한 순응으로 보았기 때문이다. 그것은 성장 거부의 원인이 된다. 그러나 '나'는 타인이 되는 것이 아닌 '나 자신'이 되는 성장을 발견한다. 그런 의미에서 이 소설은 청춘의 방황과 성장을 다룬 성장소설에 해당한다. 타인, 죽음, 세속의 질서 등을 겪으면서 서서히 자신을 자각해가는 청춘. 여기에서 '프리터'들은 방황의 거처이든 혹은 자유로운 영혼의 표상이든 일종의 자율성과 독립성을 지닌 근대적 '자아'의 표식을 지니고 있다. '존재의 이유'라는 뜻의 레종 담배만을 고집하는 M이 이 담배갑에 고양이 그림이 새겨진 까닭을 "도시 속에서 살면서도 야성을 버리지 않는 자유로움과 도도함 때문이래"라고 밝힌 것처럼, 이들 프리터들은 모두 세속 도시 속의 '길고양이들'이라고 할 수 있다. 이 길고양이들은 비록 빈곤한 프레카리아트이지만, 자신의 가난과 무력을 두려워하거나 원망하지 않는다. '프리터'는 그들의 독립성과 자율성을 보호하기 위한 삶의 방편이기 때문이다. 레종의 고양이가 이 작품의 핵심적인 아이콘으로 새겨지는 것은, 독립성을 숭배하는 이들의 내면의 객관적 상관물이기 때문이다. 그러나 '너무 자유로운' '니나' '조르바'로 얘기된 J와 물고기녀의 돌연사에서 추측할 수 있듯, 규제없는 자유를 지닌 '절대 자아'란 낭만적 환상에 불과하다. 이 작품의 '프리터'의 형상이란 단지 상호주체성에 바탕한 진정한 주체성이 아닌 '유아론'이라는 허위의식의 산물이기 쉽다는 것이다. 물론 그것이 성장소설이라는 성격을 지닌 이 작품이 겨냥하는, 우리 시대 청춘의 방황과 '자아발견'이라는 고전적 기대지평을 방해하는 것은 아니다.

이상에서 최근 한국 소설에서 나타난 '프리터'의 형상들을 살펴보았다. 애초에 이 글은 새로운 빈곤 계층으로 추락한 '프리터'가 아니라, 자율적으로 삶과 노동을 기획, 설계하여 '다른 미래의 삶'의 단초를 열어가는 능동적인 프리터를 살펴보려하였다. 그러나 그것은 앞서 살핀대로 '직장-백수'의 완강한 틀에서 패배한 '자유분방'이거나 장렬하게 전사하는 백수들, 혹은 고립된 룸펜이거나 청춘의 로망이기 쉽다. 그럼에도 불구하고 현실에서는 프리터가 넘쳐난다. 그들이 '다른 미래'를 능동적으로 열어가는 젊은 역군들도 아니고, 반항아도 아니고, 성장기 청년이나 낭만주의자도 아니라면? 경기침체와 고용불안정이 낳은 '미래의 노숙자'라고 단정할 수는 없다. 지금 우리 사회의 청년들은 잠정 실업인 노동자도 많지만, 2, 3년씩 내로 직장을 옮기는 이들도 대다수다. 이들의 유동성을 경기 불안과 완전 고용의 실패라고 볼 수 있을까. 차라리, 앞의 프리터족의 청년이 추구하는 자유와 더 높은 삶의 질과 피씨방, 편의점, 건설 현장, 공장 등으로 대변되는 고답적 노동 형태 사이의 갭은 아닐까? 제러미 러프킨의 '노동의 종말'은 과거 형태의 일자리가 사라지는 것, 곧 생산 노동의 종말을 뜻하는 것이다. 그가 강조하는 미래 사회의 '제3의 부문' 또는 '시민사회'라는 일컫는 '사회 공동체 서비스'란, 노동으로부터의 해방이 아니라 달라진 사회와 의식에 걸맞는 새로운 형태의 노동과 시장의 창출을 의미한다. 이런 맥락에서 이 시대 자율적 '프리터'란 이 노동의 패러다임의 변환기의 징후이자 신자유주의 노동 시장의 실패일 수도 있다. 🔳

정은경

1969년생. 문학평론가. 본지 편집 동인. 2003년 《세계일보》 신춘문예 문학평론 당선. 원광대 문예창작학과 교수. 저서로 『한국 근대소설에 나타난 악의 표상』, 『디아스포라 문학』 등이 있음.
lenestrase@hanmail.net

비루한 현실과 맞짱뜨는 소설들

장성규

비루한 현실, 비루한 비평

이제 이런 얘기를 꺼내는 것 자체가 지겹다. '88만원 세대' 담론과 청년실업 문제, 불안정 노동의 확산과 출구 없는 스펙 경쟁 등등. 이미 모두가 아는 얘기일뿐더러 더 이상 삶에 충격을 줄 수도 없는 클리쉐가 아닌가? 특히 문학의 영역에서라면 이러한 사회적 문제를 작품에 어떻게 잘 '반영'했는가라는 문제설정은 더 이상 유의미한 미적 전율을 도출해 낼 수 없다. 문학보다 더 '리얼'한 현실이 개체에게 스펙 쌓기를 강요하고 있는데 도대체 문학이 이토록 비루한 현실에 대해 무엇을 이야기할 수 있단 말인가?

그럼에도 문학이 이토록 비루한 현실에 어떤 식으로든 대응해야 한다면, 현실과 맞짱뜨는 미학적 방식을 바꿀 필요가 있다. 예컨대 2000년대 후반 급증한 '소재주의'적인 텍스트 접근이 그렇다. 몇몇 텍스트들이 백수와 루저 등을 소재로 해서 '신경향파'적 경향을 보이고 있다는 지적은 물론 타당한 것이다. 문제는 이러한 독법이 표피적인 텍스트의 인물과 소재 분석의 층위에 그치고 있으며, 이로 인해 현실과는 '다른' 미적 전율을 기획하지 못한다는 사실이다. 분명 불안정 노동을 소재로 한 많은 작품들이 발표되고 있지만 이것이 정작 '현실'에 대한 일면적 반영에 그치고 있다는 것, 그리고 비평이 이를 추수하는 것에 그치고 있다는 사실로부터 무엇을 배울 것인가?

어쩌면 고전적인 리얼리즘과의 '단절'이 그토록 강력하게 '선언' 되었음에도 불구하고, 정작 실제 현장 비평은 과거의 도그마를 한 치도 벗어나지 못한 것은 아닌가 싶다. 좋은 텍스트는 현실의 문제를 '반영'하며 문제의 본질을 '총체적'으로 드러내고, 나아가 이를 극복하기 위한 나름의 '전망'을 제시해야 한다는 도그마. 안타깝게도 텍스트의 표피적 독해에 멈추는 이러한 독법은 과거와는 '다른' 방식으로 현실과 맞짱뜨는 텍스트들의 새로움을 읽어내지 못한다. 그 결과 남는 것은 현실의 비루함을 일상적으로 실감하는 우리에게 전혀 실감을 주지 못하는 앙상한 텍스트의 인물과 소재일 뿐이다.

그렇다면 실패한 것은 비단 자본의 신자유주의적 사회 재편 뿐만이 아닐 것이다. 이에 저항하는 미학적 기획 역시 실패한 것은 마찬가지이다. 우리가 신자유주의적 사회 재편에 파산 선고를 내릴 때, 문학의 영역에서 수반되어야 하는 것은 이에 대한 미학적 대응 전략의 부재라는 엄연한 현실에 대한 치열한 성찰이다. 기존의 비평이 취했던 현실주의적 감각의 무딤과 자기 갱신의 불철저함이 이토록 비루한 현실을 타개하지 못하는 하나의 원인이라는 점은 직시할 필요가 있다.

기존의 기획이 실패했다면 바로 실패한 그 지점에서부터 새로운 기획을 시도해야 한다. 그것이 비록 완결되지 못한 문제제기의 형식에 그칠지라도 말이다. 현실의 비루함을 형상화하는 텍스트들이 존재한다면, 이를 읽어내는 비평의 몫은 텍스트에서 생성되는 미적 전율을 논리화하는 것이어야 한다. 현실의 비루함보다 더 리얼한 전율을 텍스트로부터 추출해야만 한다. 이러한 미학적 실험이 전개되지 않는다면 현실보다 비루한 것은 바로 비평일 것이다. 그리고, 지금 우리는 바로 이 지점에 서 있다.

수렴되지 않는 분노의 파토스

　김사과의 『풀이 눕는다』는 '의외로' 본격적으로 비평가들에게 논의되지 않는 감이 있다. 분명 김사과가 한국 문단에서 하나의 기호로 작동하고 있음에도 불구하고, 인상주의적인 단평 외에 그녀의 작품이 지니는 '불온함'에 대해 본격적인 논의를 진행한 비평은 찾아보기 힘들다. 특히 『풀이 눕는다』의 미학적 새로움에 주목한 비평은 거의 없는 것이 사실이다. 몇몇 단평들이 이 작품을 '88만원 세대'라는 코드와 연계시켜 논한 적은 있지만, 단순한 소재적 층위를 넘어서는 비평은 이상하리만큼 부족하다.

　분명 이 작품은 '88만원 세대'로 표상되는 비루한 현실을 배경으로 설정하고 있다. 그러나 단지 이것만으로는 해명될 수 없는 미적 전율의 계기를 『풀이 눕는다』는 내재하고 있다. 즉, 이 작품이 주목되는 것은 단지 소재적 층위에서 비루한 현실을 형상화했다는 것이 아니라, 이를 '어떻게' 형상화할 것인가에 대한 김사과 특유의 문법을 창출하는데 성공하고 있기 때문이다. 특히나 이 문법이 현실의 비루함보다도 리얼한 미적 전율의 계기를 생성하고 있다는 점

정성규·비루한 현실과 맞장뜨는 소설들

에서 김사과는 주목될 필요가 있다.

『풀이 눕는다』를 관통하는 것은 분노의 파토스이다. '나'는 모든 것에 분노한다. 이 분노는 명확한 이유를 지니지 않기에 해소될 수도 없다. 텍스트 내에서 분출되는 분노는 어떠한 대상을 막론하고 표출되며, 이 분노의 원인은 모호한 채로 남아 있다. 이와 같은 특징에 주목할 필요가 있다. '나'가, 그리고 김사과가 현실의 비루함의 원인을 완결적인 논리적 체계로 인식하고 이를 극복하기 위한 대안을 지니고 있다면 분노의 파토스는 곧 대안적 기획으로 승화될 것이다. 문제는 지금 아무도 명징하게 세계의 모순을 해명하고 대안을 제시할 수 있는 논리를 제공할 수 없다는 사실이다. 따라서 『풀이 눕는다』에서 분출되는 분노가 일관된 기획으로 승화될 수 없는 것은 필연적이다.

기실 김사과의 성과를 평가하는 기준은 이 지점에서 도출된다. 당연하게도, 그녀가 보여주는 분노의 파토스는 그 자체로서 고평될 이유는 없다. 중요한 것은 이 분노의 파토스가 텍스트 구성 과정에서 '어떻게' 형상화되며, 이를 통해 전망이 보이지 않는 현실의 비루함을 미적인 전율로 이끌어 올리는가의 여부이다. 만약 일반적인 소설의 플롯대로 분노의 표출과 이에 대한 일정한 승화(내지는 좌절)로 텍스트가 봉합된다면, 이 분노의 파토스는 그야말로 '신경향파'적인 한계를 지닐 것이며, 결국 현실의 비루함에 어떠한 균열을 제시하지도 못하는 소재주의적인 해석으로 포획될 것이다. 그리고 이는 곧 근대 소설이 지니는 기본적인 규율, 즉 사건에 대한 원인의 해명과 대안의 제시를 통한 파토스의 승화라는 규범으로 분노의 파토스가 해소되는 경우이기도 하다.

그러나 김사과는 이 지점에서 도약한다. 그녀는 이와 같은 근대 소설의 규율을 위반한다. 그녀에게 중요한 것은 적당한 수준에서 분노를 해소할 수 있는 타협안을 제시하고, 이를 통해 텍스트의 분노를 봉합하는 것이 아니다. 오히려 그녀는 분노를 타협시키는 근대 소설의 문법 자체를 전복하는 지점까지 나아간다.

『풀이 눕는다』는 일반적인 소설과는 매우 다른 구성 원리를 지닌다. 이 작품은 엄밀하게 말해서 사건을 통해 일관된 스토리를 진행시키며 이 과정에서 주제의식을 부각시키는 근대 소설의 개념으로부터 완전히 벗어나 있다. 사건에는 개연성이 없으며, 스토리라고 부를 만한 이야기가 존재하지도 않는다. 분노의 파토스가 구체적으로 지시하는 주제의식 역시 부재한 상태로 남는다. 따라서 이 작품을 근대 소설의 규범으로 평가하는 것은 큰 의미를 지니지 못한다. 오히려 김사과가 근대 소설의 규범을 위반하면서 표출하려고 했던 것은 무엇이며, 이를 위해 고안한 구성 원리는 무엇인가를 탐색하는 것이 비평의 몫이다.

거칠게 말해 『풀이 눕는다』는 일종의 극적 구성을 지닌다. 각각의 장면이 전체 플롯에 종속되는 형식이 아니라, 그 자체로 독립적인 에피소드적 구성을 지니는 형식이라는 점에서 이는 방증된다. 예컨대 텍스트 중간에 삽입되는 시나 노래 가사 등의 텍스트는 플롯의 완결성을 의도적으로 훼손시킨다. 사건은 연쇄적인 스토리로 연결되지 않으며 인물들의 행동은 즉자적인 형식으로 나타난다. 대화는 종결되지 않으며 각 장과 절의 구획은 그 자체로 독립적이다. 이러한 형식적 특성은 각각의 개별적 에피소드의 독자성을 강화시키는 효과를 낳는다. 이 작품이 극적 구성을 지녔다고 하는 것은 이러한 텍스트의 특성 때문이다.

결과적으로 이러한 구성은 분노의 파토스를 봉합시키지 않은 채 극대화시키는 효과를 낳는다. 각각의 에피소드들에서 두드러지는 것은 해명되지 않고 극복될 수도 없는 현실에 대한 분노다. 세계가 단일하게 해명되며 이를 극복하기 위한 서사가 존재할 때, 소설의 규범은 강력한 위력을 발휘한다. 그러나 그렇지 못한 시기, 소설의 규범은 분노의 파토스를 하나의 지점으로 수렴시켜 봉합하는 억압으로 나타난다. 김사과는 이러한 사실을 뚜렷하게 인식하고 있다. 비단 『풀이 눕는다』뿐 아니라 『미나』와 그녀의 많은 단편들에서 동일한 구성 원리가 사용되고 있다는 점이 이를 단적으로 보여준다.

극적 구성은 하나로 통합되지 않는 현실을 형상화할 때 유력한 효과를 생성한다. 각각의 독립적인 에피소드들을 통해 감성에 전율을 일으킬 수 있다는 점, 그 전율을 손쉽게 대문자 서사로 귀결시키지 않는다는 점에서 그러하다. 김사과의 『풀이 눕는다』가 소재주의적 차원에서 현실의 비루함을 증언하는 텍스트들과 구별되는 점이 이것이다. 그녀는 분노의 파토스를 지속적으로 생산하고자 한다.

중요한 것은 그녀의 분노는 단지 이토록 비루한 현실에 대한 것만이 아니라는 사실이다. 그녀의 분노는 종종 '나' 자신을 향해 표출된다. 그 배경에는 다음과 같은 우리의 슬픈 현실이 놓여 있다.

　다시 한번 말하지만, 그래 인정할게. 나는 회의주의자야. 가능성은 존재하지 않아. 세계는 더욱더 나빠지고 있어. 희망은 자살이란 형태로 존재할 뿐이지. 더 이상 무엇이 가능하지? 물론 체제 내에서의 이야기야. 하지만 알다시피, 체제는 견고해. 우리는 체제 내 존재야. 우리는 삼차원적 동물이라고.[1]

---

[1] 김사과, 『풀이 눕는다』, 문학동네, 2009, 228쪽. 인용한 발화는 주인공인 '나'가 아니라 안나의 것이다. 그러나 이후 '나'가 "그때 그 여자처럼 말하고 있는"(279쪽) 상황을 고려한다면 이를 나-우리의 발화로 보아도 무리는 없을 것이다.

나, 그리고 우리는 도대체 이 비루한 현실과 맞짱뜰 의지를, 그리고 강력한 무기를 지니고 있는가? 그렇지 못하다면 우리는 도대체 무엇이란 말인가? 어쩌면 맞짱을 제대로 뜨지 못하는 우리야말로 이 비루한 현실을 묵인하는 공범은 아닌가? 이러한 자의식이 분노로 표출되기에 그녀의 분노는 그 진정성을 획득하며 이로부터 우리 자신에 대한 되돌아봄의 계기를 제공한다.

그녀의 분노의 파토스는 극적 구성이라는 독창적인 문법과 결합되면서 현실에 대한 균열과 우리 자신에 대한 미적 전율의 계기를 제공한다. 합목적성에 기반한 근대 소설이 소재적 층위에 갇혀있는 지금, 그녀의 새로운 문법은 이토록 강렬하다. 김사과를 다시 읽어야 하는 것은, 그녀가 제기하는 문제가 근대 소설이 과연 현실과 대결할 수 있는가라는 본질적인 문제로까지 이어지기 때문이다. 그리고 이 문제로부터 자유로울 수 있는 비평은 존재하지 않기 때문이다.

대리 보충물을 거부하는 판타지

윤고은의 데뷔작이기도 한 『무중력 증후군』은 2000년대 문학의 징후를 정확히 보여주는 작품이다. 2000년대 문학에서 두드러지는 현상 중 하나가 환상성의 대두였음은 이미 많은 비평가들에 의해 논의된 바 있다. 그런데 환상성이 지니는 정치적 함의에 대해서는 몇몇 주목할 만한 비평에도 불구하고 아직 충분한 논의가 이루어지지는 못한 것으로 보인다. 윤고은의 『무중력 증후군』이 중요한 것은, 이 작품이 판타지마저도 유통시키는 자본의 메커니즘에 대한 뚜렷한 인식을 보여주고 있기 때문이다. 바꾸어 말하자면, 2000

년대 문학에서 두드러지는 환상성은 그것이 도출되는 컨텍스트에 대한 비판적 사유와 결합됨으로써 현실을 파열시키는 전복적 미학으로 이어질 수 있으며, 이러한 사례로 윤고은의 『무중력 증후군』이 기억될 필요가 있다는 것이다.

그녀의 첫 단편집인 『1인용 식탁』에서 주목되는 것은 현실과 판타지가 교차되면서 생성되는 대위법의 형식이다. 「인베이더 그래픽」이나 「아이슬란드」등의 작품에서 특히 두드러지는 바, 그녀는 판타지와 현실을 교차시켜 서술하는 독특한 대위법을 사용하는데 뛰어난 솜씨를 보여준다. 「인베이더 그래픽」은 등단 이후 작업할 공간을 얻지 못한 채 백화점 화장실에서 글을 쓰는 현실의 '나'의 이야기와 인베이더 그래픽의 타일을 찾아 떠나는 판타지의 '균'의 이야기가 교차되는 형식을 취하고 있다. 「아이슬란드」역시 회사의 말단 직원인 '나'의 현실과 카페 아이슬란드에서 벌어지는 '달인'의 이야기가 교차되는 형식을 취하고 있다.

기실 윤고은의 작품이 지니는 형식적인 발랄함에 비해 작품을 관통하는 정조는 매우 무겁게 설정된다. 이는 1차적으로는 백수나 루저 등의 삶이 작품의 배경으로 설정되는 것에 기인한다. 그러나 단지 이것만으로 윤고은 특유의 정조를 설명하기 어렵다. 오히려 그녀 특유의 형식적 고려가 현실에 대한 재인식을 추동하며, 이로부터 발생하는 현실에 대한 낯설음이 윤고은의 작품 전반을 관통하는 정조를 만드는 동력이다.

이토록 비루한 현실을 리얼하게 인식하려면 미적 전율의 계기가 작동해야 한다. 현실 속에서 살아가는 우리에게 현실은 현실 그 자체일 따름이다. 현실의 비루함에 균열을 내는 것은 현실과는 '다른' 삶이 가능하다는 인식이다. 윤고은의 대위법은 이러한 방식으로 현실을 낯설게 만든다. 백화점 화장실에서 글을 쓰는 청년 실업자의 삶이 현실의 비루함으로 다가오는 것은 인베이더 그래픽을 향한 예술적 열망과의 대위법을 통해 가능하다. 이 대위법을 통해 비로소 한 편의 소품과 같은 청년 실업자(혹은 소설가)의 이야기는 현실에 대한 의심을 가능하게 만드는 텍스트로 전화된다. 이 점이야말로 윤고은의 판타지가 단순히 기법적 층위의 것이 아니라 현실을 직시하게 만드는 사유의 결과임을 방증하는 것이다.

그러나 윤고은의 진정한 미적 성과는 그 너머에 있다. 그녀는 자본의 메커니즘이 판타지마저도 장악하고 있음을 인식하고 있다. 자본은 현실의 비루함을 봉합하기 위해 종종 판타지를 유통시킨다. 이에 포섭될 경우 판타지는 현실을 낯설게 직시하는 기제가 아니라, 역으로 현실의 모순을 대리 보충하는 순응적인 산물로 사물화된다. 윤고은은 이러한 위험에 대해 뚜렷하게 경고하고 있다는 점에서 기법적 층위에 함몰된 판타지적 경향과는 다른 성과를 보여준다.

사라진 아이슬란드는 다음 날 아침, 지하철역의 신문 가판대 위에서 발견되었다.

'아이슬란드 국가 부도.'

IMF, 실업 대란, 국가 부도, 그렇게 가이드북에서는 한 번도 본 적 없었던 말들이 새롭게 아이슬란드를 정의하고 있었다. 아이슬란드는 지도에서 가끔 생략되는 것이 아니라 아예 부도로 지구상에서 사라질 뻔했다. 크로나는 반값으로 가치가 하락했다. 슈퍼마켓에서 올리브유나 파스타를 사재기하는 아이슬란드 사람들의 모습이 뉴스와 신문을 통해 보도되었다. 크로나의 가치 하락 덕에 관광객들이 그곳으로 몰려간다

고도 했다. 그렇게 아이슬란드는 유명해졌다.[2]

윤고은은 『무중력 증후군』을 통해 달의 증식이라는 판타지가 실상은 시스템에 의해 유통된 판타지였음을 직시한 바 있다. 이번 단편집에서도 그녀는 「아이슬란드」를 통해 이러한 판타지의 위험을 경고한다. 비루한 현실로부터 도피하기 위해 선택된 아이슬란드는 현실의 결핍을 대리 보충하는 도구로 전락한다. 그 결과 남는 것은 아이슬란드의 국가 부도라는 엄연한 진짜 현실이다. 윤고은은 이러한 판타지의 한계를 명확히 텍스트에 기입하는 드문 작가이다. 판타지의 영역 역시 자본의 운동으로부터 자유로운 공간은 아니다. 따라서 그 전복성을 지속시키기 위해서는, 무엇보다 판타지가 현실의 대리 보충물로 사물화될 위험을 충분히 인식하는 것이다. 그녀가 보여주는 판타지와 현실의 대위법이 무게감을 지니는 것은 이 때문이다. 우리는, 안타깝게도 판타지의 영역마저도 자본에 잠식당하는 시대를 살고 있기 때문이다.

다시 맞짱을 '잘' 뜨기 위하여

결국 문학이 비루한 현실과 맞짱을 뜨기 위해 필요한 것은 미적 전율을 생성할 수 있는 미학적 고민이다. 모두가 알고 있는 비루한 현실을 소재적으로 차용하는 것, 혹은 규범적 서사로 환원시키는 것은 더 이상 우리에게 전율을 불러 일으키지 못한다. 나는 비루한 현실과의 맞짱에서 문학만의 무기가 존재할 수 있다고 믿는다. 현

2) 윤고은, 「아이슬란드」, 『1인용 식탁』, 문학과지성사, 2010, 270쪽.

실의 잉여와 결핍을 폭로함으로써 비루한 현실을 리얼하게 직시하게 할 수 있는 미학적 가능성이 존재할 수 있다고 믿는다.

자본의 신자유주의적 사회 재편이 실패로 증명된 지금, 동시에 이에 저항하는 우리 문학의 미학적 응전 역시 실패로 돌아갔음을 인정하는 것이 필요하다. 그렇다면 다른 방식으로 맞짱을 기획하는 것이 정직한 일이다. 우리에게 중요한 것은 맞짱을 뜨는 것이 아니라, '잘' 뜨는 것이다. 그리고 그 맞짱의 기술을 탐색하는 것이 비평의 몫이다. 적어도, 우리는 맞짱을 뜰 의지는 지니고 있기 때문이며, 김사과와 윤고은을 비롯한 훌륭한 파이터를 지니고 있기 때문이다. 그/그녀와의 연대를 꿈꾸는 현실주의적 비평이 절실한 시기이다. 이토록 비루한 현실 속에서 살아남기를 원한다면 말이다. 🏛

장성규

1978년생. 문학평론가. 2007년 《경향신문》 신춘문예 문학평론 당선. 주요 평론에 「상상의 형식으로 현현하는 리얼리티」 등이 있음.
68life@hanmail.net

원고 모집 안내

▮▮▮▮▮▮▮ 　비판과 매혹의 공존을 지향하는 『작가와비평』은 당대 문학에 대한 비판적 문제의식과 도전 정신, 텍스트에 대한 뜨거운 애정이 담긴 원고를 찾고 있습니다. 당대 사회, 문화 등의 문제점을 지적하고 대안을 제시하는 평론가, 작가, 다양한 저자의 글을 기다립니다. 문학평론만이 아니라 문화, 인문사회평론도 환영합니다.

▮▮▮▮▮▮▮ 　『작가와비평』은 기성 문인과 등단하지 않은 신인 모두의 글들을 환영합니다. 그리고 원고 채택에서 학연, 지연 등을 단호히 배격합니다. 오직 글로써만 여러분들의 글을 평가할 것입니다. 문단 신인들의 많은 호응을 부탁드립니다.

▮▮▮▮▮▮▮ 　원고는 가급적 이메일로 보내주기 바랍니다. 수신 확인 이메일이 오지 않을 경우 『작가와비평』 독자 자유 게시판에 문의하시기 바랍니다. 보내신 원고의 채택 여부는 한달 내에 이메일 답장이나 공지사항에 간략히 올리도록 하겠습니다. 채택된 원고에 한해 소정의 원고료를 지급합니다.

모집분야	문학평론, 문화평론, 인문사회 평론(70~80매 정도) 시, 소설, 르포, 시사만화
전자우편	writercritic@chol.com
우편주소	134-010 서울시 강동구 길동 349-6 정일빌딩 401호
유의사항	간단한 약력과 전화번호 필히 기재

말(言)들의 생사(生死)에 관하여

『오늘의문예비평』은 육박해오는 죽음을 견디며 위태롭게 생존하는 말들로 이루어졌고, 우울하게도 참 그들과 닮아 있다. 생(生)과 사(死)를 뒤바꿀 만큼 위험한 권력들에 그들처럼 내몰리고, 그럼에도 '혁명'처럼 사라지지 않기 위해 버티며, 그러나 '정의'나 '공정'이란 말처럼 불길한 생존은 되지 않기 위해 매번 안간힘 쓴다. 그렇게, 그들과 더불어, 20년을 살았다.

의미를 실종한 창백한 말들은 사라지고 말들이 더없이 온전해지기를, 그런 말들로 충만한 문학이기를, 그러한 문학도 살아가는 세상이기를 불온하게도 욕망하는 것이다.

오늘의 문예비평
Korean Critical Review

2010 겨울 **79**

http://book0485.com TEL : 051-441-0485 FAX : 051-465-0485 E-mail:book0485@hanmail.net 해설

신경숙의 시대에 묻다

손 종 업

'신경숙의 진경시대'에 대한 물음

이 세상의 모든 이야기꾼들은 끊임없이 자유와 일탈을 꿈꾸지만, 일정한 틀과 규칙을 벗어나지 못한다. 이야기의 재료도 한정되어 있다. 당연히 이 세상의 그 어떠한 작가도 독자들을 상대로 이야기를 풀어놓으면서 그다지 많은 패를 지니고 있지 못하다. 설령 그게 가능하다 하더라도 그다지 바람직하지도 않을 것이다. 오히려 위대한 작가들이란 항상 자신에게 운명적으로 주어진 일종의 개인어들을 가지고 반복하고, 변주하고, 심화함으로써 자신만의 세계를 구축하는 존재들인 셈이다. 이런 의미에서 작가들이란 전작前作의 한계 또는 영향에서 벗어나기 위해서 또 다른 작품을 시작하지만, 결국엔 자신만의 세계라는 어두운 암반에 구멍을 뚫는 존재들이라 할 수 있다.

그렇다면 이렇게 말할 수도 있으리라. 이 세상 모든 사람들이 하나같이 소설보다 더 소설 같은 삶을 살아가고, 그 중의 누군가는 운 좋게도 소설 한두 편쯤을 써낼 수 있겠지만, 지속적으로 소설을 써내면서 남과는 다른 자신만의 세계를 구축하기란 결코 쉬운 일이 아니라고. 현대의 소설가들이라면 더 불운한 존재들일 수밖에 없다. 이미 씌어진 수없이 많은 다른 이야기들과의 경쟁에서 그들은 깊이 지쳐버린 존재들이기 때문이다.

『어디선가 나를 찾는 전화벨이 울리고』(이하 『어나벨』로 약칭)의 작가 신경숙이라면 어떠할까? 이미 지적한 것처럼 이 한 편의 소설은 스스로 독자적이면서 동시에 상호텍스트적인 세계일 수밖에 없다. 작가가 이미 써낸 다른 작품들은 물론, 또 다른 작가들과 뒤섞이며 겨루며 이 작품은 만들어진 것이다. 전자로는 『외딴방』을 쓰고 『리진』을 넘어서 『엄마를 부탁해』에 이르고 있음이 지적될 수 있을 것이다. 작가의 여러 편의 소설들 중에서 굳이 이 세 편만을 거론하는 이유는 이 소설들이 그녀의 글쓰기의 전모를 드러내 줄 수 있다고 판단되기 때문이다. 『어나벨』은 명백히 이 소설들로부터 나와서 이 소설들로부터 어떤 점에서든 더 나아간 곳에서 자유롭고자 한다. 이러한 작가의 천착은, 혹은 비상은 성공적이었을까?

아마도 한 평론가의 눈에는 그렇게 비친 것 같다. 임규찬은 「청춘을 향한 공감과 연민의 인간학」(『창작과비평』 2010년 가을호)이라는 글에서 "그야말로 작가답게 삶을 산다, 마치 이 작품을 위해서 어떤 소소한 시간도 허비하지 않는 듯한 느낌이 들었다. 작품 속에 들어앉아 있는 크고 작은 이야기들을 보면 이제 작가의 일상 하나하나, 시선 하나하나가 말 그대로 작품을 키우고 있구나 하는 생각"이 들었다고 작가에게 찬사를 보내고 있다. 이 작품에서 그는 작가 신경숙의 "고집스러운 장인적 몰입"을 보고, 바야흐로 "신경숙의 진경시대"가 열리고 있음을 예고하면서 글을 끝맺는다. 다만 고

순종덤 · 신경숙의 시대에 묻다

집스러운 장인적 몰입에 대해서라면, 신경숙을 사랑해 온 모든 사람들이 공감할 만하다. 『어나벨』에서 그것은 '어딘가로부터, 불시에, 자신을 찾는, 메시지'를 수신하려는 집요한 몸짓으로 드러난다.

물론, 이때에도 작가로서 '나'가 어떤 방법론을 지니고 메시지(벨)를 찾아내는가. 그렇지 않으면 그저 수동적으로 메시지를 기다리는가의 문제가 남아있을 것이다. 실종자들은 왜 사라졌는가. 그리고 어떤 이유로 박명의 어둠 속에서 '나'에게 전화를 걸어오는가. 소위 고집스러운 장인적 몰입에도 불구하고, 작가 신경숙이 받는 전화는 작가 자신이 오래 머물렀던 세계에 속한 공허한 목소리(낭만주의)일 뿐이며 다른 세계의 신호(사실주의)는 완전히 묵살된다. 나는 단지 이 이야기가 속한 시대의 사회역사적 상황의 구체성을 말하려는 게 아니다. 앞으로 지적하겠지만, 아마 의도한 바는 아니겠지만 작가는 이러한 상황에 대해서 단지 침묵하는 데 머물지 않고, 일련의 왜곡을 초래한다. 이를 제대로 설명하려면 좀 더 먼 길을 우회해야만 하리라.

왜 쓰지 않으면 안 되었는가

『외딴방』을 통해 작가 신경숙이 자신의 제1기 글쓰기를 완성해냈다면, 『리진』이 지니는 의미는 바로 이러한 맥락에서 이해되어야만 하리라. 『외딴방』으로 소진되지 않는 그 무언가를 이 작가는 지녔던 셈이고, 그것을 방법론이라 부른다면, 나는 이것을 문화콘텐츠로서의 소설양식이라고 명명하고 싶다. 『리진』의 진정한 장점은 역사소설적인 방법의 도입에 있는 것이 아니라, 리진이라는 인물을 형상화하면서 작가가 이루어내는 장소의 발견에 있다. 이야기의 허구성이 완벽해 질수록, 그 이야기의 담지체로서의 세계가 새로운 의미체로 다가오게 되는데,『리진』에서 그 대표적인 공간은 바로 경복궁을 중심으로 한 공간 자체였다. 소설『리진』을 천천히 읽어 보라. 그러면 작가의 시선이 바로 카메라의 그것처럼 작동하고 있음을 느낄 수 있다. 그러므로『리진』은 언어로 찍은 영화의 일종이다. 그리고 이러한 문화생산을 통해서 역사의 재해석은 물론 현실공간으로서의 경복궁이 또 다른 의미의 담지체로서 빛을 발하게 된다. 독자들은 자연스럽게 소설 속으로 빠져들고, 그 결과 또 다른 눈으로 경복궁을 찾아가 바라보게 되는 것이다. 그리고 이제『어나벨』에서는 경복궁을 중심으로 한 서울 공간(주로 북촌에 해당하는)에 대한 산책자적인 탐색을 담고 있다. 그러나 이 이동은 그야말로 산책자의 것에 지나지 않으며, 방법론이 결여되어 있다. 그래서 소설 속의 공간이 서사를 품지 못하고, 주체의 선망의 대상에 머물고 만다는 점이 한계로 지적될 수 있다.

또 하나,『리진』이후에『엄마를 부탁해』를 썼고 이 작품이 커다란 반응을 불러일으켰다는 사실이 지적되어야만 하리라.『엄마를 부탁해』가 과연 좋은 작품인가라는 질문은 어쩌면 작가 자신에게서도 던져져야 하는 질문일 것이다. 분명한 사실은 이 소설이 새로운 곤경을 향해 나아가기보다는 친숙하고 상투적인 세계로 회귀하고 있다는 점이다. 작가의 시선은 엄마라는 존재 앞에서 눈 멀어버린다. 소설 속의 선명한 감정선은 세계에 대한 또 다른 사유를 철회한 결과인 탓에 자칫 감상성에 떨어질 위험성을 지닌다. 그럼에도 불구하고 이 소설이 크게 성공했다는 사실, 그 결과, 판매부수에 있어서 볼 때, 그녀가 실로 우리 소설가 중에서 외로이 무라카미 하루키의『1Q84』의 외침外侵(?)에 맞서는 존재였다는 사실을 떠나서『어나벨』을 상상하기란 어렵다. 두 말할 것도 없이 이러한 대

193

타의식이야말로 위대한 작가에게 꼭 필요한 조건이다. 작가 자신도 감히 그러한 욕망을 숨기려 하지 않는다. 「작가의 말」에서 이렇게 말하고 있는 것이다.

청소년기를 앙드레 지드나 헤세와 함께 통과해온 세대가 있었다면 90년대 이후엔 일본작가들의 소설이 청년기의 사랑의 열병과 성장통을 대변하는 것을 보며 뭔가 아쉬움을 느꼈습니다. 한국어를 쓰는 작가로서 우리말로 씌어진 아름답고 품격 있는 청춘소설이 있었으면 했습니다.

그러므로 『어나벨』은 '우리식'의 청춘소설의 자리를 꿈꾸었다. 그리고 그것은 앙드레 지드나 헤세, 그리고 특히 무라카미 하루키로 대표되는 일본 작가들과의 경쟁에 이르는 길이 아닐 수 없다. 이러한 신경숙의 꿈은 어쩌면 숭고한 것일지도 모른다. 적어도 염소가 풀을 뜯어먹듯이 무자각적으로 소설을 써내려가는 일련의 작가들에 비해서, 그는 훨씬 더 지난한 길을 걷고자 했음에 틀림없다. 그러나 이러한 의도가 『어나벨』 속에서 궁극적으로 어떻게 실현되었는가를 묻지 않으면 안 된다. 무엇보다도 다음과 같은 점에서 질문이 제기될 수 있고 이에 대한 답변이 마련되어야 한다.

1) 우리식의 청춘소설을 성취하고 있는가.
2) 영향에의 불안에서 벗어나 있는가.

첫 번째 물음에 답하기 위해서라면, 먼저 물어야 할 것들이 결코 적지 않다. 이 시대의 청춘들이 어떤 세계관을 지니고 살아가는가. 그들이 성장하는 과정에 통과제의로 제시되는 것들은 무엇인가.

그들의 꿈과 좌절은 어디서 오는가. 그리고 작가는 그러한 그들에게 어떤 메시지들을 전달하고 싶어 하는가. 결국 『어나벨』은 한 세대 이전의 작가와 이 시대 젊은이들과의 대화에 다름 아니다. 우리에게 마땅한 청춘소설이 존재하지 않는다는 이 작가의 문제의식은 타당하다. 하지만 타당한 문제의식이 소설의 존재를 보증해 주는 것은 아니다.

두 번째 물음은 이 소설이 강렬한 '대타의식' 속에 씌어졌기에 더욱 중요하다. 이 세상엔 이미 헤아릴 수 없이 많은 소설들이 존재하고 앞으로도 수없이 쏟아져 나올 것이다. 그러므로 소설을 쓴다는 행위는 갈수록 좁아지는 바늘구멍을 빠져나가는 낙타의 고역을 닮아 있다. 읽었든, 읽지 않았든 간에—후자일 경우가 훨씬 더 많겠지만—이 시대의 독자들은 훨씬 더 많은 소설의 저장고인 셈이기 때문이다. 왜 쓰는가를 더 열심히 물어야 하는 이유다. 더욱 이 소설가가 경쟁해야 할 작가를 명확히 인지하고 있을 경우에 글쓰기는 기묘한 함정에 빠지기 쉽다. 영향의 부정과 새로운 양식의 창조에의 열망은 의외로 보이지 않는 곳에서 영향에 젖어들거나 심지어는 표절에 이르곤 한다. 『어나벨』에서 작가는 은밀하게, 동시에 강렬하게 무라카미 하루키를 극복의 대상으로 삼았다. 『상실의 시대』가 그 한가운데에 놓여 있다면, 그것은 어느 정도 자신의 글쓰기의 원천을 부정하려는 작업이기도 하다. 이러할진대, 이러한 작업이 쉬울까?

영향에의 불안과 불안한 영향들

이미 지적한 것처럼 『어나벨』은 청춘소설을 목표하고 있다. 그러나 소설은 기이한 방식으로 '이 시대'에 불시착하고 있다. 소설은 "그가 나에게 전화를 걸어온 것은 팔 년 만이었다."라는 구절로 시작하고 "내.가.그.쪽.으.로.갈.게."라는 문장을 써넣는 행위로 끝난다. 갑자기 걸려온 전화를 통해 주인공 '나'는 주저하며 과거의 아픈 기억 속으로 소급해간다. 거기에서 스무 살의 주인공이 마주하는 것은 아마도 1980년대로 짐작되는 비극적 시대공간이다. 그녀의 이름은 정윤이다. 그녀에게는 어머니의 죽음이 트라우마로 남아 있다. 머지않아 죽어야 하는 것을 알아챈 어머니가 자신을 도시로 떠나보냈기 때문이다. 잠시 방황하던 그녀는 어머니가 남긴 돈을 지닌 채 대학으로 돌아온다. 왜 굳이 이런 설정이 필요했는가 하는 의구심이 없을 수 없는데, 소설의 주제와 크게 연결이 되지 않는 탓이다. 『엄마를 부탁해』의 잔영으로 받아들일 수 있을까?

그곳 낯선 강의실에서 그녀 앞에 나타나는 존재는 여러모로 주인공 '나'의 거울쌍인 그(이명서)와 그의 여자친구(윤미루), 그리고 그들의 사상적 거점이랄 수 있는 윤 교수다. 줄거리를 요약하자면 다음과 같다. 주인공은 같은 과 남학생인 이명서를 따라온 미지의 여자애를 보고 한눈에 끌리게 된다. 이름은 윤미루. 손의 상처, 철 지난 잔꽃무늬 플레어치마 같은 것들이 주인공의 눈길을 끈다. 나중에 알게 되는 그녀의 비밀은 비극적이다. 윤미루에게는 언니 미래가 있었고 윤미루의 삶은 오로지 윤미래를 흉내 내는 것이었을 뿐이다. 그런 윤미래는 발레리나가 되는 것이 꿈이었는데 우연한 사고로 그 꿈을 접고 실의에 빠져 지내게 된다. 그 사고란 무엇인가. 어느 해 여름에 주인공은 언니와 함께 외할머니댁에 가게 되었는데, 막상 도착해 보니 집이 텅 비어 있었다는 것. 사고는 비극적이지만 어딘지 어색하다. 대문을 밀치고 들어갔지만, 현관문에 자물통이 채워져 있어서 안으로 들어갈 수 없었다고. 열쇠구멍에 들어갈 만한 뾰족하고 단단한 것들로 현관문을 열려고 했지만 실패한 뒤에, 언니는 그곳 자두나무 아래에서 발레를 시작한다는 것. 그 모습이 너무도 아름다워서 동생이 눈물을 흘리자 놀란 그녀가 뛰어왔다는 것. 그리고 문을 열기 위해 무릎을 꿇었을 때 사고가 찾아들었다는 것. 작가는 이렇게 적고 있다. "내가 화가 나서 내팽개친 송곳이 마룻장으로 된 현관바닥 틈에 끼어 거꾸로 세워져 있다가 언니의 무릎에 박혀 버렸어. 언니가 현관문 앞에 등을 구부리고 고꾸라졌어."

물론 세상에는 얼마든지 이런 사고의 개연성이 존재한다고 말할 수도 있다. 그 시골집이 꼭 그랬다고. 송곳은 또 꼭 그렇게 거꾸로 세워져 있었다고. 그렇지만 발레리나를 꿈꾸던 소녀가 사고로 더 이상 발레를 못하게 되는 데에는 상상 가능한 천 개의 다른 사건이 있을 수 있지 않을까? 게다가 이게 동생 미루가 언니에게 평생의 부채의식을 지니게 되는 사건이라면 말이다.

어쨌거나, 그런 사고로 실의에 젖어 지내던 언니에게 사랑하는 남자가 생겼는데 하필이면 꽃게를 좋아하는 운동권 학생이었던 것. 하지만 그의 존재도, 그가 추구하고 언니가 따랐던 이념도 미루에겐 관심의 대상이 아니다. 그에 관한 미루의 생각은 하나의 의문일 뿐이다. "꽃게? 나는 좀 멍한 기분이었어. 언니에게 '체 게바라 평전'같은 책을 읽게 해 준 그 사람과 꽃게는 뭔가 잘 안 맞는 느낌이었거든." 그리하여 소설 속에서 꽃게는 그로테스크하게 쌓여 있게 된다. 사실 문제는 꽃게 따위가 아니다. 작가가 한 젊은이를 단 한 마디 말도 하지 못한 채 실종되게 하면서 거기에 꽃게에 대한 탐식만을 남겨 놓았다는 사실은 편파적인 게 아닐 수 없다. 그럼으로써 우리는 단지 그 젊은이의 꿈과 열망이 무엇이었는지 영원히 알 수 없게 될 뿐만 아니라, 지극히 주관적인 시선에 의해 그것을 오독하게 만들 위험성에 빠지게 될 수 있지 않을까.

그렇게 해서 실종의 비극성은 약화되고 그 자리에 오로지 실종된 그를 찾아다니는 언니의 비극성만이 도드라진다. 그러므로 실종된 그가 더 이상 이 세상 사람이 아니라는 사실에 절망한 언니가 시위대와 전투경찰이 팽팽히 대치하고 있는 거리가 내려다보이는 빌딩 옥상에서 스스로 온몸을 불살라 분신자살을 기도할 때, 그 비극성은 그 장면을 바라봐야 했던 미루에게 한정된다. "어떻게 그런 일이 있을 수가 있어!"란 고함을 통해 우리가 가닿는 곳은 실종의 비극성이 아니라, 너무나도 선명하게 묘사된 분신의 아픔일 뿐이다.

이보다 중요한 것은 미루조차 현실에 적응하지 못한 채 낡은 집에 스스로를 유폐한 채 굶어죽는다는 사실이다. 그녀가 죽음에 이르는 이유는 더 이상 그녀가 머물 수 있는 과거의 공간이 없다는 사실에서밖에 찾을 수 없다. 이를 두고 청춘소설이라 부를 수 있는 이유는 어디에 있을까? 이러한 사건을 통해 주인공 '나'는, 그리하여 이 시대의 청춘들은 어떤 자기 성숙과정을 거치게 되는가? 소설의 맨 끝에 남겨지는 문장 "내.가.그.쪽.으.로.갈.게."는 성숙의 선언이라기보다는, 시간의 흐름이 가져다준 망각에 가깝다.

또한, 소설 속의 세계는 타자에 대한 구체적인 탐색을 포기한 채 이 세계에 대한 주관적인 열망만을 드러낼 뿐이다. 소설 속에서 인물들이 마주한 폭력에는 얼굴이 없다. 마찬가지로 소설 속 인물들에게도 각자의 표정이 존재하지 않는다. 그래서인지 소설 속의 주요인물인 윤 교수와 주인공인 정윤, 그리고 그의 짝패인 윤미루가 모두 동일한 글자를 품고 있다. 이름만 비슷한 게 아니라 성격마저도 서로 깊이 닮아 있다. 그러므로 그들은 성숙하는 게 아니라 이미 결정되어 버린 존재들이다. 그들이 할 수 있는 일이란, "모

정점 미학

198

르는 사람을 백 명쯤 껴안는" 행위일 뿐이다. 도대체 소설 속 젊은
이들의 이러한 투쟁은 어떻게 이 시대의 젊은이들에게로 연결될
수 있을까?

그렇다면 형식면에서는 어떠할까? 『어나벨』은 현재-과거-현재의
구조를 취하고 있다. 소설 속에서 특정한 시점에 과거로의 소환이
이루어지는 방식은 이미 너무도 상투적이어서 굳이 영향관계를 물
을 수 있는 게 아니다. 그럼에도 불구하고 이러한 형식은 너무도 명
백하게 무라카미 하루키의 『상실의 시대』를 떠올리게 만든다. "서
른일곱 살의 그때, 나는 보잉 747기의 좌석에 앉아 있었다."로 시
작되는 이 소설이 실상은 "18년이라는 세월이 흘러버린 지금에 와
서도 나는 그 초원의 풍경을 선명하게 떠올릴 수가 있다."란 진술
을 통해 18년 전의 과거로 나아가는 것이라면, 『어나벨』에서는 8년
만의 전화라는 점이 다를 뿐이다. 그런데 소설이 씌어지는 시점에
서 이야기의 시대배경이라 짐작되는 1980년대를 염두에 둘 때 8년
이라는 시간은 차라리 불가사의한 느낌을 주는 게 아닐런지. 18년
에의 영향에 대한 불안이 8년이라는 시간을 낳게 했다면, 이 8년이
라는 세월은 시대감각의 결여를 초래하는 것이 아닐 수 없다.

이외에도 『어나벨』이 지닌 또 하나의 형식적 특성이 지적되어야
할 것 같다. 이 소설은 전화연락을 통해 과거를 회상하게 되는 과
정을 다룬 프롤로그 다음부터 각장이 대부분 주인공인 정윤이 일
인칭 시점으로 자신에게 벌어졌던 일을 회상하는 대목과 갈색노트
라는 제목으로 수기 형식의 글들 또는 고향친구 단의 편지글들이
교직되어 있다. 그 글들은 다른 시점으로 사건들을 기술하려는 목
적을 지닌 것이지만, 그 목적은 애초에 모호한 것이다. 갈색노트는
다음과 같은 말로 시작한다. "나는 무엇 때문에 이렇게 써보려고
하는 거지? 할 말이 궁색하다. 모르겠다. 이전보다는 성숙하고 정

련된 사유의 결정체가 쓰이길 희망해볼 뿐이다." 하지만 소설 속에서 이 성숙하고 정련된 사유의 결정체는 실현되지 않는다. 오히려 주인공인 정윤과 이명서가 지닌 근친성으로 말미암아 이러한 형식적 시도는 소설의 구조적 통일성을 훼손할 뿐이다. 더욱 심각한 것은 이러한 서술방식이야말로 『1Q84』에 이르도록 무라카미 하루키가 집요하게 변주하고 있는 바로 그러한 형식이라는 점이다. 다시 말하건대, 이러한 형식적 유사성이 문제가 아니다. 다만 이러한 형식을 통해서 작가가 무엇을 성취할 수 있었는가하는 점에 주목해야 한다면, 『어나벨』의 교차시점 서술은 서술자 각자의 개성적인 목소리를 들려주지 못하고 있다는 점을 지적해야 하리라.

길 끝에서 다다른 하나의 철학

그래도 이 소설에는 시선을 끄는 두 가지 요소가 남아 있다. 그 하나는 이 소설이, 주인공이 머물게 된 서울이라는 도시에 대한 고현학적 탐사를 다루고 있다는 점이다. 어머니의 죽음 이후 고향에 머물다가 다시 서울로 올라오면서 그녀가 한 결심이란 서울에 대해서 더 잘 알고자 하는 것이다. "일 년만에 이 도시로 다시 돌아오면서 나는 이 도시를 알아야겠다고 결심했다. 그러기 위해서 이 도시 구석구석을 내 발로 걸어다녀야겠다고." 하지만 실질적으로 이러한 탐사는 이미 『리진』에서 조명된 바 있는 경복궁이나 몇 개 도시풍경에 대한 피상적인 관찰 혹은 찬탄에 머물고 만다.

"이 도시를 알기 위해 걷기로 한 것은 잘한 일이었다. 걷는 일은 스쳐간 생각을 불러오고 지금 존재하고 있는 것들을 바라보게 했다. 두 발로 땅을 디디며 앞으로 나아가다보면 책을 읽고 있는 듯한 느낌이 든다. 숲길이 나오고 비좁은 시장통 길이 등장하고 거기에는 나를 모르는 사람들이 말을 걸고 도움을 청하고 소리쳐 부르기도 한다. 타인과 풍경이 동시에 있었다."라는 진술은 얼마나 성실하게 지켜지는가. 실제로 소설 속의 타인과 풍경은 너무나도 신경숙다운 풍경에 지나지 않을 뿐이다. 그러므로 소설 속에서 주인공이 애초에 지녔던 사유체계는 확인되는 것일 뿐, 변화되지 않고, 실천되지도 않는다.

그 길 위에서 그녀가 만나서 이야기를 나누는 유일한 대상은 꽃집 아주머니이다. 그녀는 그들에게 묻는다. "젊은이들도 시위하고 오는 중이야?" 물론 그녀는 시위 안 해도 되는 세상을 물려주지 못해 미안하다고 말한다. 하지만 시위를 계속하면 우리도 시위를 하려고 한다고 말한다. 시위를 하지 말라고. 그런데, 이때 이 '우리'라는 말은 돌연한 것이다. 어쩌면 산책자로서의 주인공에게는 판단중지가 요구되었던 것인지도 모른다. 그렇다면 그녀는 이와는 다른 목소리들도 수없이 들었을 터. 꽃집 아주머니의 말은 그 수없는 목소리 중의 하나에 지나지 않는다. 그러나 저자는 그 목소리를 슬그머니 추상화되고 집단화된 '우리'의 자리에 놓고 만다. 그래서 소설가는 주인공으로 하여금 꽃집아주머니의 말을 끝까지 듣게 하지만, 정작 그녀가 하는 '우리'의 말을 들어야 할 사람은 주인공이 아니다. 주인공은 그저 책을 읽듯이 도시를 산책하는 존재에 지나지 않기 때문이다. 그러므로 그들의 말들은 서로 부딪치지 않는다. 결과적으로 당대를 살았던 타인과 그곳의 풍경들은 거의 드러나지 않는다. 우물 속의 산책이랄까?

그 결과, 소설 『어나벨』은 한 시대의 전모를 드러내지 못하고 있을 뿐만 아니라, 지속적으로 하나의 사상을 반복적으로 피력하고 있다. 그리고 그 핵심에는 윤 교수가 존재한다. 이렇게 볼 때 소설의 핵심에는 하나의 철학과 하나의 사건이 남게 된다. 그 하나의 철학이 윤 교수에 의해 개진되는 '크리스토프'론이라면, 이 세상 전체를 짊어지는 것으로의 삶에 대한 이러한 통찰은 실은 윤미루가 경험한 비극적 사건에 한정되는 의미를 지닐 뿐이다. 크리스토프에 대해서 말해 보자. 그것은 예수님을 업고 강을 건너서 구원을 받은 사람 이야기로 요약된다. 이 이야기를 통해 윤 교수(작가)가 하고 싶은 이야기란 한 시대를 살아가는 사람들 모두가 각기 크리스토프들이라는 것, 그러므로 강물이 불어났다고 해서 강 저편으로 아이를 실어 나르는 것을 멈춰서는 안 된다는 것. 그렇다면 강을 가장 잘 건너는 법은 무엇이겠는가.

서로에게 크리스토프가 되어주는 것이네. 함께 아이를 강 저편으로 실어 나르게. 뿐인가. 강을 건너는 사람과 강을 건너게 해주는 사람이 따로 있는 게 아니라네. 여러분은 불어난 강물을 삿대로 짚고 강을 건네주는 크리스토프이기만 한 게 아니라 한 사람 한 사람이 세상 전체이며 창조자들이기도 해. (…중략…) 그러니 스스로를 귀하고 소중히 여기게.

오랜 세월이 흐른 뒤에 주인공은 비슷한 자리에서 윤 교수의 이 말을 반복한다. 그러므로 이 크리스토프론이야말로 이 소설의 핵심적 사상이자, 작가가 이 시대의 청춘들에게 해 주고 싶은 말의 핵심이라 할 수 있다. 그리고 윤 교수는 그러한 사상의 실천자다. 그러므로 그의 행적을 조금 더 따라가 보는 게 좋겠다. 윤 교수는 독신이며 젊었을 때 펴낸 두 권의 시집을 제외하면 윤 교수의 유일한 산문집은 사적 생활에 대한 언급이 일체 없는, 시에 대한 몽상들로 이루어진 책이다. 실제로 소설 속에서는 그의 사적인 삶에 대해 거의 언급이 없다. 그는 어느 날 불쑥 학생들에게 한 장의 편지를 남긴 채 학교를 떠난다. "살아 있으라. 마지막 한 모금의 숨이 남아 있는 그 순간까지 이 세계 속에서 사랑하고 투쟁하고 분노하고 슬퍼하며 살아 있으라."로 끝나는 편지는 실로 감동적이다. 하지만 그의 삶이 그런 것인가는 의문이다. 그가 짊어져야 했던 짐은 윤미루가 죽고 나서 정윤과 이명서가 윤 교수의 집을 찾아갔을 때 드러난다. 서른이 되기 전의 젊은 날에 그는 많은 시간을 함께 보낸 여자 친구에게 편지를 받는다. 그리고 그 편지봉투 속에는 열쇠가 들어있다. 뒤늦게 찾아간 그녀의 집에서 그는 목을 매고 죽어 있는 그녀를 발견한다. 이 이야기는 『외딴방』의 핵심에 자리 잡고 있는 사건과 얼마나 유사한가. 물론 이미 지적한 것처럼 한 작가에게 주어진 이야깃거리는 그렇게 무한정한 게 아니다. 다만 소설 속에서 묘사되고 있는 세 개의 비극적인 죽음이 모두 자폐적인 것이라는 데에 문제가 있지 않을까? 그리고 그 죽음들에는 당대와의 투쟁이라는 크리스토프론의 핵심이 결여되어 있음을 문제 삼을 수 있을 것이다.

물론, 크리스토프론은 삶이 각자가 짊어져야 할 하나의 비극적 과제라는 것을 전제하고 있었다. 아마도 1980년대의 젊은이에게도, 이 시대의 젊은이에게도 그것은 다를 바 없을지도 모른다. 하지만 소설 속의 죽음들이 이 시대의 젊은이에게 환기하는 바는 도대체 무엇일까? 이러한 물음에 제대로 답하지 못할 때 소설은 다시 신경숙이라는 자폐적인 세계로 나아갈 수밖에 없다. 삶을 짊어지고 가기 위해 그들은 어떤 노력을 하면서 성숙해 가는가. 그러므로 소설은 그러한 비극들을 어떻게 규명하고 극복해 나가는가가 최종 과제가 될 터이다. 당연히 그것은 그들이 크리스토프임을 드러내는 일이 되어야 하리라. 하지만 소설에서 그들의 노력은 오로지 과거로 회귀할 뿐이다. 1980년대를 살아야 했던 특정한 관점에 갇혀버리는 것이다. 그리고 그것이야말로 소설 『어나벨』을 퇴행적인 글쓰기에 머물게 한다. 과거의 시대가 지닌 비극적인 사건은 이미 『외딴방』에서 훨씬 더 효과적으로 기술되었던 것이다. 그렇다면 이 시대의 청춘소설로서의 의미란 사라져버리고 만다.

이런 의미에서 윤 교수의 방에 놓여있는 책등을 안으로 해서 꽂아놓은 책장은 상징적이다. 서른셋이 되기 전에 세상을 떠난 저자들의 책은 대문자로서의 책을 지향한다. 그것들은 불살라 없어지지도 않고, 부정되지도 않는다. 그러한 책들은 현실을 초월하며 신비주의화한다. 그러므로 성인成人으로의 통과제의는 이루어지지 않는다. 아이는 이미 어른이거나 어른이 되는 길이 아예 존재하지 않는다. 그러므로 소설 속에서 두 개의 메시지는 서로 충돌한다. 권력에 의해 힘 없이 파괴되어 실종의 길을 걷는 자들의 비극은 이 충돌 속에서 기묘한 자리에 놓이게 된다. 그들도, 그들을 그렇게 만든 존재들도 구체화되지 않는다.

이러한 작가의 관점이 착종된 형태로 나타난 것이 고향친구 단의 의문사다. 소설 후반부에 존재하는 주인공 정윤의 '면회'는 단의 자살을 연상시키기에 충분하다. 그런데도 이후에 그녀는 그가 의문사했을지도 모른다고 주장한다. 물론 충분히 그럴 개연성이 있을 수도 있다. 하지만 소설의 주제를—만일 그런 것이 존재한다면— 한 비극적인 시대에 실종된 사람들의 삶에 두었다면, 그래서 어디선가 들려오는 벨소리를 들어주는 일이 작가로서의 책무를 뜻하는 것이라면, 굳이 그런 상투적인 면회 장면을 배치할 필요가 있었을까?

그렇게 두 개의 상이한 사건이 결합됨으로써 한편으로는 그들 존재의 미성숙함이 드러나고, 다른 한편으로는 실종이 지닌 폭력성이 희미해져버리는 결과를 초래하고 만다. 그리고 그러한 자리에 윤 교수에 의해서 언표되는 "폭력에 이로운 문장은 단 한 문장도 써서는 안 된다."는 선언이 자리 잡는다. 그 자리에서 우리는 이렇게 묻게 된다. 『어나벨』은 그러한 정신을 어떻게 실천하고 있는가라고. 외딴 겨울 산 속에서 나뭇가지마다 무겁게 쌓인 눈을 털어주는 일이 그것이라고 말할 수 있을지도 모른다. 하지만 삶 속에서 폭력성의 문제가 그렇게 간단할 수 있을까? 가령, 꽃집 아주머니의 주장은 데모가 초래하는 폭력성을 지적하고 있는데, 이러한 논리에는 또 다른 폭력성이 존재할 수도 있는 게 아닐까?

결과적으로 이러한 세계는 작중인물인 미루가 고수하는 '잔꽃무늬 플레어치마'로부터 그리 멀지 않다. "어둠 속 길 건너 큰길에 무엇이 펄럭인다고 여기다가 퍼뜩 나는 고개를 들었다. 펄럭이는 게 윤미루의 플레어치마여서, 윤 교수의 연구실로 가던 날의 풍경이 일순간에 스쳐 지나갔다. 그와 윤미루가 느티나무 아래를 걸어올 때 뒤에서 부는 바람결에 앞으로 부풀어 오르던 그 잔꽃무늬 치마. 기묘하게 주변의 모든 것과 부조화를 이루고 불안을 자아내며 눈에 띄던 그 치마였다." 신경숙 소설에서 이 플레어치마가 얼마나 집요하게 여성적 존재성을 상징하는가는 그의 소설을 읽어온 독자라면 누구나 쉽게 눈치챌 수 있는 것이리라. 문제는 한 작가의 내부에서 하나의 상징이 상투화될 수도 있다는 사실이 아닐까? 그래서 그것은 진부함을 넘어서 자기표절에 이를 수도 있다는 사실. 더욱이 『어나벨』이 목표로 했던 것이 이 시대의 청춘소설이라면 플레어치마를 그들에게 입히기 위해서는 더 많은 고민과 배려가 존재했어야 했다. 적어도 『외딴방』을 쓰고도 다시 『어나벨』을 써야 하는 이유를 작가 스스로 물었어야 하지 않을까?

결국, 이러한 질문에 제대로 답변하지 못할 때 『어나벨』에는 숨길 수 없이 드러나 버린 경쟁의식만이 존재한다. 일본에 『1Q84』를 써낸 하루키가 있다면, 한국에서도 그에 맞설 존재가 필요했다. 『엄마를 부탁해』가 그것이 될 수 없음은 물론이다. 그렇다고 해서 신경숙이 『1Q84』와 같은 소설을 쓸 수 있는 것도 아니다. 그러므로 작가는 결연히 『상실의 시대』의 자리를 원했다. 그러나 결과적으로는 장마다 다른 서술자가 등장하는 하루키적인 방식이 끼어들었고, 『상실의 시대』와의 본질적 유사성에 빠져 들었다. 하루키의 영향에 노출된 『외딴방』이 『어나벨』이 되어 버린 것이다.

늦게 도착한 기차냐 일찍 눈뜬 검은 눈동자냐

그의 출세작 『풍금이 있던 자리』로부터 작가 신경숙에게는 하나의 의혹이 따라붙었다. 물론 그녀는 집요하게 새로운 글쓰기를 추구했음에도 불구하고, 그 의혹은 여전히 그의 소설들 주변에서 떠돈다. 요컨대 그의 새로움이란 무엇인가하는 문제. 이 질문은 단순히 그 새로움이 우연의 소산인가 아니면 의식적인 추구의 산물인가에 머물지 않는다. 의혹의 일부는 그녀의 새로움이 실은 늦음에서 연유하는 시대착오적 감각일 수도 있다는 데서 온다. 소위 1980년대라고 불리는 치열한 근대적 투쟁의 뒤안에 놓인 풍금이 주는 느낌이란 무엇인가. 그것은 혹시 탈근대의 역에 당도한 낡은 기차 같은 것이었을지도 모른다는 의혹.

만약에 그렇다면 그녀 소설의 새로움은 무자각적인 것일 수밖에 없고, 그것은 결과적으로 소설철학 내지 방법론의 결여로 귀결될 수밖에 없다. 몇 가지 눈부신 성과들—『외딴방』이 그렇다—에도 불구하고 이러한 의혹은 완전히 해소되지 않았다. 다시 말하자. 소위 '신경숙의 진경시대'가 도래한 것처럼 보이는 이 순간에도 아이러니하게도 이 작가의 존재증명은 이루어지지 못했다. 수많은 독자들이 그녀 소설을 애독한다는 사실도 의혹을 잠재우진 못한다. 어쩌면 '낡은' 감각들이 그저 '친숙한' 공감을 불러온 것일 수도 있으니까. 결국, 여전히 신경숙은 다음과 같은 질문에 답해야 하는지도 모른다. 소설이란 무엇인가. 이 시대에도 소설이 존재하는 이유는 무엇이고 한국어로 소설을 쓴다는 행위가 지니는 의미란 무엇인가. 왜 이런 질문을 던져야 하는가. 그것은 바로 『어나벨』이 지닌 시대착오적 감각, 여전한 유폐의 이미지 때문이다. 역사로부터 소재를 가져온 『리진』은 예외다. 그러나 『엄마를 부탁해』로부터 『어나벨』에 이르는 글쓰기는 분명히 퇴행적인 그 무엇이다. 그의 동시대인들이 정교하게 세공된 감각적인 그녀의 언어로부터 얻어낼 수 있는 삶의 감각이란 무엇인가. 그리하여 다시 이렇게 묻게 된다. 아주 오래된 무라카미 하루키의 『상실의 시대』가, 또는 그의 『1Q84』가 제공하는 삶의 이미지가 실은 이 시대의 청년들에게 더 가까운 것이 아닐까라고. 그렇다면 『어나벨』은 그 진지한 몸짓에도 불구하고 실패한 것일지도 모른다.

그런 전화를 상상해 보자. 한없이 간절한 소통에의 열망에도 불구하고 오로지 자신의 목소리만 들을 수 있는 전화를. 어쩌면 그랬기에 『어나벨』에는 단 한 번도 낯선 타인의 목소리가 들려오지 않았던 게 아닐까. 그 우물 속에서의 성장이란 한낱 환상에 지나지 않았던 것일 수도. 그렇다면 우리는 이렇게 물을 수 있지 않을까? 과연 이 시대가 과연 신경숙의 진경시대일까? 소설의 위기 담론 속에서 절망하다가 『1Q84』의 엄청난 판매부수에 놀라고, 그래서 찾아낸 우리 소설의 경쟁자가 신경숙일 수 있는 것일까? 물론 판매부수로 어떤 작품의 가치를 판단할 수도 없고 그래서도 안 된다. 이곳에서 이야기할 수는 없겠지만, 나는 몇 가지 이유에서 하루키의 『1Q84』도 훌륭한 소설일 수 없다고 생각한다. 신경숙에게 서도 마찬가지다. 나 또한 오래 전부터 작가 신경숙의 "고집스러운 장인적 몰입"에 대해서 충분히 존경하는 마음을 품고 있다. 그렇지 않다면 그의 소설을 빠짐없이 챙겨 읽었을 리 없다. 그러나 이 시대 의 어느 작가가 그러한 몰입 없이 소설을 써낼 수 있을까?

이제 우리는 결론을 향해 나아가야 한다. 『어나벨』을 비롯한 신 경숙 소설들은 거의 예외 없이 미래를 보여주지 못한다. 그의 상상 력의 뿌리는 농경사회에 놓여 있고 그녀의 의상은 낡은 플레어치 마다. 신경숙 소설이 빛나던 순간들은 이런 낭만적인 상상력으로 현대사회의 비인간성에 맞서는 순간에서 왔다. 그런데 『엄마를 부 탁해』 이후에 모성이 사라져버린 곳에 작가에게는 새로운 모색이 필요해졌다. 이제 자신이 속한 세계를 이야기하지 않으면 안 되었 던 것. 그리고 소설 속의 '나'는 방법론적으로 탐색되어야 했다. 그 런데 아쉽게도 『어나벨』에서 작가는 그저 거울놀이를 통해 '나'를 분산시켜 놓았을 뿐이다. 그러자 그 세계는 과거도, 현재도, 미래도 아닌 것으로 전락했다. 시간은 일그러져 버렸다. 거기서 청춘은 나 이를 잃은 유령과도 같다. 圉

손종업

1963년생. 문학평론가. 1995년 《동아일보》 신춘문예 문학평론 당 선. 선문대 교수. 평론집으로 『문학의 저항』, 『분석가의 공포』가 있음. sju63@chol.com

철거민의 절규와 계급전쟁, 그리고 문학적 대응

최 강 민

용산참사 사건과 악순환의 도시 재개발

2009년 1월 20일. 경찰특공대가 강제 진압하는 과정에서 망루가 불타 무너지면서 철거민 다섯 명과 경찰특공대 한 명이 사망했다. 우리는 그것을 '용산참사 사건'이라 부른다. 6명의 목숨을 빼앗아간 용산참사 사건은 사회에 큰 반향을 일으켰다. 하지만 만약 사람들이 그렇게 희생되지 않았다면 용산참사 사건이 그렇게 큰 사회적 울림을 주었을까. 비록 용산참사 사건처럼 철거 과정에서 사람들이 대거 사망하지 않았지만 용산참사 사건과 유사한 강제 진압과 망루를 기반으로 한 철거민의 저항은 계속되고 있다. 이것은 언제든지 제2의 용산참사 사건이 재발할 수 있음을 의미한다. 천하의 바보가 아니라면 살아있는 자들은 이 죽음의 행진을 멈춰야 할 의무가 있다. 그것이 죽은 이들의 넋을 위로할 수 있는 유일한 분향이다.

한국이 도시 재개발을 본격적으로 시작한 시기는 1970년대이다. 해방과 한국전쟁을 거치면서 무허가로 지어졌던 시설에 대한 철거가 근대화의 도정 속에 이루어졌던 것이다. 도시 재개발은 기존의 시설을 철거하고 주택 개량, 도로의 확장, 근대적 문화시설 조성 등을 목표로 한다. 이것에서 보듯 도시 재개발 사업 자체가 문제가 있는 것은 아니다. 문제는 도시 재개발이 가진 자 중심으로 이루어지면서 못 가진 자의 생존권을 위협하는 차원으로 진행되었기 때문이다. 1971년 광주대단지 사건은 도시 빈민들이 자신의 생존권을 수호하기 위해 벌인 자연발생적 민중의 저항 운동이었다. 국가 주도의 도시 재개발은 1970년대 말부터 민간 주도의 형태로 변화한다. 민간 주도의 합동재개발방식은 세입자를 제외한 토지 및 가옥 소유자가 일정한 계약조건 하에 주택건설업체를 참여시켜 사업을 추진하는 형태이다. 민간 사업자에 의해 도시 재개발이 진행될 때 무엇보다 중요한 것은 사업의 수익성이다. 도시 재개발이 진행되면서 건설 자본은 도시 재개발을 통해 막대한 이윤을 얻었고, 토지 및 건물 소유주들도 보상금 내지 아파트의 가격 상승 등을 통해 부를 획득했다. 반면에 못 가진 자들은 살던 곳에서 쫓겨나 또 다른 지역으로 이전해야 하는 도시 난민으로 전락했다. 이주한 철거민들은 도시 재개발의 진행 속에 또 다시 철거민이 되는 악순환에 시달려야 했다. 어디에도 기댈 곳이 없는 철거민들은 생존하기 위해 악착같이 싸울 수밖에 없었다. 이 과정에서 도시 빈민들은 용역깡패의 폭력과 경찰의 강제진압 속에 부상을 당하거나 심지어 목숨을 잃는 사태가 발생하기도 했다.

인권 운동가, 진보적 지식인, 철거민들은 지속적으로 도시 재개발의 문제점과 철거민의 절박한 현실을 대중들에게 알리고자 노력했다. 문학에서 조세희는 1970년대에 『난장이가 쏘아올린 작은 공』을 통해 철거민의 문제를 대중적으로 전파시켰다. 조세희의 소설 이후로도 도시 재개발 속에 수많은 난쟁이들이 탄생해야 했다. 이들 난쟁이들은 국가와 자본이라는 거인의 일방적 토끼몰이식 폭력 속에 끊임없이 주변으로 내몰렸다. 그렇다면 조세희 이후 후배 작가들은 『난장이가 쏘아올린 작은 공』을 뛰어넘는 문학적 상상력을 제대로 보여주었을까. 나는 이 질문에 대해 자신 있는 답변을 할 수 없다. 과연 오늘의 문학이 철거민의 절박한 문제를 지속적으로 치열하게 형상화했는지 의문이 아닐 수 없기 때문이다. 당대 문학은 칙릿소설, 가족소설, 애정소설, 역사소설 등에 애정을 쏟으면서 정작 당면한 현실의 절박한 아픔을 형상화하는 데에 무관심 했던 것이 사실이다. 그나마 2009년 용산참사 사건을 계기로 철거민의 현실을 그린 작품이 일부 나오고 있는 실정이다. 2010년에 발간된 주원규의 『망루』, 손아람의 『소수의견』, 한수영의 『플루토의 지붕』, 황정은의 『백의 그림자』 등은 재개발의 문학적 상상력이 낳은 최근의 성과물이다. 도시 재개발의 문제점과 철거민의 절박한 현실을 말하는 것은 문학만이 아니다. 만화가들이 모여 만든 『내가 살던 용산』(2010), 르포 모음의 『여기 사람이 있다』(2009), 영화로는 양윤호의 〈홀리데이〉(2005)·박철웅의 〈특별시 사람들〉·윤제균의 〈1번가의 기적〉·정영배의 〈방울토마토〉(이상 2007)·양익준의 〈똥파리〉(2008) 등이 있다. 나는 이 글에서 문학을 중심으로 도시 재개발과 철거민의 문제를 집중적으로 조명할 것이다. 특히 『망루』와 『소수의견』에 비평의 초점을 맞출 것이다. 나는 이 글을 통해 궁극적으로 도시 재개발이 어느 일방만 혜택 받는 로또당첨이 아니라, 더불어 살아가는 공존의 재개발이 되는 데에 보탬이 되고자 한다. 이런 점에서 내 글은 이 소망을 이루기 위한 작은 투쟁이다. 도시 재개발이 더 이상 사회 양극화 현상을 증폭시키고, 철거민을 배제하는 가진 자들만의 축제가 되어서는 안 된다.

도시 개발 잔혹사와 철거민의 저항

나는 문인이다. 한 마디로 글을 써서 일정한 돈을 원고료로 받는 사람이다. 그렇다면 적어도 일반 사람들보다 글을 잘 써야 한다. 하지만 요즘 느끼는 것은 글에 대한 자괴감이다. 나는 전문적으로 글을 쓰는 문인들보다 일반인들의 말에서 오히려 더 진한 감동을 체험한다. 화려한 수식 어구와 서구의 이론을 현란하게 구사하지 않음에도 불구하고 그들이 전하는 진실된 언어들은 큰 울림을 생산한다. 이것에 대해 나만이 아니라 많은 문인들이 각성해야 하는 것은 아닐까? 수사적 언어의 늪에 빠져 정작 중요한 삶의 진실을 외면하거나 망각하고 있었던 것은 아닌지. 나는 철거민들이 직접 등장하여 자신의 이야기를 한 『여기 사람이 있다』라는 책을 읽고 반성과 성찰의 시간을 가졌다. 물론 이들의 목소리는 전문적인 채록자에 의해 구어체에서 문어체로 변신했다. 하지만 이것이 철거민들의 직접적 목소리를 왜곡시켰다고 보기는 힘들다. 나는 그들의 말을 내 문체로 요약 정리해 표현하기보다 진솔한 목소리를 발췌해 직접 듣는 것이 더욱 효과적이라고 생각했다.

이 책의 첫 번째 글은 인권운동가인 박래군의 「'용산'에서 확인하는 지독하게 불편한 진실」이다. 그는 도시 재개발과 철거의 과정을 완벽한 폭력의 체계와 지독한 '계급전쟁'으로 규정한다. 국가는 국민을 보호할 의무를 지니고 있다. 물론 국민들도 국가를 위해 법을 지키며 자신의 의무를 수행해야 한다. 그런데 국가가 자본을 일방적으로 옹호하면서 가난한 자들을 불법이라는 미명 아래에 배제와 척결의 대상으로 삼는다면 어떻게 해야 할까. 국가 권력이 한 쪽의 이익만을 대변한 채 일방적으로 행사된다면 과연 그런 국가는 민주공화국인가. 적어도 민주공화국이라고 한다면 중간적, 객관적 입장에서 문제를 처리해야 한다. 불행하게도 대한민국 정부는 도시 재개발과 철거의 문제에 있어 약한 자를 보호하는 정의의 사도가 아니라 가진 자의 편에 서서 행동해왔다. 그 결과 박래군의 말처럼 도시 재개발과 철거의 문제는 계급전쟁으로 변질했다고 볼 수 있다. 철거 이전에 국가의 '성실한 국민'이었던 철거 지역의 사람들은 철거 과정의 진행 속에 졸지에 불법을 자행하는 '비국민'으로 추락한다. 건설회사와 재개발 조합이 사주한 용역깡패들이 비국민으로 분류된 힘 없는 철거민들을 향해 불법적으로 폭행하는 야만적 상황에서 국가가 이것을 그대로 방치한다면 더 이상 국가로 존립할 근거를 상실한다. 불법을 자행한 철거민이 진압의 대상이라면 폭력을 불법적으로 행사한 용역깡패도 똑같이 진압의 대상이 되어야 한다. 그것이 '공정한 사회'가 아닌가. 그러나 이 땅의 현실은 철거 현장에서 벌어지는 용역깡패들의 폭력 등을 외면한 채 오히려 철거민들에게 반사회적인 비국민이라는 주홍글씨를 새겼다. 조중동의 메이저 신문들은 자본의 편에서 대개 철거민들을 불법성과 철거 대박을 노리는 파렴치한으로 내몰면서 자본의 폭력성을 은폐해 왔다. 신문이 민중의 지팡이로 불리길 원한다면 적어도 어느 한 쪽의 이익을 대변하는 조폭이 되어서는 곤란하다.

박래군은 시민권을 박탈당한 채 폭력의 대상이 되는 철거민의 현실을 다음과 같이 말한다.

"칠순 노인이 젊은 깡패들에게 욕먹고 얻어맞을 때에도, 나이든 여성이 건장한 남성들에게 머리채를 휘둘리고 죽도록 맞아도 오히려 이들

철거민들만이 업무방해와 공무집행방해로 입건될 뿐이다. 상가 세입자들이 평생을 벌어 자신들의 가게를 운영하기 위해 투자한 돈도 무시되었고, 폭력을 앞세운 깡패들에게 인간적인 모독을 당해야 했던 그때 공권력은 자본과 깡패들의 편에 서 있었다. 철거민들이 혹독한 깡패들의 폭력 앞에 피눈물을 흘리며 호소할 때 경찰은 출동하지 않았으며, 오히려 방어적인 폭력을 휘두른 철거민들은 쉽게 구속되거나 수배되었으며 벌금형을 받아야 했다. 여기서 전철연과 철거민들은 애초부터 진압의 대상일 뿐이었다. 국민이기를 거부당한, 시민권을 박탈당한 국외자일 뿐이었다. 가난한 사람들의 저항은 이처럼 국가로부터 철저하게 폭력의 대상이 될 뿐이다."[7]

철거민들은 도시 재개발 과정에서 등장하는 공권력과 용역깡패의 폭력성을 어떻게 생각하고 있을까. 성낙경(고양시 풍동 거주)은 용역과 경찰의 불륜적 관계를 다음과 같이 폭로한다. "경찰 비호 받으며 싸우는 게 용역이죠. 용역한테 맞더라도 경찰이 공정하게 처리만 해 주면 문제가 안 생길 텐데 어느 순간 한 사람만(철거민) 가해자가 돼버려요." 유순복(광명시 광명6동 거주)은 약자인 철거민을 전혀 보호하지 않는 법에 대해 다음과 같이 의문을 던진다. "재건축에 대해서는 어느 누구도 우리 편에 서 있지 않다는 거죠. 법도 전혀 공정하지가 않고. 사진 있어서 첨부하면 혐의 없음, 증거 불충분인데 사진 없으면 말할 것도 없죠. 법도 불신하게 돼요." 조명희(서울시 천왕동 거주)도 가진 자 위주로 운영되는 법의 불공정성을 다음과 같이 지적한다. "법이라는 것은요, 진짜, 코에 걸면 코걸이고 귀에 걸면 귀걸이라고, 가진 자들은 어떻게든 빠져나가더라고

7) 박래군, 「'용산'에서 확인하는 지독하게 불편한 진실」, 『여기 사람이 있다』, 삶이보이는창, 2009, 14~15쪽.

요." 경찰과 법이 제 역할을 하지 못할 때 국가의 정체성은 근본적으로 의심 받을 수밖에 없다. 이명희(서울시 용산5가 거주)는 국가의 존재 방식에 대해 다음과 같이 신랄하게 비판한다. "정말 국가가, 이러는 게 맞나 싶어요. 이렇게 사람을 폭도로 몰고, 이러는 게 맞는지. (…중략…) 대체 국가가 왜 존재하는 건가, 이게 무슨 난린가 싶어요." 지석준(서울시 순화동 거주)도 "우리나라 정부는 누구 하나 죽어야만 귀를 기울여요. 이렇게 해서라도 법을 뜯어 고쳐야지, 계속 이렇게 없는 사람들만 착취하고, 없는 사람 것 뺏어다가 잘 사는 사람 도와주는 게 무슨 나라예요."라고 의문을 표시한다. 민주주의 국가의 주인은 자본가도 권력층도 아니다. 바로 국민들이다. 그런데 철거 현장에서 국민이기도 한 철거민의 권리는 철저하게 무시된다. 이렇게 본말전도 된 현실은 반체제적, 반자본주의적 움직임을 증폭시킬 수밖에 없다. 남경남(전국철거민연합 의장)은 "용역들이 그렇게 일반 시민들이 살고 있는 동네에 들어와서 차마 눈뜨고 볼수 없는 행동들을 함에도 불구하고 언론과 경찰이 봐주고 눈감아주고 그래요. 왜 그런가, 무엇을 위해서, 누구를 위해서 그러는가, 자본을 위해서 그러는 겁니다. 자본주의 모순은 폭력입니다."라고 말한다. 그는 도시 재개발의 문제와 부딪치면서 우리가 살고 있는 자본주의의 근본적 문제점을 깨닫게 되었던 것이다. 성찰하지 않는 자본주의 시스템은 현실사회주의권이 몰락한 것처럼 붕괴될 수밖에 없음을 알아야 한다.

바람직한 도시 재개발의 방식은 무엇일까? 김중기(용인 어정상가 거주)는 도시 재개발의 방식에 대해 "지금 개발은 기존에 살고 있는 사람을 위한 개발이 아니라 가난한 사람 몰아버리고 돈 많은 부자들을 들어앉히는 거예요. 기존에 살던 사람들도 살 수 있는 개발을 하라는 거예요."라고 말한다. 김창수(성남시 단대동 거주)도 기존의 주민들을 대다수 쫓아내는 식의 철거가 지양돼야 한다고 비판한다. "없는 사람들은 완전히 내보내는 형식이 되고, 있는 사람들도 굉장히 힘겹게 사는 게 되는 거죠. 집주인들마저도 들어오지 못하고 외지 사람들이 들어와 살게 되죠." 박명순(성남시 단대동 거주)은 도시 재개발 자체를 반대하는 것이 아니라 더불어 살아가는 재개발이 되어야 한다고 다음과 같이 주장한다. "개발은 되는 건데, 우리 철거민들이 아예 하지 말라는 건 아니거든요. 살기 좋게 만든다는 데 누가 반대를 해요. 하지만 너무 터무니없이 지네들 마음대로 하고 나가라는 식으로 해버리니까 다 여기서 울고불고 하는 거죠." 철거민들의 소망은 단순하다. 자기가 살던 곳에서 살 수 있도록 저렴한 임대주택을 지어달라는 것이다. 문제는 개발 자본이 더 많은 이윤을 얻기 위해 이러한 철거민의 욕망을 철저하게 무시한다는 데에 있다. 개발 자본에 있어 도시 재개발은 일종의 로또복권이다. 이것은 기존의 가옥 및 토지 소유자인 중산층도 비슷하다. 그들은 도시 재개발을 통해 자신들의 자산 가치가 오를 것이라고만 생각해 세입자 철거민의 절박한 처지를 외면한다. 인태순(전국철거민연합 연대사업위원)은 "앞으로 이사 올 사람들도 자기 앞에 떨어질 이익분만 생각해요. 거기서 살고 있는 원주민들 생각은 안 하는 거죠. 경찰이나 용역이 폭력적인 진압을 하는 데는 이런 사람들의 욕구가 숨어 있다고 봅니다. 일반 시민들이 자기도 모르게 그런 폭력을 지지하는 꼴이 되는 것이죠."라고 말하며 중산층 이상의 사람들을 비판한다. 경찰이라는 공권력이 강제진압의 방식으로, 건설자본과 재개발 조합이 용역깡패를 동원할 수 있었던 것도 사회의 대다수를 차지하는 중산층의 이해타산적 욕망이 개입해 있었기에 가능한 것이다. 따라서 도시 재개발의 문제에 있어 건설 자본만이 아니라 중산층의 의식 개혁도 꼭 필요하다.

용산참사 사건의 진실은 무엇일까. 최순경(서울시 용산4구역 거주)은 다음과 같이 말한다. "용산은 시공 업체가 삼성건설이에요. 용산은 거의 다 삼성건설이 하는 것 같아요. 멀쩡한 집들을 다 부수고 주상복합을 짓는다는데, 거기는 웬만큼 돈 있는 사람들도 못들어가요. 원주민들은 어림도 없죠." 정영신(고 이상림 씨 막내 며느리)은 용산참사 사건과 관련해 "처음부터 경찰은 대화를 이끌어내지 않았고, 처음부터 개입을 했어요. 철거민과 조합의 얘기인데 진압을 하면서부터 조합이 먼저 나서는 게 아니고, 경찰이 들어와서 진압을 했어요."라고 말한다. 정삼례(서울시 흑석동 거주)는 용산참사 사건에서 경찰이라는 공권력의 폭력성을 다음과 같이 비판한다. "경찰이 완전히 시공사나 조합이 할 일을 대행해 준 거잖아요. 그것도 폭력으로. 죽거나 말거나, 어쨌든 그 상황만 끝내면 된다는 거였잖아요. 그 안에 몇 명이 있든, 그런 건 상관 안 했잖아요." 양종민(고 양회성 씨 차남)도 평범했던 아버지가 용산철거 현장에서 투쟁을 할 수밖에 없었던 부분에 대해 다음과 같은 말을 한다. "살려고 올라간 거죠. 아무리 얘기를 해도 들어주는 데가 없으니까." 이 책에서 등장한 평범한 철거민들도 자신들이 직면한 절박한 현실을 망루가 아닌 책을 통해 알리기 위해 동참한 것이다. 도시 재개발이 서민을 아우르는 것이 아니라 배제하는 방식으로 계속되는 한 잔혹한 도시 재개발에 맞선 철거민들의 저항은 계속될 것이다.

종교, 자본, 국가의 삼위 일체: 주원규의 『망루』

주원규의 장편 『망루』는 특이하게 종교권력을 통해 도시 재개발과 철거민의 문제를 다룬 작품이다. 이 소설은 현재의 서사(세명교

217

회 대 미래시장촌)와 과거의 서사(로마제국 대 예루살렘 사람들)가 교차되어 등장하는 액자소설이기도 하다. 현재의 이야기가 세명교회와 미래시장촌 사이에서 벌어지는 갈등을 다루고 있다면, 성경을 떠올리게 하는 과거의 이야기는 로마제국과 예루살렘을 배경으로 하여 서사가 전개된다. 양자의 서사는 시간적, 공간적 배경이 다르지만 재림 예수와 심판이라는 동일한 구조를 지닌 일란성 쌍생아이다. 철거민을 이끌고 있는 김윤서는 타락한 이 세계를 심판할 재림 예수와 새로운 유토피아를 꿈꾼다. 벤야살은 로마제국의 폭력적 탄압과 광기에 저항하면서 자신들을 구원해 줄 재림 예수를 기다린다. 양자의 서사는 서로가 서로를 비춰주는 거울 역할을 하면서 서사의 긴장감과 극적 갈등을 고조시킨다. 『망루』에는 다양한 갈등 구조가 등장한다. '가진 자/못 가진 자, 세명교회/미래시장촌, 경찰과 용역깡패/철거민, 조정인/정민우, 조정인/김윤서, 김윤서/정민우, 김윤서/재림 예수, 벤야살/재림 예수' 등이 상호 부딪치면서 서사의 긴장감을 증폭시킨다.

　도시 재개발의 주체로 등장한 세명교회는 2만여 명의 신도를 거느린 초대형 교회로 지역사회에 막강한 영향력을 지닌 존재이다. 세명교회는 처음에는 가난한 영세상인들이 주로 모였다가, 재개발의 붐 속에 소위 엘리트로 대변되는 교인들로 물갈이가 되면서 변질되기 시작한다. 교회를 세운 담임목사 조창석은 부의 대물림처럼 아들 조정인에게 담임목사 자리를 넘겨준다. 조정인은 미국에서 횡령 혐의로 교도소에 투옥되기도 했지만, 신학 학력을 위조해 한국에 돌아와 아버지의 뒤를 이어 담임목사가 된다. 조정인은 예배에서 사용하는 연설문조차 작성할 능력이 없어 전도사인 정민우에게 대필을 시키는 위선적 인물이다. 그가 교회에서 전하는 말은 민우에게서 빌려온 가짜 언어에 불과하다. 이 가짜 언어를 빌려와 마치 자신의 언어인양 설교하는 정인은 기본적으로 반성적 성찰과 종교적 신념이 존재하지 않는다. 가짜가 진짜가 되고, 진짜가 가짜가 되는 시뮬라크르한 현실. 복제품이 원본을 복제품으로 규정하면서 오히려 큰소리치는 세명교회의 모습은 진실 대신 화려한 수사적 언어가 지배하는 세속 그 자체이다. 조정인은 자신의 치졸한 세속적 욕망을 거룩한 종교의 사명으로 호도하는 위선과 기만의 사기술을 펼친다. 그의 사기술에 의해 철거에 저항하는 주민들은 빨갱이이자 악마의 사도로 호명된다. 조정인은 목사임에도 불구하고 세명교회를 매머드급 종합 레저 쇼핑몰로 확장하려는 세속적 욕망에 사로잡힌 타락한 존재이다. 세명교회와 이권을 노리는 건설 자본과의 차별성은 이 소설에서 존재하지 않는다. 종교권력은 정치권력, 자본권력과 분리되지 않은 채 한몸으로 결합되어 있다. 교회는 본래 세속적 욕망과 일정한 거리를 유지한 채 인간의 구원을 향해 노력하는 영혼들이 모인 공동체이다. 그러나 세명교회는 영혼의 구원보다 탐욕스러운 물질적 욕망이 지배한다. 세명교회와 조정인은 미래시장촌의 철거민을 악마, 빨갱이집단 등으로 매도하지만 정작 자신들이 자행하고 있는 폭력에 대해 성찰하지 않는 장님이다.

『망루』에서 종교권력, 자본권력, 정치권력은 삼위일체처럼 상호결합되어 못 가진 자들을 착취하여 이윤을 극대화한다. 이 개별 주체들을 연결하는 핵심 고리는 '자본'이다. 이 소설에서는 자본주의 시스템에서 가장 멀리 있어야 할 종교 단체인 교회가 가장 주도적으로 자본주의적 이윤의 욕망을 노골적으로 드러낸다. 작가는 이것을 통해 현존 세계의 타락성과 종말론적 심판의 필요성을 강조한다. 기독교의 시각에서 보면 세상의 타락은 곧 이것을 심판할 재림 예수가 출현하고 심판의 날이 가까이 왔음을 의미한다. 조정인과 세명교회의 대척점에 존재하는 작중인물은 철거민의 저항을 이끌고 있는 한철연(한국철거민연합회) 소속의 김윤서이다. 그는 "철거 세입자들의 피를 말리는 악마의 교회, 세명교회, 하나님의 이름을 빙자해 거리의 영혼들을 압살하는 짐승 목사 조창석과 조정인 부자는 물러가라!"며 주장하며 세명교회와 대립한다. 김윤서는 복합 레저 타운 건설을 하나님의 참된 소명이라고 주장하는 조정인의 주장을 반박하면서 재림 예수를 통해 타락한 세계를 심판하고자 했던 것이다.

재림 예수를 기다리는 김윤서(선을 상징함)와 자본주의적 이윤의 욕망을 표출하는 조정인(악을 상징함) 사이에서 방황하는 중도적 인물은 정민우 전도사이다. 정민우는 종교적 사명감과 어머니의 욕망에 의해 목사가 되기를 열망한다. 그는 담임목사의 여동생과 결혼이 예정되어 있는 등 출세가 보장된 엘리트 코스를 밟고 있었다. 하지만 그는 세명교회와 정인의 추악함을 보고, 고통 받고 있는 미래시장의 철거민들을 보면서 방황한다. 그는 루시앙 골드만이 언급한 타락한 사회(정인이 지배하는 세명교회)에서 타락한 방식으로(정인에게 연설문을 써줌) 삶을 살아가지만 자신의 문제점을 깨닫고 진정한 삶을 찾기 위한 고난의 여정에 들어선다. 그는 루카치와 골드만이 언급한 문제적 개인인 것이다. 정민우는 조정인의 추악한 진실을 목격하고 안정적인 성공의 길인 목사 안수를 거부하고, 철거민이 있는 망루에 간다. 망루란 어떤 곳인가? 망루의 세계는 세상에서 버림받고 외면받은 소수자들이 모인 곳이다. 미래시장의 세입자들은 턱없는 보상에 살 길이 막막해져 생존권을 보장하라며 망루를 건설했던 것이다. 철거민들에게 망루는 자신을 철거시키려는 세력에 맞서 싸울 수 있는 마지막 보루이자 그들의 지친 육신과 영혼을 쉴 수 있는 마지막 쉼터이기도 하다. 이런 망루는 경찰이라는 공권력과 용역 깡패에 둘러싸여 있을 때 세상과 고립된다는 점에서 섬이기도 하다. 지상의 방 한 칸 얻을 수 있는 권리를 얻지 못해 공중에 누각인 망루를 지을 수밖에 없는 철거민들.

　"지상의 공간엔 불법과 파괴의 면죄부를 받은 용역 깡패들과 중무장한 경찰 병력들이 함께 공존하고 있다. 그들은 서로를 묵인하며 오직 하나의 대상, 지상으로부터 밀려나 타의에 의한 유배를 감행한, 억지로 땅 위에 내몰려진 존재들을 박멸하려는 목적에만 혈안이 되어 있는 것이다. 과연 그들의 눈에 성문당 4층, 그리고 곧 최후의 항전을 위해 마련된 푸르른 망루에 오르게 될 철거민들은 무엇으로 보일까. 그들은 철거민들을 자신과 같은 사람으로 보고 있을까."(『망루』, 276쪽)

　자본의 극대화를 위해 철거를 강행하려는 자본과 자본의 이익을 옹호하며 공권력을 행사하는 경찰력 앞에 어디에도 기댈 곳이 없는 못 가진 자들은 망루를 기반으로 처절한 저항을 전개한다. 여기에서 죽음과 같은 비극적 사건은 언제든지 발생할 수 있는 개연적 사건일 뿐이다. 이렇게 절망적 상황에서 철거민을 대변하는 김윤서는 타락한 세계의 종말과 새로운 세계의 탄생을 꿈꾼다. 악의 세력을 심판하고 새로운 유토피아를 꿈꿨던 현재의 김윤서와 과거의 벤야살은 각각 미래시장에서 잡일을 하던 한경태와 넝마의 사제를 재림 예수라고 생각한다. 그런데 재림 예수는 타락한 세계를 심판하지도 않을 뿐더러 적과 아군을 구분하지 않고 사랑을 베푼다. 신의 응징을 기대했던 김윤서와 벤야살은 자신이 만난 재림 예수를 모두 부정하며, 끝내 칼로 재림 예수를 살해함으로써 또 다른 재림 예수를 기다리는 비극적 아이러니를 보여준다. 이들이 재림 예수를 죽인 것은 자신들이 욕망하는 심판과 해방의 재림 예수가 아니었기 때문이다. 그래서 재림 예수는 십자가에 못 박혀 죽은 예수처럼 또 다시 죽을 수밖에 없었다. 여기에서 우리는 묻지 않을 수 없다. 과연 재림 예수란 무엇인가? 그것은 현재의 인간적 욕망이 만들어낸 허구적 상징은 아니었을까. 교회에서 담임목사는 유일신이요 절대자로서 전도사 위에서 군림한다. 민우가 정인을 배신한 것은 교회에서 유일신이자 절대자인 담임목사를 부정한 것이다. 이러한 행위는 재림 예수를 부정하고 함께 죽음을 택한 김윤서의 삶과 닮아 있다. 민우가 정인에게 보낸 빈 공백의 연설문은 사이비 언어를 넘어 진정한 언어가 여전히 이 땅에 살아 있음을 보여준다.

주원규의 『망루』에서 드러나는 현실은 전도된 현실이다. 종교적 구원을 설파해야 할 목사는 자신의 직분을 망각하고 자본주의적 욕망에 사로잡힌 포로이다. 교회는 더 이상 버림받은 자들의 망루가 아니라 가진 자들의 기득권 성곽으로 변질되어 있다. 신도들은 교회 지배층의 비리를 암묵적으로 묵인한 채 세속적 욕망에만 관심을 둔다. 국민을 보호해야 할 경찰은 용역깡패가 철거민에게 자행하는 사적 폭력을 외면하고, 자신들의 공권력을 이용해 철거민을 탄압하는 폭력의 전사들이다. 작가는 소설 속에서 전도된 현실을 통해 현존 세계의 타락과 심판의 필요성을, 새로운 세계의 건설이라는 카니발적 전복의 욕망을 드러낸다. 종교의 타락과 공권력의 비공정성, 그리고 건설자본의 탐욕스러운 욕망의 삼위일체 속에 파국이 닥친다. 이것은 반성하지 않은 채 질주하는 신자유주의적 자본주의 체제에 대한 작가의 신랄한 비판이다. "경찰의 무리한 진압과 용역 업체와의 불미스럽고 석연찮은 결탁, 전례를 찾아볼 수 없는 밀어붙이기식 망루 진압으로 인한 성문당 망루화재 사건. 그로 인한 사망자는 일곱 명에 달했다."라는 지문에서 보듯 경찰의 강제진압은 비극적 사건으로 종결된다. 용산참사 사건을 연상시키는 이러한 비극적 사건은 자본주의 시스템의 개혁 없이는 또다시 반복될 수밖에 없다. 작가는 이 소설을 통해 신자유주의 체제의 후기 자본주의가 계속되면 재림 예수의 심판의 날이 닥칠 것이라는 섬뜩한 경고의 메시지를 보낸다. 도시 곳곳에 늘어만 가는 망루는 신자유주의로 무장한 자본주의 체제의 붕괴를 예고하는 강력한 징후다. 자본주의는 완벽한 시스템이 아니다. 자본주의는 일방적 독주가 아니라 소외된 자의 목소리를 끊임없이 반영하는 성찰을 통해서만 비로소 건강성을 유지할 수 있다. 망루는 철거민의 망루만 있는 것은 아니다. 공권력과 자본의 탄압 속에 주변부로 내몰린 열악한 처지의 모든 것들이 바로 망루의 서식지이다.

주원규의『망루』는 종교권력인 교회를 중심으로 가진 자들의 이윤적 욕망과 위선을 신랄하게 폭로하고 있다. 이 소설은 '가진 자/못 가진 자'라는 기존의 대립 구조에 세계의 심판과 구원이라는 종교적 세계관이 덧붙여져 있다. 작품의 결론까지 이어지는 팽팽한 미학적 긴장감은 독자의 감동을 이끌어내기에 충분하다. 목사였다는 작가의 경력은 이 소설의 철학적 깊이와 구체성을 확보하는 데에 도움을 준다. 다만 이 작품에서 아쉬웠던 것은 작중인물의 생동감 있는 형상화보다 작가의 직접 진술에 의한 형상화가 많다는 것이다. 종교적 인물이 중심이 되다 보니 철거민의 생생한 계급적, 계층적 형상화도 미흡하다. 철거민을 강제진압 하는 경찰이라는 공권력과 건설 자본에 대해 좀 더 깊이 있는 천착이 이루어졌으면 철거민의 절박한 현실이 입체적으로 드러났을 것이다.

소수자를 존중하라!: 손아람의 『소수의견』

손아람의 장편 『소수의견』은 철거 현장에서 발생한 사망 사건의 일심 판결을 중심으로 한 법정소설이다. 이 소설에 등장하는 검찰 측과 변호인단의 치열한 법정 공방을 읽다보면 용산참사 사건과 관련한 법정 공방이 자연스럽게 떠오르게 된다. 이것은 이 소설이 당대 현실과의 긴밀한 상호 관련 속에 쓰였음을 말해 주는 것이다. 작가는 법률과 관련한 전문적 지식을 자유자재로 활용해 현장감 있는 연출을 보여준다. 이것은 작가가 이 소설을 쓰기 위해 많이 준비해왔다는 것을 보여준다. 법률 전문가에 못지않은 작가의 법정 묘사와 서술은 이 작품의 사실적 개연성을 높여주면서 독자에게 신뢰감을 안겨준다.

소설은 마포구 아현동 철거 현장에서 철거민 박신우와 전경 김희택이 사망한 사건에서부터 출발한다. 오성건설은 재개발조합의 계약해제라는 경고에 쫓겨 청와대에 로비를 하고, 청와대는 경찰을 통해 강제진압을 통해 재개발의 문제를 해결하려고 한다. 철거민 진압 과정에서 열여섯 살 박신우가 경찰의 폭력에 쓰러지자, 아버지 박재호는 아들을 구하기 위해 자위적 폭력을 휘두른 끝에 전경 한 명을 죽이게 된다. 철거 지역의 세계는 법의 보호망이 닿지 않는 사각지대이다. 박재호의 변론을 맡게 된 윤 변호사는 비철거 지역에 소속되어 있기에 철거 지역이 낯설다. 철거 지역과 비철거 지역을 함께 지배하는 것은 동일한 법률이다. 이 소설은 이 공통 요소인 법률을 통해 공권력의 폭력성과 피고인의 정당방위를 증명하려는 변호인단과 철거민의 폭력성을 단죄하려는 검찰측의 날선 공방이 핵심 서사이다. 특수공무방해치사로 구속된 박재호의 정당방위를 주장하는 변호인단과 불법적 폭행치사를 주장하는 검찰의 팽팽한 논전은 이 소설의 중심축인 것이다.

　이 소설에서 변호인단은 소수자를, 검찰측은 다수자를 각각 대표한다. '다수자/소수자'의 대립 구조는 서사의 전개 속에 '폭력의 가해자/폭력의 피해자, 공권력/철거민, 자본가/철거민, 토지 및 가옥 소유주/세입자 및 영세 소유주, 재개발조합/철거민연합, 명문대 학벌/비명문대 학벌, 남성/여성' 등으로 다양하게 변주되어 나타난다. 이 소설에서 다수자를 대표하는 작중인물은 홍재덕 검사와 이민정 검사이다. 공안 사건 담당의 홍재덕 검사는 명문대를 나와 고속승진을 통해 승승장구하는 인물이다. 이민정 검사는 수려한 외모에 지성마저 겸비한 재녀로서 유성그룹의 셋째 며느리이자 대한민국 검찰에서 총망받고 있는 인물이다. 여기에서 보듯 다수자는 명문대 학벌, 검사라는 공권력, 자본 등을 함께 소유하고 있는 지배계층이다. 반면에 박재호를 변호하는 윤 변호사와 장대석 변호사는 비명문대 출신으로 검사와 판사 경력이 없는 변호사이다. 그래서 이들은 법조계에서 소수자이다. 윤 변호사 팀을 뒷받침하는 염만수와 이주민이라는 서울대 법대교수, 진보적인 일간지 사회부 여기자 준형 등은 소수의견을 지지하는 진보적 지식인들이다. 소수자인 윤 변호사 팀은 법관기피 신청, 국민참여재판 신청, 국가배상청구소송 등 다방면에서 전방위적으로 검찰을 압박해간다. 무모한 일방적 싸움으로 종결될 것이라는 당초의 예상과 달리 서사의 진행 속에 골리앗인 다수자는 소수자인 다윗의 치밀한 공격 앞에 수세에 몰린다. 서사의 진행 속에 도시 재개발 사업은 겉으로 내세운 생활환경 개선보다 이권을 둘러싼 추악한 욕망의 투기장이었다는 사실이 드러난다. 도시 재개발은 세입자들에게 축복이 아니라 철거 명령서라는 저주였던 것이다. 축복과 저주라는 양극단의 갈등은 언제든지 살인 사건과 같은 비극의 탄생을 예고한다.

"재개발조합은 소유권 행사의 정당성을 주장했다. 세입자들은 생존의 권리를 주장했다. 구청은 세입자들에게 보상 계획을 공고했다. 세입자들은 보상이 아닌 생존을 외쳤다. 건설사는 재개발 시공을 경축했다. 그 모든 골목 어귀마다 머릿돌처럼 새긴 철거용역들의 섬뜩한 메시지는 죽음의 임박을 경고하고 있었다."(77~78쪽)

국가를 움직이는 것은 다수자들이다. 이때 다수자를 대표하는 것은 다수자가 아니라 소수의 지배계층이다. 우리는 소수의 지배계층이 행사하는 권력을 통해 추상적인 국가의 육체와 만난다. 다수자인 검사 홍재덕은 국가를 자신의 종교로 삼고 있다. 그에게 있어 '국가=검찰=경찰=공권력'은 신성불가침의 초월적 존재이다. 따라서 홍재덕은 이 초월적 존재의 권위를 훼손시키는 어떤 것이라도 용납하지 못한다. 여기에서 보듯 검찰, 경찰, 국가는 분리된 존재가 아니라 분리 불가능한 동일체이다. 이런 까닭에 홍재덕은 철거민을 진압하는 과정에서 경찰이라는 공권력에 의해 무고한 철거민이 사망한 사실을 공표할 수 없다고 판단한다. 그때부터 진실의 조작이 시작된다. 경찰과 검찰의 협동 작전에 의해 증거는 철저하게 은폐된다. 검찰은 변호사가 정당하게 제기한 수사자료의 열람등사 신청도 거부한다. 홍재덕은 증거 인멸만이 아니라 국가를 위해 희생양을 만든다. 그는 철거용역 김수만을 살해 용의자로 만들고, 철거민 박재호를 전경 살인자로 규정한다. 이러한 자의적인 법 적용은 민주주의의 근본 원칙을 훼손시키는 자해 행위이다. 법을 수호할 검사가 자의적인 법 적용 속에 편파적 행위를 일삼는다면 무고한 희생자가 나올 수밖에 없다. 홍재덕 검사의 행동은 전체인 국가를 위해서라면 개인은 언제든 희생되어도 좋다는 극우적 전체주의에서 나온 것이다. 전체주의에서 개인이나 일부분은 항상 전체를 위해 희생당해야 하는 희생양이다. 마르크스는 자본주의 체제에서 국가를 폭력의 근원이라고 말한 바 있다. 국가가 폭력의 주체가 되어 국민을 폭력의 대상으로 삼는 것을 합법이라는 이름 아래 호도할 때, 민주주의를 표방한 근대 국민국가의 존립 근거는 무너진다.

"검사는 단지 피고인의 죄를 증명하려고 거짓말을 한 게 아니었습니다. 검사는 국가의 죄를 감추려고 거짓말을 했습니다. 그걸 위해 박신우 군을 희생양으로 삼았고, 그의 아버지 피고인 박재호 씨를 희생양으로 삼았고, 철거용역 김수만을 희생양으로 삼았습니다. 저희 변론이 파렴치하다고요? 그 단어를 지금 사용하겠습니다. 검찰의 기소행위는 파렴치했습니다. 거기에는 음모가 있었습니다. 검찰이 적극적으로 그 음모에 가담했습니다. 공권력의 남용을 숨기기 위해서요. 정도를 벗어난 그 힘이 통제되지 않는다면 앞으로 배심원 여러분과 여러분의 가족이 또 다른 피해자가 될 수도 있습니다."(394~395쪽)

윤 변호사 팀은 다양한 소수자의 연대와 도움 속에 법정 공방에서 우위를 차지한다. 검사는 박재호에게 무기징역을 구형했지만, 국민 배심원들은 박재호의 폭행치사를 정당방위로 인정해 처벌을 면하기로 판결한다. 하지만 재판장은 배심평결을 뒤엎고 특수공무방해치사죄를 적용해 징역 실형 3년의 형을 선고한다. 항소심에서는 징역 1년 6개월의 선고를 받는다. 대법원의 판결이 나오지 않은 상황에서 소설은 종결되지만, 독자들은 박재호의 점점 줄어만 가는 형량에서 승리를 예감하게 된다. 독자들은 '원고인 검사와 피고인인 박재호'가 서사의 전개 속에 '원고 박재호/피고 대한민국'으로 역전되는 상황을 보고 카니발적 카타르시스를 순간적으로 체험한다. 작가는 철거민 박재호를 도와주는 다양한 사람들을 등장시켜

227

정의가 승리할 것이라는 메시지를 생산한다. 물론 작가는 정당방위로 인한 무죄로 귀결되는 결론을 피하고 있다. 손아람은 이것을 통해 현실이 만만치 않다는 것을 암시한다. 하지만 이 소설의 강조점은 절망적 서사가 아니라 희망의 서사이다. 작가가 결론의 마지막 부분에서 "봄이 온다. 태양이 창궐하고 계절이 마땅한 권리를 나눈다."라는 언급에서 보듯 낙관적 미래를 전망한다. 그러나 과연 현실에서도 그렇게 될까?

『소수의견』은 한국소설에서 법정소설의 새로운 지평을 열었다고 해도 과언이 아니다. 하지만 아쉬움도 있다. 주요 사건이 법정을 중심으로 이야기 되다 보니 민중인 철거민의 현실이 구체적으로 드러나는 데에 한계점을 노출하고 있다. 또한 박재호의 변호에 초점을 맞추다 보니 소수자를 대변하는 진보적 지식인 집단의 비중이 과도하게 표출된다. 상대적으로 국가 공권력과 건설자본에 대항하는 주체인 철거민의 역할이 미흡하다. 새로운 세상은 진보적 지식인의 활동만이 아니라 다양한 계층들의 주체적 의지와 연대 속에 가능한 것이다. 전문적인 법률 지식이 법정소설의 개연성을 높여주었지만 지나치게 많이 등장함으로써 인물의 내면적 형상화에 소홀했다는 점도 지적하지 않을 수 없다. 시점의 일관성에서도 문제점을 드러낸다. 이런 약점에도 불구하고 법정을 통해 철거민의 진실을 알리고, 법의 정의를 실현시키는 이 작품의 감동적인 미덕은 결코 손상되지 않는다. 나는 이 소설을 통해 2010년대를 열어갈 새로운 문학 기대주를 발견하는 기쁨을 얻을 수 있었다.

앞의 작품인 『망루』와 『소수의견』이 소설적 깊이와 미학적 성과를 어느 정도 내고 있다면 황정은과 한수영의 소설은 철거민의 현실을 구체적으로 깊이 있게 형상화하지 못하면서 미학적 파탄을 드러낸다. 먼저 황정은의 장편 『백의 그림자』는 철거를 앞둔 상가에서 일하는 두 젊은 남녀의 순수한 사랑을 그리고 있다. 이 소설에 철거와 관련한 이야기는 지속적으로 등장한다. 하지만 철거민의 현실은 피상적 수준을 벗어나지 못한 채 정적 이미지로 고착화되어 있다. 이 소설의 주요 테마인 남녀 간의 사랑도 깊게 들어가지 못한 채 환상적 이미지만을 산출한다. 시적 상징이나 시적 어법을 적극 동원시킨 황정은의 첫 장편소설은 산문정신의 미흡 속에 수채화 같은 소품에 머물렀던 것이다. 황정은이 소설가로서 한 획을 긋는 작가로 성장하고 싶다면 치열한 산문정신과 구체적 언어의 습득이 무엇보다 요구된다. 문학평론가 신형철은 함량 미달의 황정은 소설을 과도하게 칭찬하는 주례사 해설을 써 독자를 오도하게 만든다. 그의 주례사 해설은 오히려 작가의 성장을 죽이는 독이다. 한수영의 장편 『플루토의 지붕』도 도시 재개발을 배경으로 서민의 일상사가 재미있게 등장한다. 여덟 살 혼혈아인 소년의 시점을 통해 전개되는 재개발을 앞둔 동네의 풍경은 드라마 세트장 같은 이미지를 발산한다. 학교에 가지 않고 지붕에서 놀기를 좋아하고, 청진기를 들고 마을의 갖가지 이야기를 듣고자 하는 소년. 이 소년의 시선을 통해 드러나는 마을의 풍경은 현실적 개연성을 띠지 못한 채 시트콤같은 에피소드만 보여준다. 작가 한수영은 이 작품을 통해 도시 재개발과 그 속에서 살고 있는 서민들의 다양한 모습을 제대로 그리고 싶었는지 모른다. 하지만 이 작품은 소설의 화자를 여덟 살 소년으로 설정해 놓고, 정작 소년이 파악할 수 없는 부분까지 말하는 시점의 실패 속에 미학적으로 균열하기 시작한다. 결코 신뢰할 수 없는 화자인 소년이 말하는 마을의 이야기들은 철거민의 현실을 제대로 그려낼 수 없는 작가의 곤궁함에서 비롯한 것이다. 『플루토의 지붕』은 작가의 의욕만 앞섰을 뿐 철거민의 현실을 제대로 담아내지 못한 채 서사가 종결한다. 결국 황정은과 한수영은 철거민의 현실 깊이 들어가 구체적으로 형상화할 수 있는 생동감 있는 언어를 갖지 못했다. 철거민의 눈높이에서 철거민의 현실을 그릴 수 없는 작가들의 곤궁한 처지 속에 소설에서 등장하는 철거민의 현실은 배경 이상의 역할을 하지 못한다. 시대의 환부를 생생하게 증언하지 않는 배경은 낯익은 매너리즘의 향연이자 수박 겉 핥기일 뿐이다.

아직도 끝나지 않은 싸움

2010년 11월 11일. 서로의 사랑을 확인하는 일명 빼빼로데이에 대법원은 용산참사 사건과 관련한 최종 판결을 내렸다. 2009년 2월 용산철거대책위원장 이충연 씨 등 9명의 철거민 농성자는 농성장에 불을 질러 경찰관을 숨지게 한 혐의(특수공무집행방해치사) 등으로 재판에 넘겨져 그동안 치열한 법정 공방을 벌여 왔었다. 검찰은 수사기록 공개를 거부하며 버티다가 대법원의 결정에 의해 마지못해 수사기록을 공개했다. 재판 결과는 1심, 2심 모두 철거민만 유죄로 판결되었다. 결국 3심인 대법원 항소심에서도 철거민의 유죄를 선고하면서 형량만 1년 낮추었다. 이러한 결론은 '유전무죄 무전유죄, 유권무죄 무권유죄'라는 세간의 통념을 그대로 확인시켜준 결과이다. 손아람의 장편 『소수의견』에서 말하고자 했던 공권력의 폭력성에 대해 법원의 판결은 제대로 답변하지 못했다. 판결을 듣고 절망에 빠진 철거민 가족 중 전재숙(68쪽)은 "사는 건 하나도 힘든 게 아니에요. 우린 살고 싶어 그랬어요. 그런데 검찰도 법원도 다 똑같아요. 대법원도 똑같아요. 나라고 뭐고 이젠 우리 식구 말곤 의지할 데가 없어요. 더는 믿고 의지할 데가 없어요."(《한

겨레신문》)라고 말한다. 우리는 그녀의 절망적 탄식 앞에서 어떤 위로의 말을 던질 수 있을까.

나는 철거민에게도 일부 책임이 있겠지만 경찰의 무리한 강제진압 작전에 책임을 묻지 않는 법의 형평성과 공정성에 의문을 제기하지 않을 수 없다. 경찰을 무조건 옹호하는 식의 판결은 역설적으로 체제 안정이 아니라 체제 불안을 더욱 가중시킨다. 군사정권 시절에 유행했던 언어가 '법대로'이다. 과연 법대로 해서 우리 국민들의 삶은 행복해졌는가. 그 법을 정하는 것은 대개 지배층이고, 지배층은 민중의 의사보다 자신의 계급 이익을 챙기는 방향으로 법을 정한다. 그리고 지배층은 국민들에게, 민중들에게 말한다. 법은 만인에게 공평하기에 지켜져야 한다고. 법이 국민 전체가 아니라 지배층의 배만 불리게 할 때, 우리는 그 법을 '악법'이라고 칭한다. '법대로'는 만병통치약이 아니다. 정부와 사법부는 법의 단죄 이전에, 왜 철거민들이 망루를 세울 수밖에 없었는지를 진정으로 이해할 필요가 있다. 그래야만 국민들이 법을 외면하지 않고 철거민의 문제를 해결할 수 있는 길이 열릴 수 있다. 국가와 자본의 권력이 철거민들을 불법과격시위, 폭력단체, 폭도, 도심 게릴라, 테러단체로 호명하는 한 망루는 계속 건설될 것이고 용산참사와 같은 사건은 언제든지 재발할 수 있다.

박수정의 다음 글은 철거민이 자본주의 세계에서 처한 열악한 상황을 절박하게 전달한다.

"저항하는 이에게 한 번도 빠지지 않고 붙여진 불법과격시위, 폭력단체, 폭도, 도심게릴라전, 테러단체……. 낯설지 않다. 세계 어디든 학살이 벌어진 곳, 국가 폭력에 죽어간 이들한테 붙여지던 꼬리표들. 한국에선 상가 세입자였던 상인들이 테러리스트로 몰린다. 여기저기 개발이 이루어지는 곳에서 쫓겨나는 운명에 처했던 이들이 테러집단의 조직원들로 조작된다. 그 죽음을 가슴아파하는 당신도 혹시 테러리스트로 몰리지는 않을지. 테러리스트라고 이름 불린 이에게 밥, 잠자리, 옷, 소식을 준 자 모두 테러리스트로 몰려 죽임 당한 일 숱하니, 비록 죽은 자들이어도 마음 아파하고 눈물 흘린 당신도 그렇게 내몰릴지도. 할 수만 있다면 '촛불'도 불법무기로 몰아세우고 싶었던 입들이 '망루, 새총, 골프공, 시너, 화염병, 염산병'을 증거물로 내세우며 폭도를 만들어낸다."[2]

용산참사 사건에서도 철거민들은 정부와 사법부에 의해 공권력에 저항한 폭도로 규정되었다. 그것으로 모든 문제는 해결된 것인가. 아니다. 문제는 해결되지 못한 채 새로운 불씨를 안고 유보되었을 뿐이다. 신자유주의의 자본주의 시스템이 가동된 이후 세계는 지배층의 이익을 더욱 극대화하는 방향으로 나아가고 있다. 1등만이 살아남고 다수가 죽어나갈 수밖에 없는 승자독식사회. 명문대 학벌, 부의 대물림으로 이어지는 신계급사회에서 주거가 불안정한 철거민들은 부실한 교육 투자와 비명문대 학벌, 그리고 가난의 대물림이라는 구조적 양극화 현상의 피해자이다. 오늘은 비록 당신이 철거민이 아니지만, 언제든 도시 재개발 계획이 나의 집을 통과하는 순간 당신도 철거민이 된다. 지배층에 편승해 이익을 도모했던 중산층도 더 이상 장밋빛 미래를 기약하기 힘들다. 주민 물갈이 대상은 하류층만이 아니라 중산층에게도 어김없이 적용된다. 곳곳에 뉴타운이 건설되면서 중산층도 빚을 내야만 새 아파트로 이주할 수 있고, 그렇지 않으면 보상금을 받고 다른 곳으로 이주해야 한다. 그러나 그들이 가야할 곳은 중심부가 아니라 주변부일 수밖

2) 박수정, 「이 선을 넘으면 위험하다」, 김일숙·조혜원 외, 『여기 사람이 있다』, 삶이 보이는창, 2009, 286~287쪽.

에 없다. 부자인 거인들을 피해 빈민인 난쟁이들은 도시 난민이 되어 좀더 집값이 싼 지역으로 철새처럼 이동해야만 한다. 이러한 철거민의 아픔은 더 이상 남의 이야기가 아니라 바로 미래에 우리가 겪어야 할 불행일 수 있다.

용산참사 사건 이후 도시 재개발과 관련한 문학적 대응은 간헐적으로 이어져 오고 있다. 작가 주원규와 손아람은 문학적 상상력을 통해 도시 재개발과 철거민의 절박한 현실을 우리에게 알려준다. 그러나 아직까지 문학적 형상화 작업은 미흡한 실정이다. 특히 한국의 작가들은 당면한 사회 현실을 적극적으로 형상화하는 치열한 산문정신이 전반적으로 부족하다. 베스트셀러와 문학주의의 중독, 주례사비평의 양산, 출판 자본의 과도한 개입은 문학계 전반을 당대 현실과 긴밀하게 연관시키지 못하도록 한다. 따라서 작가들과 문학평론가들은 철저한 반성과 성찰 속에 문학판을 새로 짜야 한다. 철거민의 문제는 철거민만의 문제가 아니다. 그것은 비정규직, 열악한 노동현실, 일등주의, 사회 양극화 현상, 신자유주의 체제의 구조적 모순 등이 집약되어 있다.

나는 이 글이 가진 자의 폭력에 의해 상처 받았던 철거민들의 고통을 위로하는 데에 작은 도움이 되기를 바란다. 비록 용산참사의 철거민들은 법정에서 최종적으로 패했지만, 역사적으로 승리할 날이 분명 올 것이다. 철거민들이 소수자의 권리를 찾는 싸움은 아직 끝나지 않았다. 지금은 철거민의 진실이 소수의견이지만 언제가 소수의견이 다수의견이 될 것임을 믿어 의심치 않는다. 사회 정의를 향한 진정성의 싸움은 패배하는 그 순간부터 다시 시작되고 있는 것이다. 이것을 위해 교묘한 후기 자본주의 시스템에 의해 갈가리 분열된 소수자들의 연대가 재결성되어야 한다. 중산층도 자본주의 욕망의 포로가 되어 빈민층을 외면해서는 당면한 문제를 해결

할 수 없다. 아무리 열심히 일해도 부유하게 될 수 없는 워킹푸어
는 도시 빈민층만이 아니라 중산층에게도 적용되는 정글의 법칙이
다. 이제 고립된 이기주의를 넘어 공동체 전반의 이익을 생각하는
방향으로 다양한 연대가 이루어져야 한다. 그것이 바로 새로운 시
대를 알리는 출발이 될 것이다. 용산참사 사건에서 대법원이 철거
민에게만 유죄 판결을 내린 편파적 판결은 훗날에 사법부의 가장
치욕스러운 기억 중의 하나가 될 것이다. 우리는 그 날을 기다리며
투쟁의 깃발을 들어야 한다.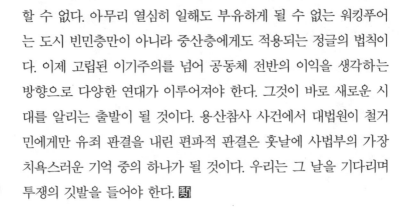

최강민
1966년생. 문학평론가. 2002년 《조선일보》 신춘문예 등단. 본지 편
집동인. 경희대 학술연구교수. 평론집 『문학제국』, 『비공감의 미학』
등이 있음. c4134@chol.com

김용철의 『삼성을 생각한다』와 한국 사회

오현철

범죄적 삼성, 국가가 공범이다

2007년 10월 29일 김용철 변호사의 양심고백은 세상을 깜짝 놀라게 하였다. 그가 폭로한 삼성의 죄가 너무 무거웠기 때문이었다. 그 후 재판에서 대부분의 관계자들에게 무죄나 가벼운 형량을 선고하는 재판부를 보며 양식 있는 사람들은 양심고백을 처음 들었던 때보다 더 놀라게 된다. 법관들이 최소한의 직업적 양심마저 외면하는 모습을 직접 보았기 때문이다. 우리 국민들이 유전무죄 무전유죄라는 말을 익히 들었지만 그 실체를 이처럼 적나라하게 보았던 적은 없었다. 한국에서 삼성은 죄를 지어도 처벌받지 않는다는 사실을 법원은 명백하게 확인해 주었다. 많은 전직 대통령들이 법정에서 유죄를 선고 받았고, 유죄를 단정짓는 듯한 검찰의 서슬에 다른 전직 대통령이 스스로 유명을 달리하는 현실에서조차, 삼성은 영원히 치외법권 지대로 남을 것이 확실해졌다.

재벌은 개발독재 시기에 독재정권의 하위 파트너였으나, 민주화 이후의 정부들이 자의적으로 권력을 행사할 가능성이 적어지자 권력과의 관계에서 자율성을 키웠다. 김영삼 정부 이후로 정치적 민주주의가 제도화되는 과정에서 대통령은 과거처럼 정치자금을 강제로 모금하지 않았다. 전두환이 국제그룹을 해체하듯 강압적인 조치를 취할 가능성도 사라졌다. 시민들의 민주화 운동에 부응하여 정치권력이 시민사회에 자율성을 부여하자, 재벌은 돈을 무기로 권력의 어깨를 짚고 하위 파트너에서 동반자적 관계로 올라섰으며, 최근에는 정치권력을 직접 창출하려는 모습을 보이고 있다.

현대그룹 정주영의 대선 도전, 그의 아들 정몽준 현대중공업 회장의 대권 행보가 이 같은 사실을 분명하게 보여준다. 삼성은 이와 달리 노출되지 않는 방법으로 권력에 접근하였다. 《중앙일보》 회장 홍석현이 X파일의 내용이 공개되기 전까지 노무현 정부에서 주미대사를 역임했다는 점, 노무현 전 대통령이 삼성 구조본의 이학수를 '학수 선배'로 부르며 따랐다는 점은 정치권력을 부리는 삼성의 노련함을 보여준다. X파일이 공개되지 않았다면 다음 대선에서는 주미대사를 역임한 홍석현이 유력한 후보가 될 수 있었을 것이다.

다른 한편 정치의 중앙 무대에서 독재자가 사라지고 임기 5년짜리 단임 대통령제가 정착되어 국가 기구들의 헌법적 독립성과 권한이 보장되자, 고위관료와 판·검사 같은 엘리트들이 권력자의 눈치를 보지 않고 개인의 영달을 적극적으로 추구하기 시작했다. 이들은 절대권력자에 빌붙어 출세하던 독재시절의 권력루트가 사라지자, 5년 임기의 대통령보다 수십 년 혹은 수백 년에 걸쳐 권력을 구가할 것 같은 거대 재벌을 섬기기 시작한다. 이들에게 국민은 재벌에 충성할 때 핑계를 대는 구실에 불과하다. 너무나 많은 친재벌 정책들이 국민을 위한다는 구실 아래 결정된다.

최근에는 입법부나 행정부에 비해 부패로부터 상대적으로 깨끗하게 여겨지던 법원의 타락이 가장 큰 우려를 낳고 있다. 행정부는 앞장서서 재벌에게 먹이를 물어다 주고, 검찰은 기소권으로 재벌에게 벌을 피해갈 기회를 주거나 재벌을 비판하는 사람들을 윽박지르고, 법원이 마지막으로 판결을 통해 재벌의 옥체와 곳간을 지키고 있다.

한국의 사법부는 스스로의 허물을 꾸짖고 고쳐나갈 자정 능력이 있을까? 신영철이 여전히 대법관 자리를 차지하고 앉아서 삼성 재판에 무죄를 선고하는 것을 보면 그럴 가능성은 없어 보인다. 충직한 개는 주인을 물지 않는다. 미꾸라지 몇 마리가 물을 흐리고 있을 뿐 사법부 전체는 그렇지 않다고 자신 있게 말할 수 있는 사람은 없을 것이다. 법원은 판결로 말하는 것이며, 이미 한국의 법원은 '유전무죄 무전유죄' 관행이 뿌리 깊게 박혀 있고, 특히 재벌 관련 판결에서는 법관으로서 최소한의 양심마저 버렸기 때문이다.

오늘의 삼성을 만든 주연은 이병철과 이건희지만, 후안무치한 조연들이 있었기에 가능한 일이었다. 그 조연들은 한국 최고의 엘리트라는 검찰, 법원, 정치인, 정부의 고위직 인사들이었다. 국가가 괴물같은 삼성을 만든 것이다.

삼성의 범죄를 덮어주는 자들이 허다하다

삼성의 비리를 최초로, 전면적으로 폭로한 김용철 변호사에 의하면 삼성 비리는 크게 세 범주로 나눌 수 있다. 그것은 정·관·법조계 등에 대한 불법 로비, 비자금 조성 및 탈세, 경영권 불법 승계이다. 삼성의 범죄를 대하는 국가기구들의 작태를 김용철의 증언을 따라 가며 살펴보자.

사법부

앞의 두 가지 즉 '정·관·법조계 등에 대한 불법 로비 및 비자금 조성 및 탈세'는 박연차 전 태광실업 회장이 저지른 비리와 종류가 같다. 박연차는 정·관·법조계에 폭넓게 돈을 뿌렸고, 삼성도 그랬다. 그러나 규모에 있어서 박연차는 삼성에 비교할 수 없을 정도로 작았다. 방법에 있어 박연차는 자신이 직접 불법 로비를 했다면, 삼성은 구조본을 통해 처리했다. 삼성이 더 조직적으로 비리를 저질렀다. 판결은 어땠는가? 박연차 재판에서 1심 법원은 "세금을 포탈하고 해외에서 거액의 비자금을 만들어 뇌물이나 정치자금으로 제공해 공직사회의 기강을 흔든 만큼 죄질이 가볍지 않다"고 밝히고 박연차에게 징역 3년 6월에 벌금 300억 원을 선고한다. 이런 내용은 이건희에게도 그대로 적용된다. 그러나 이건희는 실형을 면했다.

대법원 전원합의체는 '에버랜드 CB 헐값 발행 사건'에 대해 '6대 5'로 무죄를 선고한다. 무죄에 찬성한 대법관 중 한명이 신영철이다. 그는 촛불집회 재판에 압력을 넣었다는 이유로 시민사회와 동료 판사들로부터 공개적으로 퇴진을 요구받았다. 그러나 신영철은 수모를 감수하면서도 끝까지 자리를 지키고 이건희에게 무죄를 선고하는데 크게 기여한다.

2009년 8월 14일의 파기환송심에서 김창석 재판부는 이건희가 227억 원의 배임죄를 저질렀다고 판결하였다. 법에 의하면 배임죄에서 50억 원 이상은 5년 이상 징역을 선고하는 것이 원칙이다. 그러나 이건희에 대한 형량 추가는 없었다. 재판부는 이건희가 저지른 배임죄는 사회적 비난 가능성이 낮다고 판시하였다. 이는 이건희에게 실형이 선고되는 것을 막기 위한 억지 논리로서 사회적인 비난과 조롱을 받아 마땅하다. 그러나 우리 사회에는 이건희의 범죄행위를 비난하는 움직임이 크게 일어나지 않는다. '사회적 비난 가능성이 낮다'고 판결한 김창석 재판부가 옳았는가?

경영권 불법 승계 문제와 관련해서는 민병훈 판사가 삼성에버랜드 CB 헐값 발행 사건과 삼성 SDS 신주인수권부사채 헐값 발행 사건이 공소시효가 지났다며 면소 판결을 내렸다. 이 판결은 이건희 일가의 최대 고민거리를 해결해 주었다. 삼성 비리의 큰 물줄기인 경영권 승계 과정에서 법률적 걸림돌이 제거된 것이다.

서기석 2심 재판부는 2008년 10월 10일, 두 사건이 모두 무죄라고 판결했다. 특검이 기소한 삼성 임원들에 대해서도 대부분 형을 줄여주거나 면소 판결을 무죄 판결로 바꿔줬다. 이 판결 중에서 삼성 SDS 신주인수권부사채 헐값 발행 사건까지 무죄라는 대목은 대법원에서 뒤집어졌다. 대법원은 나중에 유죄 취지로 파기환송했고, 파기환송심 재판부는 이건희가 227억 원 배임죄를 저질렀다는 점을 분명히 하고 유죄를 확정했다. 그러나 위에서 지적한 것처럼 실형을 선고하지 않았다. 사건이 발생한지 12년 만에 열린 이 재판에서 정치판사들은 사법부가 정의를 실현할 기회를 날려버렸다.

검찰

법원이 삼성의 걸림돌을 치워주었다면 검찰은 무엇을 했는가? 검찰은 처음부터 삼성을 처벌할 생각이 없었다. 삼성은 인사권을 쥐고 있는 검찰수뇌부에게 집중적으로 로비해서 검찰을 장악했다. 검찰은 살아 있는 권력 앞에서는 한없이 비굴하고, 죽은 권력에 대해서는 한없이 가혹하다. 검찰은 독재정부 시절에 안기부가 기세등등할 때에는 안기부의 뒤치다꺼리나 하고 있었다. 그들은 그때에도 도대체 부끄러운 줄 몰랐고, 검찰출신으로 출세하는 자들은 강도 잡는 검사들이 아니라 학생과 노동자 때려잡는 공안검사들이었다. 지금 한나라당에 있는 검찰출신 의원들 중 많은 이가 공안검사 출신이다.

노무현 전 대통령을 자살하게 만든 박연차 사건과 삼성 비리는 본질상 크게 다르지 않다. 그러나 박연차와 달리 삼성은 처벌받지 않았다. 그 이유는 검찰이 그렇게 되길 원했기 때문이다. 박연차 수사와 삼성 수사는 하늘과 땅처럼 달랐다. 박연차 수사에서 검찰은 철저히 박연차의 진술에만 의존했지만, 삼성 비리 수사에서 특검은 양심선언한 김용철의 진술을 외면했을 뿐 아니라 오히려 김용철의 진술을 믿을 수 없다며 비난했다.

공안검사 출신인 조준웅 특검에게 부여된 임무 즉, 특검법상 수사 대상은 이건희 일가의 비자금 조성, 정관계 등에 불법 금품 공여, 서울중앙지검의 4대 방치의혹사건 등에 국한됐다. 4대 방치의혹사건이란 이미 고소·고발이 있었지만 수사가 제대로 이루어지지 않았던 삼성에버랜드와 서울통신기술의 전환사채발행, 삼성SDS 신주인수권부사채 발행, e삼성 회사지분 거래이다.

특검은 특검법상 해야 할 비자금 수사를 제대로 하지 않았다. 특검은 이건희 측의 주장을 일방적으로 받아들여 비자금이 아니라 상속재산이 맞다는 결론을 내렸다. 삼성화재 등 계열사를 통해 조성한 비자금을 확인했으면서도, 비자금은 없다고 허위 발표한 것이다. 정·관·법조계에 대한 불법 로비 역시 제대로 수사하지 않았다.

특검은 삼성화재가 미지급 보험금을 비자금으로 조성하여 구조본에 전달한 구체적인 증거를 확보하였다. 삼성화재는 합의 등을 이유로 고객에게 지급하지 않은 미지급 보험금과 고객이 찾아가지 않은 렌터카 비용 같은 소액의 돈을 따로 모아 차명계좌에 넣어 비자금을 조성하였다. 회사의 돈으로 만든 비자금과는 차원이 다른, 고객의 돈을 빼돌린 더 심각한 범죄였다. 특검은 이를 확인했지만, 삼성그룹 차원의 조직적인 비자금 조성과 불법 로비가 아닌 황태선 전 삼성화재 사장 개인의 횡령으로 결론을 내렸다.

이것만으로도 문제지만, 특검이 저지른 더 큰 잘못은 따로 있다. 특검법상 수사 권한 밖에 있는 삼성 비리에 대해 자의적으로 무혐의 발표를 한 것이다. 《중앙일보》의 위장 분리, 계열사 대형 분식 등 수사 권한이 없는 문제에 대해, 실제로 수사하지도 않고 '내사 종결, 무혐의'를 발표했다. 이로써 특검은 장차 검찰이 이 문제를 수사할 여지를 사전에 차단하였다. 특검은 "삼성 특별변호사"가 되어 권한이 없는 문제에 대해서까지 면죄부를 줬다.

어이없게도 삼성특검의 피의자인 삼성은 재판이 끝난 후 오히려 최대 수혜자가 되었다. 특검은 삼성생명 차명지분을 모두 이건희의 몫으로 인정해 주었으며 이는 이건희에게 횡재나 다름없다. 특검이 한 일은 범죄행위의 장물을 피해자에게 돌려주지 않고 훔친 자에게 갖다준 것이다. 그 결과 삼성의 지배구조는 이건희 일가에게 더욱 유리하게 되었다. 이건희가 명실상부한 삼성생명 최대주주가 되었기 때문이다. 이건희가 최대 주주가 되지 못하면 삼성에버랜드가 삼성생명의 최대주주가 되어, 금융지주회사법에 따라 삼성생명의 삼성전자 지분 7.21%를 처분해야 한다. 이렇게 되면 순환출자구조로 되어 있는 삼성의 지배구조가 흔들린다. 그러나 특검이 차명자산을 이건희에게 주어버린 덕에 이건희는 지배구조를 계속 유지할 수 있게 되었다.

정부

삼성의 불법적인 행위들이 고발되어 판결을 받기까지 정부는 무엇을 했을까? 그리고 판결 이후에는 또 무엇을 했을까? 노무현 정부는 2007년 11월 삼성 비자금 특검을 수용한다. 그렇다면 노무현 정부는 삼성의 불법행위를 엄단할 의지가 있었을까? 김용철 변호사에 의하면 전혀 아니다.

'민주정부 10년'이라는 김대중·노무현 정부 기간 동안 이런 사례들이 흔했다. 법학교수 43명이 삼성에버랜드 사건을 고발한 것은 김대중 정부 시절인 2000년 6월이었다. 김대중 정부는 재벌의 편법 상속 통제를 개혁과제의 하나로 내세웠지만, 삼성은 늘 예외였다. 김대중 정부의 법무부 장관과 검찰총장 가운데 이건희의 불법행위를 조사하거나 공론화한 사람은 없었고 노무현 정부 역시 다르지 않았다. SK 최태원과 현대자동차 정몽구를 검찰이 소환조사를 했던 것과 비교하면 더욱 의아하다. 삼성에버랜드 무죄 판결에 대해서도 노무현 정부의 책임이 크다. 이 사건 1심 변호인으로 활동하던 이용훈 변호사를 대법원장으로 임명한 사람이 노무현 전 대통령이었기 때문이다.

삼성과 노무현 정부의 관계는 특별했다. 노무현 대통령은 안기부 X파일이 논란될 때 국가정보원 내 국내정보를 총괄하는 정보책임자 자리에 삼성경제연구소 이언오 전무를 임명했다. 이것만 보아도 더 이상의 설명이 필요하지 않다.

노무현 정책 가운데 상당수를 삼성이 만들어냈고, 시시콜콜한 정부 방침까지 삼성 구조본 팀장회의에 올라왔다. 대표적인 게 '참여정부'라는 명칭이다. 대통령 취임 전 열린 팀장 회의에서 노무현 정부의 명칭에 관한 안건이 올라왔고, '참여정부'가 좋겠다고 의논이 모아졌으며 실제로 노무현 정부의 공식명칭이 됐다.

그뿐만 아니라 노무현 대통령은 임기를 마칠 때까지 삼성의 손 아귀에서 벗어나지 못했다. 노무현 정부 정책 가운데 삼성에 불리한 것은 거의 없었지만, 삼성경제연구소에서 제안한 정책을 노무현 정부가 채택한 사례는 아주 흔했다. 심지어 삼성경제연구소는 정부 부처별 목표와 과제를 정해 주기도 했단다.

사태가 이렇게 된 데에는 노무현 대통령도 책임이 있다. 2007년 삼성 비자금 등이 공론화됐을 때 노무현 전 대통령은 이 문제를 덮으려했다. 정몽구 현대자동차 회장, 박용성 전 두산 회장 등이 연루된 비리 사건 등, 노무현 정부시절의 재벌 관련 수사들은 대부분 노골적인 봐주기로 끝났다. 그는 재임기간 동안 재벌 편을 드는 경우가 많았고 특히 삼성과 아주 가까웠다. 그가 자신의 지지세력 조차 강력히 비판했던 한미FTA, 재벌과 기득권층에게 유리하고 서민에게는 불리한 것을 밀어붙인 이유도 여기에서 찾을 수 있을 것이다.

상황이 이렇기 때문인지, 눈치 빠른 공직자들은 삼성의 돈을 망설임 없이 받았다. '삼성 돈은 안전하다'는 인식이 널리 공유되었다. 게다가 삼성은 뇌물을 받고 부정을 저지르다 쫓겨난 공직자들에게 일자리를 마련해 주었다. 삼성의 돈을 받고, 삼성을 위해 일하다 쫓겨나면 삼성이 책임진다는 믿음을 주었다. 그래서 공직자들은 뇌물을 받으면서도 불안해하지 않았다. 삼성은 뇌물로 징계를 받은 전직 공정거래위원회 고위 간부를 삼성전자 감사로 뽑은 적이 있고, 국세청에서 뇌물 받다 쫓겨난 사람을 세무대리인으로 쓰곤 했다. 삼성은 기르던 개를 버리지 않았고, 다른 충견들은 그 신호를 재빨리 간파했다.

특히 삼성은 국세청 관리에 공을 들였다. 후계자인 이재용에 관련된 일과 비자금 때문이다. 삼성은 이승만 대통령 시절부터 정관계에 돈을 뿌려왔으므로 비자금 없이 지낸 적이 없다. 비자금은 회계조작으로 회사에서 빼돌린 것이므로 당연히 세금을 제대로 내지 않은 것이다.

금융감독원도 삼성의 주요한 로비 대상이다. 금융감독원은 삼성화재 미지급 보험금 횡령 사건에 대해 삼성화재 전·현직 임직원에 대해 정직 및 감봉 등의 문책을 요구하고 삼성화재에 대해 '기관주의' 조치를 내렸다. 고객의 돈을 빼돌린 것은 금융기관으로서는 최악의 범죄임에도, 이를 감독해야할 금융감독원은 솜방망이 징계로 그쳤다. 그 이후로 삼성이 피해자인 고객에게 미지급 보험금을 돌려줬다는 소식도 들리지 않았다.

언론과 학계

지금까지 김용철 변호사의 양심고백에 따라 삼성과 검찰, 법원, 정부의 관계를 살펴보았다. 그의 고백은 대부분 사실로 받아들여도 될 것 같다. 사실이 아니라면 삼성 비자금을 받아 넉넉히 살아가는 삼성장학생들이 서슬 퍼런 권력을 휘둘러 그를 가만두지 않았을 것이기 때문이다.

그런데 이상하게도 삼성재판이 나라 전체를 시끄럽게 해도 우리 주위에서 삼성을 비난하는 사람들을 쉽게 찾아볼 수 없다. 김용철 변호사가 책에서 설명하지 않았지만 우리는 그 이유를 다음과 같이 정리할 수 있다. 즉 언론과 학계에 스며든 '삼성이 나라를 먹여 살린다'는 삼성 이데올로기를 만들어 유포하고 있기 때문이다. 직접적인 증거를 찾기는 어렵지만 충분히 미루어 짐작할 수 있는 일이다.

삼성은 나라 전체를 부패시켰고 언론도 예외가 아니다. 삼성은 자신들을 옹호하는 조중동에게는 광고 물량을 퍼주지만, 자신에게 비판적인 《한겨레》와 《경향신문》에 주는 광고는 물량을 조절하였다. 그 때문에 《경향신문》이 삼성을 비판하는 전남대 김상봉 교수의 칼럼을 게재하지 않았다가, 올해 2월에 신문 1면에 그 사실을 밝히고 반성의 뜻을 게재했다. 같은 맥락에서 《오마이뉴스》가 전남대 김상봉 교수의 칼럼을 독자들에게 별다른 공지를 하지 않고 내렸다는 사실은 언론에 미치는 삼성의 영향력을 확인해 주고 있다.

지성의 전당이라는 학계는 어떨까? 몇 년 전 고려대학교에서 이건희에게 명예 철학박사 학위를 수여할 때 학생들이 반대한 일이 있었다. 학생들은 삼성이 노동조합 결성 권리를 인정하지 않는 점과 대학이 기업의 이윤논리에 종속되고 있는 현실을 용기 있게 비판했다. 학생들은 행사장 앞에서 '노동자 탄압하는 이건희 회장, 명예박사 학위 즉각 중단하라'는 요구를 하며 출입을 봉쇄하였다. 고려대측은 장소를 바꾸어 재단이사장실에서 학위 수여식을 비공개로 진행하였다.

삼성은 '무노조 경영'을 공식적으로 내세우는 기업으로서, 이 점에서 기네스북에 오를만한 세계적으로 흔치 않은 대기업이다. 그럼에도 고려대학교는 무노조 기업의 '경영자' 이건희에게 명예 철학박사 학위를 수여하는 놀라운 일을 하였다. 인간의 기본권 중 하나인 노동권을 인정하지 않는 사람에게 명예 철학박사 학위를 수여했다는 점에서 놀라웠다. 철학은 인간의 본성, 권리, 규범, 정의 등을 논하는 인문학 중에서도 최고의 학문이다. 명예학위일지라도 철학의 박사학위를 인간의 기본적 권리와 존엄성을 인정하지 않는 사람에게 수여했다는 것은 철학을 모독하는 행위였다.

더욱 놀랍게도 고려대는 그러한 사실을 지적하는 학생들을 칭찬해 주지는 못할망정 엄중 징계하기까지 하였다. '대학이 기업의 이윤논리에 종속되고 있다'는 학생들의 주장을 명백하게 증명해 주었다. 고려대는 학생들을 훌륭하게 가르쳤으나 학교 운영진은 그 학생들에게서 배움을 얻지 못하였다. 학교에 학문은 사라지고 그 자리에 노동자를 착취한 돈이 똬리를 틀었다.

43명의 대학교수들이 삼성에버랜드 사건을 고발한 것을 보면서 지성의 전당에 대한 믿음을 조금이라도 간직한 사람이 있다면 앞으로는 더 실망할 수 있다. 교수들 개인이 양심적으로 행동할 수는 있으나, 대학이 그처럼 행동하지는 않을 것이기 때문이다. 오늘날 대부분의 대학은 신자유주의 이데올로기를 생산·전파하고 천정부지로 쌓아놓은 학생들의 등록금을 놔두고서 등록금을 또 올리고, 그것도 성에 차지 않아 학교 안에서 스스로 돈벌이에 나서고 있기 때문이다.

어떻게 바꾸어야 하는가?

삼성과 국가기구들이 결탁하여 한국사회의 자원을 이건희 한 가족에게 털어 넣고 있는 부정의한 현실 앞에서 우리는 무엇을 해야 할 것인가? 크게 네 가지 수준에서 대책을 생각해 볼 수 있다.

국가 수준에서

먼저 사법부 개혁이 필수적이다. 법원은 국민의 인권과 권리를 보장할 최후의 보루이다. 불행하게도 우리나라의 법원은 지금까지 그러한 역할을 다하지 못하였다. 이승만 정부시절 조봉암 사형 판결과 박정희 시절 인혁당 관련자 사형 집행 등, 정부와 검찰이 조작한 사건들이 많았지만 법원은 이 사건들에 정의의 판결을 내린 적이 없었다. 그리고 그러한 과거를 국민들 앞에 명명백백하게 밝히고 용서를 구한 적도 없다.

과거에 정치권력에 굴종하거나 권력에 편승하여 출세한 조직이라면, 오늘날 자본에 충성하고 그에 편승하여 출세하는 것을 스스로 이상하게 생각하지 않을 것이다. 자본이 곧 권력인 세상이 되었기 때문이다. 용산사건 판결에서 이러한 정황이 다시 증명된다. 서울중앙지법 형사합의 27부(부장판사 한양석)는 2009년 10월 28일 용산참사 현장에 있던 철거민 7명에게 징역 5~6년을 선고했다. 재판 과정에서 검찰은 뚜렷한 이유도 없이 수사기록 3000쪽을 공개하지 않았고, 경찰 핵심 지휘관들의 진술조서 등이 감춰진 채 재판이 진행되었다. 수사기록 없이는 변론하기 어렵다는 변호인들에게 재판부는 "변론할 수 없다면 퇴정하라"고 겁박하기까지 했다. 재판부는 피의자들의 권리를 인정하는 데 조봉암 판결 때만큼이나 인색하였다.

실형을 선고받은 이들 중에 참사 현장에서 아버지가 사망한 사람이 있다. 억울하게 아버지를 잃은 사람이 거꾸로 아버지를 죽였다는 죄로 실형을 선고받았다. 김용철 변호사에 의하면 통상적인 재판이라면 이 같은 경우에는 혐의가 인정되어도 아버지의 죽음을 감경 사유로 보아 실형을 선고하지 않는다고 한다. 삼성 비리 재판에서는 온갖 명목으로 작량감경을 남발하더니 이 재판에서는 전혀 적용하지 않았다. 가장 부유하고 힘 있는 자들에게 한없이 관대하던 법원은 가장 힘 없는 이들에게 끝없이 가혹했다.

이처럼 민주정부 10년 동안에도 또 그 이후에도 사법부는 스스로 혁신할 수 있는 양심과 동력을 보여주지 못했다. 따라서 사법부 개혁을 위해서는 충격이 필요하다. 그것은 부패한 인물들이 법원 내에서 출세하지 못하도록 인사제도를 근본적으로 개선하는 것부터 시작해야 한다. 법관들을 권력에 순치시키는 판사 재임명제도를 폐지하고, 법관은 임용되는 순간부터 정년까지 근무할 수 있도록 보장해야 한다.

그리고 법관의 인사와 판결에 시민참여를 활성화해야 한다. 법관 임용과 인사를 위해 법원 내부에 법관인사위원회를 설치하고, 법원 관료들이 아닌 민간인들이 위원이 되도록 해야 한다. 그럴 때에 법관들이 법원 고위 관료나 재벌들의 눈치를 보지 않고 소신껏 국민의 입장에서 판결할 수 있을 것이다. 재판에도 시민을 적극적으로 참여시키는 배심원제도를 전면적으로 도입해야 한다. 형사재판에서뿐만 아니라 삼성사건과 같은 중대한 민사재판에서는 시민들의 합리적인 요청에 따라 배심원단 평결을 의무화하는 방안도 추진할 필요가 있다.

다음으로 검찰 개혁도 필수요건이다. 우리 검찰은 살아있는 권력을 수사한 적이 없다. 이명박 정부 출범 이후에는 민주정부에서 자취를 감추었던 악습 즉, 최고 권력자의 비위를 맞추기 위한 기획 수사가 오히려 늘어났다. 검찰을 권력의 그늘에서 벗어나게 하는 주요한 방법도 인사제도의 혁신이다. 법관 인사제도와 마찬가지로 검찰 인사위원회를 설치하고 시민들을 위원으로 임명해야 한다. 그리고 선출직 검사제도를 운용하는 것도 좋은 방법이 될 수 있다. 정치인, 고위 관료, 검사, 법관과 관련된 사건은 국민으로부터 선출되고 임기가 보장되는 검사에게 맡기는 방법도 검토해 볼만 할 것이다.

재벌 정책 수준에서

삼성은 나라 경제를 위기에 빠뜨릴 수 있다. 한때 미국 사람들은 "GM에 좋은 것은 미국에 좋다"라고 공공연히 말했다. 잘 나가는 대기업이 고용 창출과 양질의 상품 생산을 통해 사회에 기여한다는 믿음을 드러낸 것이다. 일본 사람들은 70~80년대에 SONY가 세계시장을 백년 이상 더 재패할 것이라고 생각했다. 지금 두 기업은 어떻게 되었나? 기업도 개인의 삶과 마찬가지로 흥망성쇠가 있다. 튼튼한 기업이 백년 이상을 번성할 수 있지만 그 기업도 언젠가는 위기를 맞고 쓰러질 수 있다는 것은 분명한 사실이다. 따라서 국가는 특정 기업의 흥망에 의해 사회전체가 큰 타격을 받지 않도록 방지할 필요가 있다.

우리는 어떤가? 공직자나 국민들이 기업의 이익과 국가의 이익을 구분하여 생각할까? 노무현 정부시절 한미 FTA를 추진했던 김현종 통상교섭본부장이 2009년 3월 삼성전자 법무팀 사장으로 영입된다. 김용철의 증언에 의하면 김현종은 첫 사장단 회의에서 "기업이익을 지키는 게 나라의 이익을 지키는 일이라고 생각한다"고 말했다. 그는 통상교섭본부장 시절 대기업에게만 유리한 정책을 밀어붙였다. 그러다 믿었던 대기업이 무너지면 나라가 거덜날 것이지만 그런 것은 안중에도 없었을 것이다.

삼성장학생들은 재벌의 순환출자의 문제점을 알면서도 외면한다. 아니 오히려 출자제한 규정을 없애야 한다고 주장했고 이명박 정부가 그렇게 했다. '삼성에버랜드→삼성생명→삼성전자→삼성카드→삼성에버랜드'로 순환되는 출자 구조는 삼성에버랜드를 장악한 사람에게 그룹 전체 비중에서 2% 불과한 지분률로도 삼성 전체를 지배할 수 있는 힘을 부여한다. 이것이 삼성에버랜드를 지배하는 이건희 일가가 연출한 마술이다.

순환출자와 지급보증은 대상 기업 중 하나만 부도나도 삼성 전체가 쓰러질 수 있는 구조를 만든다. 순환출자는 조조가 적벽대전에서 전함들을 모두 묶은 뒤에 전투에 임하게 했던 방식과 같다. 언뜻 보기에 모든 배를 묶었기 때문에 파도에 흔들리지 않아서 전투에 유리할 것 같지만, 단 하나의 불화살에도 함대 전체에 불길이 번져 모두를 잃어버릴 수 있다. IMF 때 대우, 기아, 해태 등 줄줄이 무너진 재벌들을 보면 그 결과가 분명해진다. 그것은 한국 경제를 파탄시킬 것이다. 그때 쓰러진 재벌기업들에 들어간 공적자금은 모두 국민의 세금이었다. 같은 일이 다시 일어나면 친재벌 성향의 정책결정자들이 그때와 똑같이 국민의 세금으로 메울 것이다.

순환출자는 삼성의 기업들이 생산한 이익을 2%의 황제 가족에게 헌납하지만, 삼성이 위기에 처했을 때의 손실을 국가경제 전체에 떠넘기는 부도덕하고 파괴적인 올가미로써 국가경제에 백해무익하다. 위험을 방지하기 위해서는 계열사간 순환출자와 지급보증을 없애 각각의 기업들이 독자적으로 활동하도록 해야 한다. 이것은 계열사들의 문을 닫게 만들자는 것이 아니다. 예를 들어 삼성생명이 부도나도 삼성전자가 쓰러지지 않도록 지급보증을 없애자는 것이다. 이미 삼성의 계열사들은 독자적으로 활동해도 한국 시장에서 커다란 영향력을 행사하는 거대 기업이 되어 있다. 이들을 순환출자와 지급보증으로 묶어두면 장차 적벽대전에서 참패한 조조보다 더 큰 참화를 입게 될 것이다.

상식이 있는 사람들이라면 순환출자가 내포하고 있는 위와 같은 위험을 단번에 파악할 수 있다. 그럼에도 이 같은 비상식적인 지배구조가 유지되는 이유는 단 하나, 이건희 일가의 황제경영을 유지하고 보장하기 위한 것이다. 한 가족을 위해 국가경제가 볼모로 잡혀 있다. 신자유주의 시장에서 기업 간의 경쟁이 극한으로 치달을수록, 기업의 경영환경은 예측할 수 없이 유동적이므로 한 순간이라도 빨리 결정을 해야 한다. 계열분리에 필요한 자금은 상호출자 지분을 서로 상쇄한 나머지 금액만 있으면 가능할 것이다. 그 액수가 크다면 삼성 노동자들의 퇴직금만큼을 우리사주로 지급하여 충당하고, 부족한 금액은 국민주를 발행하여 마련할 수 있을 것이다. 정치적 의지만 있으면 실행 가능하다.

삼성 노동자 수준에서

김용철의 증언에 의하면 삼성 구조본 팀장회의에서 결정을 내릴 때 적용하는 기준은 오직 하나, 이건희 일가의 이익이다. 삼성의 이익과 이건희 일가의 이익이 충돌할 때면, 늘 이건희의 이익이 우선시 되었다. 그것은 합리적인 기업경영과는 거리가 먼 것으로 실패가 예견되는 일이다. 대표적인 사례는 이건희의 취향을 만족시키려던 삼성자동차의 실패, 이재용의 경영참여를 위한 사전 작업인 'e삼성'의 실패였다.

이건희 일가의 눈치를 보느라 판단력을 키울 기회를 잃어버린 경영진들은, 위기 앞에서 무용지물이 된다. 이런 비극은 여러 번 일어났다. 김용철의 증언에 의하면 자동차 다음으로 큰 투자 손실은 미국의 망해가는 컴퓨터회사 AST를 인수하여 1년 만에 1조 3000억 원을 날린 일이다. 유럽 등에 판매한 AST의 상품에 대한 무상 서비스 비용이 계산할 수 없는 천문학적 액수여서 곧장 청산시켰다. 일본의 유니온광학, 럭스맨 등을 인수하였다가 헐값에 매각하거나 청산하였다. 명품시계 사업을 하겠다며 유럽의 롤라이, 피케레 등을 실사도 거치지 않고 인수하였다가, 1000억 원에 인수한 회사를 100만 원에 매도하기도 하였다.

이재용의 재산을 불리기 위해서 주로 상장 직전에 주식을 사서 상장 이후 막대한 차익을 거두는 방식을 활용한다. 에스원, 삼성엔지니어링, 서울통신기술 등이 이런 계획에 동원되었고, 이재용이 대주주가 된 회사의 상장 차익을 늘리기 위해 삼성의 다른 계열사 사업을 떼어다 이들 회사에 넘기기도 한다.

251

삼성의 경영진들이 이건희 가족의 취향과 재산을 불리기 위해 시도했던 많은 사업들에 투자된 자금에는 삼성의 주주와 노동자들에게 돌아갈 몫도 포함되어 있다. 그들은 주주나 노동자에게 명백하게 묻지도 않고 그 돈을 날린 것이다. 이러한 일이 다시 반복되어서는 안 된다. 삼성을 개혁하는 것은 곧 주주와 노동자 나아가 국민을 위한 일이다.

이를 위해 삼성의 노동조합이 활성화되도록 해야 한다. 기업에 가장 직접적인 이해관계를 갖는 사람은 노동자이다. 특정 기업의 실적이 부진할 때 주주는 주식을 팔고, 채권자는 채무청산을 독촉하여 기업경영을 더욱 어렵게 만들고, 거래기업은 관계청산을 요구할 수 있고, 고객은 다른 상품을 선택할 수 있다. 끝까지 기업에 남아서 자신을 희생할 수 있는 사람들은 노동자들이다. 많은 경우에 그들의 인생과 가족과 미래가 그 기업의 운명에 좌우되기 때문이다. 그래서 노동자들이 기업 경영에 참여할 필요가 있다. 독일과 같은 나라에서는 노동자 대표가 기업 경영에 참여한다. 그 때문인지 독일은 아직도 제조업 강국이다.

삼성의 문제에서도 직접적 이해관계자인 노동자들이 활동할 수 있는 공간이 마련되어야 한다. 이를 위해서 한국 재벌의 기형적인 지배구조를 혁신할 때 주주자본주의가 아닌 이해관계자 자본주의 모델 즉, 고객, 노조, 거래기업, 채권자,정부와 사회일반에 이르는 이해 관계자Stakeholder 모두를 배려하는 자본주의로 전환해야 한다.

제도적으로는 하루 빨리 복수노조가 허용되어 삼성 노동자의 진정한 의지형성을 가로 막는 유령노조를 무력화하고 진짜 삼성 노동자들이 경영을 감시할 수 있어야 한다. 이를 위해 먼저 국내 최고 대우를 보장받고 노동운동에서 무임승차하던 삼성 노동자들의 대오각성이 필요하다. 삼성 노동자들이 자신들의 이익을 보장받기 위해서도 노조활동이 필요하다는 점을 인식하고 스스로 떨쳐 일어나야 한다. 올해는 전태일 서거 40주년이다. 삼성의 내부는 아직도 전태일 이전의 반봉건적인 상태에 머물러 있다. 삼성의 노동자들이 스스로 알을 깨고 나와야 한다.

시민운동 수준에서

재벌들은 자신들의 성장에 기여한 국민들에게 그 과실을 돌려줄 때가 되었다. 한국 재벌의 급격한 확장은 정경유착에 힘입은 바가 크다. 재벌들은 공직자에게 백억 원의 뇌물을 주면 수천억의 이익을 가져갔다. 박정희, 전두환, 노태우 시기의 공기업 민영화나 구조조정기업의 매각은, 재벌들에게 기업을 인수하며 사업 영역을 확장하는 기회를 주었다. 그들은 부실기업을 인수할 때마다 막대한 특혜를 요구하였고 정부는 선심 쓰듯 들어주었다. 그 돈은 모두 국민의 세금에서 나온 것이다.

삼성과 같은 재벌들이 시장에 진입장벽을 높이 쌓고 기득권을 누릴 수 있었던 이유는 재벌의 실력 때문만은 아니다. 역대 정부가 재벌 중심 경제 체제를 만드는 데 결정적인 역할을 하였고, 막대한 국민 세금이 그에 필요한 재원으로 사용되었다. 재벌은 개발독재 기간에 정부로부터 특혜를 받으며 납세자로서의 국민에게 빚을 졌고, 정부의 수입 제한 조치에 따라 국내에서 독점적 생산자 지위를 남용하여 질 낮은 상품을 높은 가격에 판매해 왔기 때문에 소비자로서의 국민에게 빚을 졌다. 그럼에도 불구하고 삼성과 재벌들은 국민에게 진 빚을 갚기는커녕, 오히려 세금 납부라는 기본적인 의무마저 회피한다. 이제 그들에게 정당하게 빚을 갚게 해야 한다.

삼성은 위에서 제기한 혁신을 순순히 받아들이지 않을 것이다. 삼성과 삼성장학생들의 저항을 물리치고 혁신할 수 있는 유력한 방법은 삼성의 범죄를 단죄하고 재벌체제를 종식시킬 것을 공약으로 내세우는 정당이 집권하는 것이다. 그러나 가까운 시일 내에 이러한 정당이 집권하기는 난망해 보인다. 그럴 경우에 정당의 도움 없이 시민들이 직접 실천할 수 있는 방법은 불매운동이다. 자본주의 사회에서 불매운동은 기업에 압력을 가할 수 있는 가장 강력한 방법이다. 천하의 삼성도 불매운동을 피해갈 수는 없을 것이다. 우리가 그것을 끝까지 실천할 수만 있다면. 🈟

오현철

1963년생. 사회학자. 전북대학교 사회교육과 조교수. 저서에 『시민 불복종 : 저항과 자유의 길』 등이 있음. minipublics@gmail.com

쟁점
비평

에티카의 몰락

: 황정은과 신형철

조 영 일

비평가의 잡설

안녕하세요. 저는 문학비평을 하고 있는 사람입니다. 비록 직업란에 '문예평론가'라고 쓰지 않더라도, 누군가에게 스스로를 소개할 때는 "평론을 하고 있다"고 말하니(이렇게 말하면 종종 "뭐라고요?"라고 되묻는 사람들이 있습니다), 문예비평가라고 해도 상관이 없지만, 스스로도 그다지 잘 어울린다는 생각은 들지 않습니다. 왜냐하면 그다지 소설을 많이 읽는 편도 아니고, 직업적으로 평을 쓰는 것도 아니기 때문입니다. 그러나 지면을 가리지 않고 쓰며(바꿔 말해, 말도 안 되는 원고료도 마다 않고 쓰고), 애당초 거부를 잘 못하는 성격인지라 앞뒤 가리지 않고 승낙부터 하고 있기 때문에 일거리는 적잖게 들어옵니다.

하지만 그로 인해 최근 매 계절 이 고생입니다. 빚 독촉에 쫓기는 불량채무자처럼 계간지 원고를 처리하고 나면, 깜빡 잊고 있던

255

월간지 원고가 복병처럼 등장합니다. 거기다 강연이라도 하루 끼어있으면, 정말이지 파김치가 되고 맙니다. 하지만 저의 비극은 원고마감이 끝났다고 해서 문제가 일단락된 것은 아니라는 데에 있습니다. 저는 평론 외에 번역가라는 다른 얼굴이 있어, 원고가 마감되면, 다시 번역작업으로 돌아가지 않으면 안 됩니다. 사정이 이러하니, 박사논문은 도대체 언제 쓸지 모르겠습니다. 최근 만나는 사람마다 "언제 논문 쓸래?" 합니다. 그런 경우, "글쎄요. 제가 그걸 알면 이러고 있겠습니다!" 하고 외치고 싶을 정도입니다.

사적인 이야기는 이 정도로 하고, 다시 본론으로 돌아가면, 최근 저는 2010년에 나온 한국소설을 정리할 기회가 생겼습니다. 그러나 말도 안 되는 이야기이죠. 왜냐하면 저는 사실 한국소설을 열심히 읽는 비평가가 아니기 때문입니다. 그렇다면 왜 안 읽는가 하면, 일단은 재미가 없기 때문이고, 그 다음은 책을 살 돈이 없기 때문입니다. 메이저 문예지가 아닌 경우, 원고료가 얼마나 하는지는 오직 업계 사람들과 하늘만이 아십니다. 확실히 이것은 우리 모두가 끝까지 업계비밀로 하지 않으면 안 됩니다. 그렇지 않으면, 아마 국문과나 문창과에 진학하려는 학생 수가 격감할 것이기 때문입니다.

그렇다고 해서 제가 메이저 문예지에 글을 쓰는 사람들을 부러워하는가 하면, 그렇지도 않습니다. 앞서 말씀드린 것처럼 저는 지면을(그리고 원고료도) 크게 문제삼지 않습니다. 다만 창피해서 누구에게 이야기하기도 힘든 쥐꼬리만 한 원고료로 평할 소설책을 사라는 것은 언어도단입니다. 물론, 이런 경우 메이저 문예지에서 활동하는 비평가들은 원고료는 원고료로 받고 해설은 해설대로 쓰고 책은 책대로 출판사나 작가로부터 증정을 받지만, 저와 같은 비평가들은 생돈을 주고 사는 방법 외에 없습니다. 즉 한국문학은 이렇게 없는 비평가들을 더욱 가난하게 하는 구조를 착실히 구축해 온 셈입니다.

물론 출판사에 전화를 걸어 책 한 권 보내달라고 할 수도 있습니다. 하지만 뭐랄까? 쪽팔려서("문학평론을 한다는 놈이 책 몇 권 살 돈도 없냐?") 그렇게 하기는 힘든 면이 있습니다. 그래서 궁여지책으로 찾은 방법이 대학도서관을 이용하는 것입니다. 그런데 대학도서관은 대체로 너무나 '대단한 시스템'을 갖추고 있어서 신간 입고까지 한두 달 걸리는 것은 기본입니다(도대체 뭣들 하고 있는지 따지고 싶을 정도입니다). 더구나 베스트셀러일 경우 수십 명이 예약을 신청하는 바람에 언제 손에 넣을지는 이명박도 박근혜도 모릅니다.

이런 상황에서 제가 '한국문학예술위원회 AYAF 2기 창작기금의 지원을 통해 출간된' 황정은의 『百의 그림자』를 만난 것은 매우 자연스러운 것이었습니다. 첫째 이 책은 나온 지 조금 되었고(6월 25일 펴냄), 일반 독자들에게 널리 읽히는 작가가 아닌지라 도서관에서 쉽게 빌릴 수 있었습니다. 그러나 제가 이 소설을 읽은 것은 단순히 구하기 쉬워서만은 아닙니다. 소설깨나 읽는다는 대학원 후배들에게 물었을 때("요즘 읽을 만한 소설이 뭐가 있지?"), 이야기해 준 소설 중 한 권이었기 때문이기도 했고, 해설을 쓴 신형철이 '일대 사건'으로 평가했다는 말을 들어서이기도 했습니다(그들은 그밖에 김중혁의 『좀비들』, 박형서의 『새벽의 나나』도 추천해 주었지만, 행인지 불행인지 이 작품들은 아직 도서관에 입고되어 있지 않았습니다).

그래서 이러저런 우여곡절 끝에 『백의 그림자』를 읽긴 했지만, 여러 가지 피치 못할 일정이 생겨 어느덧 한 달이 지났습니다. 그 과정에서 연장하는 것을 깜빡 잊어 지금 연체 5일째입니다. 그러나 누군가가 예약을 했다는 문자가 날아오는 바람에 반납하기보다는(그랬다가는 다시 언제 내 손에 들어올지 모르기에) '과감히' 연체료를 물기로 하고 빨리 이 작품에 대해 이야기를 해 볼까 합니다. 먼저 후배들의 이야기에서 알 수 있는 것처럼 이 작품이 뜻밖에 적잖은 주목을 받게 된 것은 순전히 신형철의 해설이 실려 있었기 때문입니다. 신형철은 저 역시도 신뢰하는 평론가인지라 그가 '일대 사건'이라고 말했다면, 뭔가 있겠지 하는 생각에 책을 읽었습니다.

소설가와 비평가는 어떻게 만나는가

이제부터 우리는 황정은의 소설 자체보다는 황정은 소설과 신형철 비평이 어떻게 행복한 만남을 이루고 있는지를 따라가 보기로 하겠습니다. 먼저 그는 첫 부분에서 『백의 그림자』에 대한 해설을 쓰게 된 경위에 대해 다음과 같이 말하고 있습니다.

"작년 가을에 한 문예지에 전재된 황정은의 첫 번째 장편소설 『백의 그림자』를 읽고 나는 이 소설에 대해 뭔가를 쓰지 않으면 안 된다는 다급한 의무감을 느꼈다. 행여나 있을 오독으로부터 이 소설을 지켜내야 한다고 생각했고, 가능하면 많은 사람들이 이 소설을 읽을 수 있도록 알려야 한다고 생각했다. 어떤 방식으로든 이 의무감을 해소할 수 있게 해 달라고 출판사에 청했다. 그래서 지금 이 글을 쓴다. 황정은의 소설에서는 아주 많은 희한한 일들이 뭐 별수 있느냐는 듯이 일어나고는 하지만, 책을 읽고 글 쓰는 일을 업으로 삼고 있는 이의 일상에서는 이 정도만 돼도 일종의 사건이다. (…중략…) 『백의 그림자』 덕분에 소설가 황정은에게 돌이킬 수 없는 신뢰감을 갖게 되었다."(강조는 인용자)[7]

---

[7] 신형철, 「『백의 그림자』에 부치는 다섯 개의 주석」, 『백의 그림자』, 민음사, 2010, 173쪽.

한 명의 비평가가 어떤 작품을 읽고 널리 알려야 한다는 일반적인 '의무감'과 더불어 그 작품이 오독될 위험으로부터 지켜야 한다는 적극적인 '의무감'을 느끼는 일은 매우 드뭅니다. 따라서 만약 그런 일이 발생한다면, 확실히 그것은 '돌이킬 수 없는' '사건'이 아니고서는 안 됩니다. 하지만 모두가 느끼는 것이겠지만 신형철이 느끼는 이런 '의무감'에는 어떤 불안이 깊숙이 내재되어 있습니다. 바꿔 말해, 그가 갖게 된 의무감에는 기본적으로 독자나 비평가들에 대한 불신이 숨어 있습니다. 자신의 개입이 없다면, 이 작품은 그냥 무시되거나 혹은 오독될 것이라는 믿음이 그에게 어떤 '의무감'을 부여한 셈입니다.

그러나 사정이야 어찌 됐든 그가 가진 '의무감'은 '말 그대로' 그가 아니었다면 그냥 지나쳤을지 모르는 작품에 일단 눈을 돌리게 하는 데에 성공했다고 말할 수 있습니다. 실제 이 작품을 이야기하는 사람들은 한 명도 빠짐없이 신형철의 해설을 언급했습니다. 이는 신형철이 문학전공자나 문학비평가, 또는 소위 문학 좀 읽는다는 일반독자의 절대적 멘토 역할을 하고 있다는 것을 의미할 것입니다. 저부터가 신형철의 의무감에 포섭되었으니 말 다했다고 해도 과언이 아닙니다. 따라서 문제는 이제 내가 그가 불신하는 대상이 되느냐, 아니면 그와 마찬가지로 『백의 그림자』를 '문학적 사건'으로 보느냐가 될 것인데, 어느 쪽이냐 하는 것은 그의 해설이 나를 얼마만큼 설득하느냐에 달려 있을 것입니다.

먼저 신형철은 이 작품을 "사려 깊은 상징과 잊을 수 없는 문장들이 만들어낸, 일곱 개의 절로 된 장시"(174쪽)로 요약합니다. 그리고 이 소설에 대해 할 이야기가 너무 많지만 딱 다섯 가지만 이야기하겠다며, 그것을 다음과 같은 절로 제시합니다.

워낙 유려한 문장인데다가 결코 도를 넘지 않는 박식함으로 무장되어 있는 글인지라 정작 말하고자 하는 바를 정확히 포착하기가 쉽지 않지만, 문체의 현란함에 매혹되어 의미를 부차적인 것으로 치부하는 실수만 저지르지 않는다면, 우리는 그가 뜻밖에도 문학원론을 반복하고 있다는 것을 알 수 있습니다. 예를 들어, 제1절에서 우리는 일반적으로 현실을 무신경하게(자명하게) 받아들이는데 반해, 『백의 그림자』는 그렇지 않다는 점에서 좋은 소설이라고 말하고 있는 부분이 그렇습니다.

"문학의 할 일 중 하나는 우리가 현실에 관해 생각하는 것을 방해하는, 자명함에 관한 그 잘못된 믿음을 해체하는 일이다. (…중략…) 이 소설이 좋은 소설인 첫 번째 이유가 이것이다. 이 작가는 우리가 예외적인 곳이라 착각하기 쉬운 공간을 보편화하고 우리가 다 안다고 믿는 종류의 사람들을 낯설게 하는 방식으로, 현실이라는 말을 한 번도 사용하지 않으면서 진짜 현실을 돌아보게 한다."(강조는 인용자, 175쪽)

표현하는 방식은 다르지만, 문학이론서 한두 권 뗀 사람이라면 여기서 자연스럽게 떠오르는 무언가가 있을 것입니다. 그렇습니다. '낯설게 하기'(쉬클로프스키), '일상어와 시어'(야콥슨)가 바로 그것입니다. 따라서 우리는 그가 문학일반론을 잘 준수하고 있다는 점에서 황정은 소설에 높은 점수를 주고 있다는 것을 알 수 있는데, 작품을 논하는 데에 있어 이런 일반론적 평가가 제대로 된 가치평가로 인정받을 수 있는지는 의문입니다.

하지만 그는 우리의 우려를 개의치 않고 『백의 그림자』의 공간을 곧바로 문제삼습니다.

"어떤 공간인가. "나는 도심에 있는 전자상가에서 일하고 있었다. 가동과 나동과 다동과 라동과 마동으로 구별되는 상가는 본래 분리되어 있었던 다섯 개의 건물이었으나 사십여 년이 흐르는 동안 여기저기 개축되어서 어디가 어떻게 연결되었는지 얼핏 봐서는 알 수 없는 구조로 연결되어 있었다."(29쪽)

그저 '다섯 개의 동'으로 이루어져 있다고 말해도 될 텐데 이 작가는 서로 다른 방식으로 새겨져 있는 사십 년의 시간 앞에 예의를 갖추기 위해서일 것이다. (…중략…) 전자상가를 철거하기로 결정한 이들에게 없는 것이 있다면 그것은 바로 그 시간에 대한 예의일 것이다."(강조는 인용자, 176쪽)

여기서 우리가 주목할 단어는 강조한 대로 '예의'라는 말입니다. 이 단어는 '윤리(에티카)'와 함께 그의 비평도구함에서 자주 꺼내어져 사용되는 말인데, 그의 관점에서 '윤리'란 어떤 태도를 뜻한다는 점에서 사실상 '예의'와 동의어라고 봐도 좋습니다. 그렇다면 그는 『백의 그림자』의 무엇을 예의(윤리)로서 받아들이고 있는 것일까요? 흥미롭게도 그는 그녀가 상가의 동(가동, 나동, 다동, 라동, 마동)을 모두 나열했다는 점에서 찾습니다. 그리고 이는 자연스럽게 제2절(환상-불행의 단독성), 제3절(언어-일반화의 폭력), 제4절(대화-윤리적인 무지)과 연결되는데(그런 의미에서 군이 따로따로 나눌 필요가 없는 절들이기도 합니다), 그의 설명에 따르면 그런 나열은 '일반화의 폭력'(그냥 '다섯 개의 동'으로 표현할 때 발생하는)을 거부하고 '단독성'을 고수하려는 작가의 '윤리적 무지'에서 나온 것입니다.

얼핏 보면 그럴 듯한 이야기인데, 혹시 그것은 침소봉대가 아닐까요? 예컨대 다음과 같은 부분은 어떠할까요?

"수년 전 수리실에서 내가 처음 한 작업이 그 두 서랍을 엎어서 정리하는 것이었다.

철사조각, 나사들, 드라이버 손잡이, 카세트테이프, 라벨들, 봉투에 담긴 알약들, 처방지들, 메모들, 쇳가루들, 전선들, 어디선가에서 떨어져 나온 금속 박편들, IC 칩들, 기판조각들, 구멍이 뚫린 지퍼 백, 볼펜 심지, 바늘, 납땜에 사용하는 납 줄, 손목시계, 음료 뚜껑들, 가죽끈들, 고무줄, 노끈들, 무언가를 닦아서 동그랗게 뭉쳐 놓은 종잇조각들, 아교나 섬유 린스가 담긴 필름 통, 커피 분말, 둥글게 말린 먼지, 필터 부근에서 접힌 담배꽁초들, 바싹 말라서 강냉이처럼 굴러다니는 벌레들, 딱지 모양으로 접은 회로도 같은 것 외에도 아무리 봐도 뭔지 모를 마른 것이라거나 브래지어 후크 같은 것이 발견되기도 하는 등 종잡을 수가 없었다."(48쪽)

이는 여주인공 은교가 여 씨 아저씨의 서랍을 정리하는 부분인데, 만약 작가가 이를 "서랍을 열어보니, 그곳에는 온갖 잡동사니들이 가득 들어있었다."라고 표현했다면, 이는 여 씨 아저씨가 보낸 세월에 대한 '예의'가 아닐 뿐만 아니라 '일반화의 폭력' 즉 '비윤리적인 태도'를 드러낸 게 될까요? 동을 나열하는 것은 서랍 속 잡동사니를 나열하는 것과 크게 다른 것이 아니기에, 만약 앞의 설명이 정당하면(동을 일일이 나열하는 것이 그렇게 큰 의미가 있다면), 그런 해석은 서랍 속 잡동사니를 나열하는 부분만이 아니라 조개를 종류별로 나열하는 부분(153쪽)에도 그대로 적용되어야 온당할 것입니다. 가리비는 대합과는 명백히 다르며, 민들조개와 칼조개도 그러하며, 돌조개, 참조개, 모시조개도 당연 각자의 역사(시간의 흔적)를 간직하고 있어서 이를 나열하지 않는 것은 '일반화의 폭력'에 다름 아닙니다.

그런데 이런 해석이야말로 지나친 일반화가 아닐까요? 아니, 바로 이런 것이야말로 종종 비평이 빠지는 일반화의 폭력이 아닐까요? '낯설게 하기'를 개별 작품을 평가하는 절대기준으로 삼는 것부터가 저에게는 그렇게 생각됩니다. 『백의 그림자』에 깔려 있는 환상성(비현실성)을 옹호하는 논리 역시 여기서 크게 벗어나지 않습니다.

"복잡한 문학 이론의 문제들은 제쳐 두더라도, 도대체가 이 소설에서 그림자가 분리되는 현상은 현실의 폭력 앞에서 주체가 어떤 인내의 한계에 도달할 때 발생하는 일임을 생각한다면, '비현실적' 환각을 뜻하는 환상이라는 용어로 그 현상을 명명한다는 것 자체가 얼마나 비윤리적이라는 느낌을 준다. 이것은 차라리 '극(極)현실'에 가깝지 않은가." (강조는 인용자, 178~179쪽)

여기서 신형철은 환상을 옹호하는 가장 일반적인 방식을 따르고 있는데, 그것은 이런 것입니다. "환상이야말로 현실보다 현실적이다." 눈치 빠른 분들은 이미 눈치를 채셨겠지만, 이것은 뭔가 심오한 견해라기보다는 '낯설게 하기'(현실의 자명성을 해체함으로써 진짜 현실을 드러낸다는)를 응용한 표현에 지나지 않습니다. 문제는 여기서 그가 이런 '환상성(낯설게 하기)'을 '윤리적'이라고 부르고 있다

263

는 점입니다. 방금 한 말의 되풀이일지 모르지만(이런 되풀이는 제 책임이 아닙니다), 그가 보기에 황정은은 환상(낯설게 하기)을 통해 단독성을 고수하고 있다는 점에서 윤리적인 작가인 셈입니다.

주지하다시피 신형철 비평의 핵심 용어는 '윤리(에티카)'입니다. 그래서 그는 모든 작품을 그것이 윤리적인지 그렇지 않은지에 따라 판가름합니다. 그러나 그에게 있어 '윤리'는 사실 다른 말로 대체되어도 크게 문제가 되지 않는 것입니다. 예컨대 '예의', '타자', '사랑', '단독성', '낯설게 하기', 그리고 '문학'과 같은 단어로 말입니다. 그렇다고 했을 때, 우리는 신형철의 '윤리'가 작품의 단독성을 판별하는 것보다 문학의 일반성(문학성)을 감지하는 데 더 유용한 개념이라는 것을 알 수 있습니다.

따라서 그가 문학의 윤리를 강조하면 강조할수록 그는 정작 아무 것도 말하고 있지 않은 게 됩니다. 왜냐하면 그것은 기본적으로 문학에는 문학성이 존재하고, 문학성이 있는 것이야말로 문학이라는 동어반복의 굴레에서 벗어날 수 없기 때문입니다. 주술의 기본적인 성격 중 하나가 반복성이라고 할 때, 문학을 옹호하는 가장 좋은 방법은 세밀한 논증이라기보다는 같은 이야기의 반복입니다. 문학적 주술, 신형철의 경우 그것은 '윤리'라는 단어의 사용에 있다고 해도 과언이 아닙니다(자, 문제 나갑니다. 그는 이 해설에서 몇 번이나 '윤리'라는 말을 사용하고 있을까요?).

그러나 그는 아무렇지도 않은 듯 계속해서 열심히 황정은 소설의 장점을 설명합니다. 먼저 그는 발레리의 한 구절을 인용한 후, 『백의 그림자』에 등장하는 독특한(조금씩 어긋나는) 대화방식을 문제 삼으며 다음과 같이 이야기합니다.

"그런데 저 상징주의 시인의 취지가 인식론적인 데 있다면 우리의 소설가가 하는 유사한 작업은 그 취지가 윤리학적인 것에 가까워 보인다. 어떻게 각각의 불행을 그것의 평범화 현상으로부터 구원해 낼 것인가 하는 문제의식의 연장선상에서 이 작가는 '언어와 낯설어지기'라는 방법론으로 언어의 무신경한 폭력성을 해체하려고 한다."(강조는 인용자, 182쪽)

역시나 여기에서도 '낯설게 하기'와 '윤리'가 나옵니다. 『백의 그림자』의 대화를 읽어보면, 보통소설의 대화와 약간 다름을 알 수 있습니다. 약간 꼬여있다고나 할까요? 이런 것은 작가가 독자들로 하여금 이야기의 내용보다는 커뮤니케이션이라는 문제 자체에 주목하도록 한 장치라 할 수 있는데, 문제는 이런 식의 대화설정이 현대소설에서는 그리 새로운 것이 아니라는 점입니다. 즉 이런 식으로 커뮤니케이션의 소통/불통을 문제 삼는(쉽게 말해, 커뮤니케이션이 가질 수밖에 없는 폭력성에 대한 반성이죠) 소설은 널려 있죠. 더구나 현대연극의 대화는 대부분 이런 식으로 이루어지고 있다고 해도 과언이 아닙니다.

따라서 그가 문제 삼는 특징은 황정은 소설만의 단독성을 지적하고 있기보다는 현대문학(현대연극) 일반의 특징을 새삼스럽게 재확인하고 있는 것에 지나지 않습니다. 물론 이는 신형철 역시도 약간 다른 형태이지만 충분히 인식하고 있는 문제입니다. "이것은 현대철학에서 흔히 '동일성의 사유'라고 불리는 것에 대한 겸손한 항의로 보아도 틀리지 않는다."(183쪽) 그렇다면 그가 이 해설에서 하고 있는 작업은 기껏해야 현대문학(그에게는 현대철학)에서 발견되는 특징을 황정은 작품에서 확인하는 것에 불과하게 됩니다. 물론 그는 한발 더 나아가 제4절(대화-윤리적인 무지)에서 블랑쇼(한국문학인들이 가장 좋아하는 불란서인이기도 한)를 끌어들여 황정은 소설의 대화가 가진 의미를 강조하긴 합니다.

"현실의 자명성, 불행의 평범성, 언어의 일반성 등으로 규정해 온 어떤 요소들을 대화 안에 들여놓지 않기 위해 그들은 최선을 다하고 있다. 이런 대화를 어떻게 명명하면 좋을까. 나는 이것을 '윤리적인 무지'의 대화라고 부르고 싶다. 세속적인 이해타산에 너무나 밝은 우리들의 대화는 똑똑하게 슬프고, 그런 것들에 무지한 이 인물들의 윤리적인 대화는 어쩐지 무의미해 보이면서 아름답다."(강조는 인용자, 186쪽)

누구나 그렇지만 말이 꼬이기 시작하면(즉 하고자 하는 이야기가 자신의 통제에서 벗어나기 시작하면), 무의식적으로 자신에게 가장 익숙한 단어를 되풀이하기 마련입니다. 노련한 그가 표현상의 반복('윤리')이 가져오는 단순화를 그대로 감수하고 있는 것은 문득 깨달았기 때문일 것입니다. 원래는 다른 이야기를 하려고 했는데, 결국은 앞 절에서 한 말을 되풀이하고 있다는 것을 말입니다. 임기응변으로 '윤리적인 무지'라는 멋진 구절을 만들어내긴 했지만, 결국 그것도 '아름답다'라는 주관적 느낌으로 끝날 수밖에 없었습니다.

하지만 그는 포기하지 않습니다. 이왕 이렇게 된 것, 서사의 가장 강력한 동력이자 가장 정의하기 어려운 개념인 '사랑'을 재-정의하는 도박을 감행합니다. 그렇다면, 황정은과 신형철의 '사랑'이란 도대체 어떤 것일까요?

"만약 이들(은교와 무재-인용자)의 관계가 사랑으로 보이지 않는다면 그것은 우리가 사랑에 관해 잘못 알고 있기 때문일 것이다. 사랑이란 무엇인가. 연인의 가마 모양을 유심히 보면서(34쪽) 그를 유일무이한 단독자로 발견해 내는 일이고, 설사 내가 쇄골이 반

듯한 사람을 좋아하더라도 쇄골이 반듯하지 않는 연인에게 "반듯하지 않아도 좋으니까 좋은 거지요."(39쪽)라고 말해 주면서 그 단독성을 대체 불가능한 것으로 절대화하는 일이다."(강조는 인용자, 188쪽)

이쯤 되면, 신형철은 더 이상 소설을 분석하고 있는 게 아닙니다. 사랑이란 무엇인가? 그에 따르면 그것은 단독성을 절대화하는 것이랍니다. 확실히 황정은의 소설은 그런 사랑을 그리고 있습니다. 즉 그녀는 욕망(단독성을 일반성으로 치환하는)이 부재하는 소설을 만들어내고 있는 셈입니다. 하지만 이는 모순형용입니다. '욕망이 부재하는 소설'이란 불가능합니다. 따라서 신형철의 표현을 빌리자면, 그녀는 소설이 아닌 '장시長詩'를 쓰고 있었던 셈입니다.

그런데 사정이 이러함에도 그가 이 작품을 소설로 읽고, 거기서 '소설적이지 않는 특징'이 발견됨을 들어 그 가치를 측정하는 것만큼 모순적인 것은 없을 것입니다. 왜냐하면 그것은 결국 시라는 장르에 존재하는 단독성과 소설이라는 장르에 존재하는 단독성을 '문학'(또는 윤리)이라는 이름으로 일반화하는 것에 지나지 않기 때문입니다. 따라서 이런 '비평의 폭력'을 즐길 수 있고, 또 그것에 '윤리'라고 이름을 붙일 수 있다면, 남는 것은 외부에 배타적인 문학 공동체뿐일 것입니다.

비평가의 윤리

생각했던 것보다 이야기가 길어졌는데, 해설을 무시하고 『백의 그림자』를 읽었을 때, 제일 먼저 머리에 떠오른 것은 다음과 같습니다. "황정은은 분명 하루키의 애독자일 것이다!" 제목에도 단적으로 드러나 있지만, 이 소설에서 가장 중요한 모티브는 누가 뭐래도 '그림자'입니다. 그림자라는 소재는 낭만주의 문학작품에서 단골로 등장하는 소재이지만, 그것을 현대적인 형태로 가장 잘 활용한 작가 중의 한 명이 하루키라는 데에는 큰 이견이 없을 것입니다. 더구나 한국작가들에 대한 영향력이라는 관점에서 볼 때, 『백의 그림자』를 읽고 『세계의 끝과 하드보일드 원더랜드』를 떠올리지 않은 게 도리어 이상할 정도입니다.

그러나 차이점 또한 분명한데, 『백의 그림자』의 경우 처음에는 중요한 모티브로 등장한 그림자는 뒤로 갈수록 존재감을 상실하는데, 제가 생각하기에 그것은 고도로 의도된(계산된) 것이라기보다는 어떻게 하다 보니(다른 부분에 신경을 쓰다 보니) 그렇게 된 것으로 보입니다(즉 모티브를 제대로 활용하고 있지 못한 셈입니다). 그러나 이보다 더 큰 차이점은 하루키의 그림자는 실물(인간)과 대화를 나누는 존재인데 반해, 황정은의 그림자는 그렇지 않다는 점입니다.

역으로 말해, 황정은에게 있어 그림자는 단순히 사회적 소외와 불행, 그리고 죽음을 암시하는 수동적 상징에 그치고 있다면, 하루키의 그것은 주인공으로 하여금 윤리적인 결단을 내리도록 촉구하는 적극적 매개자로서 등장합니다. 즉 전자에게 있어 그림자는 말 그대로 그림자에 불과하지만(지극히 평면적입니다), 후자의 경우 일종의 분신으로서 전체 서사를 추동시키는 능동적인 역할을 담당하고 있습니다(매우 입체적입니다).

주지하다시피 『세계의 끝과 하드보일드 원더랜드』는 두 세계의 이야기가 나란히 진행되는 소설입니다. 그런데 하루키 팬들이시라면 아시겠지만, 이 작품은 원래 환상성이 강한 '하나의 세계'만을 묘사한 「거리와 그 불확실한 벽」(1980)이라는 중편을 확대한 것입니다. 하루키 스스로 실패작이라고 부르는 이 중편은, 그 때문에 단행본으로는 출간된 적이 없는데, 제가 생각하기에 『백의 그림자』는 정확히 이 실패작과 비교될 정도의 작품입니다. 그런 의미에서 그녀도 작품을 출간하지 말았어야 했는지도 모릅니다.

하루키는 『노르웨이의 숲』을 출간하면서 비로소 리얼리즘적으로 소설을 썼다고 말했는데, 이는 자신이 기본적으로 비리얼리즘적(환상적) 기법으로 창작해온 작가라는 고백으로 읽을 수 있습니다. 그러나 흥미롭게도 그를 환상소설가로 분류하는 사람은 매우 적은데, 그것은 아마 그림자와 같은 초현실적인 존재나 정체를 알 수 없는 수수께끼와 같은 마을을 등장시키고 있음에도 불구하고, 그것이 항상 현실과의 연관 하에서만 의미를 갖도록 해놓았기 때문일 것입니다.

이는 사실 처녀작(『바람의 노래를 들어라』)부터 일관된 것이었습니다. 따라서 상대적으로 환상성이 지배적인 「거리와 그 불확실한 벽」을 폐기하고 현실의 세계(물론, 이 자체도 완전히 리얼한 세계는 아니지만, 적어도 시공간만큼은 확고한 세계입니다)를 배치하여 거울처럼 서로를 비추는 평행세계를 구축했습니다. 이에 반해 황정은 소설에 등장하는 도시는 현실 속의 도시를 강하게 암시하면서도 역으로 그 현실성을 제거하는 방식으로 '어떤 새로움'을 획득하고 있습니다.

신형철은 바로 여기서 그런 '현실성의 제거'(환상성)를 도리어 '현실보다 현실적인 것'으로 평가합니다. 저는 사실 이런 해석에 의문을 제기하고 싶지는 않습니다. 충분히 그런 해석이 가능합니다. 하지만 만약 그런 해석이 가능하다면, 그 반대 역시도 가능합니다. 즉 현실과의 대결회피로써 환상성을 도입했다는 식의 해석 말입니다. 이런 상황이 우리에게 주는 교훈은 작품을 평가할 때, 어떤 기법(방식)의 사용을 가치평가의 기준으로 삼아서는 곤란하다는 것입니다. 왜냐하면 '문학'이라는 일반화의 폭력을 피할 수 없기 때문입니다.

신형철은 최근 역사성의 소거, 현실성의 소거를 적극적으로 옹호하는 입장을 취하고 있습니다. 신경숙의 소설 『어디선가 나를 찾는 전화벨을 울리고』에 대한 비평에서도 그것은 매우 두드러졌죠. 하지만 따지고 보면 그런 그의 논지를 뒷받침하는 것은 문학원론('낯설게 하기')에 지나지 않습니다. 따라서 그를 비판하는 우리 역시 그 근거로 문학원론을 들고 나오는 것은 골계가 될 것입니다. 따라서 우리는 '그가 옹호하는 그녀들'이 역사나 현실을 제거했다는 사실 자체를 문제삼기보다는(이런 식으로 비판하는 것은 단순화를 면하기 힘듭니다), 대신에 역사와 현실이 제거된 곳에 그녀들이 무엇을 세웠는가를 봐야 할 것입니다. 소설은 공백을 허용하는 문학 장르가 아니니까요. 그렇다고 했을 때, 우리의 눈을 끄는 것은 자그마한 소재들과 상징물입니다.

위에서 언급한 것처럼 『백의 그림자』는 전자상가를 둘러싼 사회적 배경과 갈등은 애써 제거하는 대신에 동의 가, 나, 다, 라에 집착하고 서랍의 잡동사니 하나하나를 집요하게 나열할 뿐만 아니라 조개의 종류까지도 지면은 충분하다는 듯이 나열합니다(이런 것들을 구체적으로 쓰기 위해 아마 작가는 나름대로 조사를 했을 것입니다). 그리고 몇 가지 상징적 인물이나 소재 또는 에피소드에 큰 의미를 부여합니다. 예컨대 전구가게 '오사무'에 대한 이야기나 가마와 슬럼, 혜성, 마트료시카 인형을 둘러싼 대화가 그렇습니다(아마 독자들은 이런 것이 기억에 남을 것입니다). 그런데 이렇게 되면, 소설의 서사성은 주변적인(국부적인) 것으로 해체될 수밖에 없습니다. 작품이야 뭐 그렇게 씌어졌다고 합시다. 문제는 반대편에 있으니까요.

문학평론가라는 종족은 이런 세부들로 이루어진 소설을 보면 뭔가 대단한 비평꺼리라도 발견한 것처럼 생각하는 것 같습니다.

확실히 명확한 줄거리 위주로 굴러가는 소설보다야 개입의 여지가 큰 것은 사실입니다. 하지만 여기서의 '여지'라고 하는 것도 비평가에게는 결국 정리되어야(해석되어야) 할 대상에 다름 아니라고 했을 때, 즉 비평가의 강박관념(주제를 추출해야 한다)은 더욱 강해질 뿐, 비평 자체에 어떤 영향을 주는 것은 아니죠. 사실 이런 강박관념은 '비평가의 운명'이라 할 수 있으니, 뭐 비판받아야 하는 것은 아닙니다.

문제는 이런 식으로 작품에 접근할 경우, 정작 작품에 대한 가치평가는 뒤로 밀리고, 비평가의 재능에 따른 그럴싸한 의미부여의 성공 여부를 해당 작품의 성공으로 착각하는 위험에 빠지기 쉽다는 것입니다. "작가가 왜 이렇게 썼는가?", "말하고자 하는 게 도대체 뭐지?"에 지나치게 민감하게 반응할 경우 비평가는 '의도의 오류'로부터 자유로울 수 없습니다. 물론 이는 경계한다고 해서 되는 것은 아닙니다. 더구나 한국에서 좋은 비평가가 된다는 것은 바로 그것을 감수하는 것이기도 하니까요.

정리하자면, 황정은의 소설과 신형철 비평이 보여주고 있는 앙상블을 보고 있노라면, 여러 가지 생각들이 오갑니다. 그것은 한편으로 촉망받는 한 젊은 한국소설가의 수준에 대한 것이기도 하고, 다른 한편으로는 그것을 정당화하는 한 논리의 정당성에 관한 것이기도 합니다. 이미 위에서 드러난 것처럼 저는 『백의 그림자』가 뛰어난 작품이라는 것에 회의적인 입장을 취할 수밖에 없습니다. 그리고 그것은 한 뛰어난 비평가의 의무감으로 해소되기커녕 더욱 확고해질 뿐입니다.

주지하다시피 신형철 비평의 핵심어는 '에티카(윤리)'입니다. 그러나 그것은 엄밀히 말해 윤리학과는 무관한 수사적 개념에 가깝습니다. 그는 '몰락의 에티카'를 이야기하지만, 그가 자신의 비평을 통해 보여주는 것은 '에티카의 몰락'에 다름 아닙니다. 왜냐하면 그의 에티카는 항상 문학일반으로 수렴된다는 점에서 그가 말하는 '몰락'이란 결국 '낯설게 하기' 이상의 의미를 담지하고 있지 않기 때문입니다. 이런 '에티카의 문학화', 이를 저는 '에티카의 몰락'이라고 표현하고 싶은데, 그것은 곧 '문학에 갇힌 윤리'를 가리킨다 하겠습니다. 그런데 만약 '비평가의 윤리'라는 것이 존재한다면, 바로 이런 몰락을 거부하는 데에서 출발하는 것은 아닐까요?

덧붙임

이 글을 쓰고 나서 저는 『백의 그림자』에 대한 문단의 평가가 의외로 좋으며, 또 얼마 전에는 한국일보문학상까지 받았다는 사실을 알게 되었습니다. 이런 평가들이 작품 자체에서 나온 것인지 작가에 대한 호감에서 나온 것인지는 알 수 없지만, 어쨌든 분명한 것은 『백의 그림자』가 (신형철의 표현처럼 '일대 사건'인지 어떤지에 대해서는 일단 보류한다 하더라도) 한국문단의 폭넓은 인정을 받고 있다는 사실입니다.

저는 이를 신형철과 관련하여 두 가지 측면에서 생각할 수 있다고 봅니다. 먼저 신형철이 가졌던 '의무감'에 대해서입니다. 그의 말처럼 『백의 그림자』가 쉽게 무시되고 오해될(즉 그를 포함하여 극소수의 사람만 감지할 수 있는 '어떤 새로움이나 장점'을 가진) 작품이었다면, 아마 문단으로부터 이처럼 폭넓은 인정을 받지 못했을 것입니다. 하지만 결과론적으로 보았을 때, 이 소설은 결코 무시당하지도 오해당하지 않은 것 같습니다. 사정이 이러하다면, 황정은의 흑기사를 자처한 신형철의 태도는 결국 수사학적인 것에 불과했다는 의

비평의 멜랑콜리

심을 갖지 않을 수 없습니다.

하지만 우리는 이를 반대로 생각해 볼 수도 있습니다. "실제 이 작품은 무시되고 오해되었을지도(저평가되었을지도) 모른다, 만약 그의 해설이 없었다면……"이라고 말입니다. 물론 이런 가정이 얼마나 설득력이 있는지 섣불리 판단할 순 없지만, 만약 거기에 일말의 진실이 존재한다면, 그것은 신형철 비평이 가진 힘을 잘 보여준다 하겠습니다. 그렇다면, 과연 어느 쪽이 더 타당할까요? 『백의 그림자』를 뛰어난 작품이라고 생각하지 않는 저에게 이런 물음은 의미가 없습니다. 따라서 이는 순전히 그와 똑같이 『백의 그림자』를 높이 평가하는 비평가들이 답변해야 할 문제라 하겠습니다.

또 전해들은 이야기지만, 황정은은 하루키 소설을 거의 읽지 않았을 뿐만 아니라, 카프카 소설도 단편 몇 개를 제외하고 읽은 게 거의 없다고 합니다. 하지만 그런 '사실관계'가 제 논의를 부정할 수는 없다고 생각합니다. 왜냐하면 제가 제기한 문제는 '영향관계'가 아니기 때문입니다. 따라서 저는 도리어 이렇게 말하고 싶습니다. "그렇다면, 도대체 무엇을 읽고 소설가가 되었단 말인가?" 직접 만나서 이야기를 해 본 적이 없기 때문에 잘 알 수는 없지만, 여기서 확실히 이야기드릴 수 있는 것은 다음과 같습니다. "만약 그녀가 카프카나 하루키를 열심히 읽고 연구했다면, 아마 『백의 그림자』보다는 훨씬 더 나은 작품을 쓸 수 있었을 것이다. 작가가 두려워해야 하는 것은 영향이 아니라 게으름이다." 圖

조영일

1973년생. 문학평론가. 저서에 『가라타니 고진과 한국문학』, 역서에 『근대문학의 종언』 등이 있음. esthlos@hanmail.net

이별의 별자리는 남쪽으로 흐른다

몽골에서 보낸 네 철

박태일 | 18,000원 | 국판(양장) | 452쪽 | 도서출판 경진

**장소를 노래하는 시인 박태일,
몽골의 일상과 풍경을 한 권의 추억으로 엮어내다**

시인 박태일이 2006년 2월부터 2007년 1월까지 1년 동안 몽골에 머물면서 겪었던 나들이 기록. 1부에서는 몽골에서의 일상, 2~6부에서는 몽골의 수도 울랑바트르의 근교와 동서남북 지역을 여행한 기록을, 7부에서는 1년간의 생활을 정리하는 글을 실었다.

몽골에서 생활을 하면서 겪었던 에피소드와 몽골의 각 지역을 여행하면서 보고 느낀 감상을 시인의 눈으로 쓴 글은 마치 한 편의 긴 산문시를 보는 것과 같은 감흥을 선사한다. 특히 몽골의 사람과 자연을 꾸밈없이 드러낸 사진을 보고 있노라면 몽골에 와 있다는 느낌이 든다.

이제 내 앞으로 동몽골 초원이 놓였다. 가슴 두근거리는 일이다. 수호바트르 아이막 소재지인 바롱우르트까지 191킬로미터, 거기서 동몽골 초원 맨 밑자리, 숱한 화산 오름과 불을 물처럼 능숙하게 다루는 다리강가 사람의 성산 실린벅뜨까지 200킬로미터를 마냥 달려 볼 생각이다. 바람과 비, 눈과 구름 말고는 그 무엇도 손대지 않은 몽골의 가슴이며 튼튼한 심장인 동몽골 초원, 나는 그 안으로 와락 몸을 던졌다.

- 「처이발승의 처이발승」 가운데서

펴낸곳 도서출판 경진 | **등록** 제2010-000004호 | **주소** 경기도 광명시 소하동 1272번지 우림필유 101-212
블로그 http://kyungjinmunhwa.tistory.com | **이메일** wekorea@paran.com

공급처 (주)글로벌콘텐츠출판그룹 | **주소** 서울특별시 강동구 길동 349-6 정일빌딩 401호 | **전화** 02-488-3280 | **팩스** 02-488-3281

박재삼

김춘수

유치환

천상병

이형기

이육사

구 상

박목월

이호우

이상화

조지훈

추억의 詩, 여행에서 만나다

양병호 외 | 15,000원 | 크라운판 | 304쪽 | 도서출판 경진

시를 주제로 한 여행에세이

커피 마니아들이 카페 투어를 하듯 한 손에는 카메라, 한 손에는 시집을 들고 시인의 과거로 떠난다. 시인의 생가와 고향의 정취, 이 시대가 재현해 낸 시인들의 발자취가 녹아들어 사진 하나하나에 뜨거운 숨결이 느껴진다. 교사와 연구자라는 지위를 벗어던지고 시와 독자를 행복하게 만나도록 해주는 중매인이라 자칭한 그들의 여행이야기가 시작된다.

펴낸곳 도서출판 경진 | **등록** 제2010-000004호 | **주소** 경기도 광명시 소하동 1272번지 우림필유 101-212
블로그 http://kyungjinmunhwa.tistory.com | **이메일** wekorea@paran.com
공급처 (주)글로벌콘텐츠출판그룹 | **주소** 서울특별시 강동구 길동 349-6 정일빌딩 401호 | **전화** 02-488-3280 | **팩스** 02-488-3281

정기구독 신청 안내

정기구독은

2년을 기준으로 48,000원입니다.

정기구독을 신청하시는 분께는

저희 (주)글로벌콘텐츠출판그룹(글로벌콘텐츠, 세림출판, 도서출판
경진, 작가와비평, 컴원미디어, 글모아출판, 한국행정DB센타 등)에
서 발행하는 전 도서를 25% 할인해드립니다.

정기구독 신청은

《작가와비평》홈페이지(http://user.chol.com/~writercritic) 정기
구독 신청란을 이용하시거나, 전화번호 02-488-3280으로 하시면
됩니다. 받으실 분의 이름과 연락처 구독기간을 이메일이나 전화로
알려주시기 바랍니다. 입금할 금액과 입금계좌 등은 전화나 홈페
이지를 통해 알 수 있습니다.

입금계좌	799501-04-111142(국민은행, 예금주: 홍정표)
주 소	134-010 서울시 강동구 길동 349-6 정일빌딩 401호
전 화	02-488-3280　　　　**팩 스**　02-488-3281
이 메 일	wekorea@paran.com(양정섭)

새벽빛에 서다

박태일 | 13,800원 | 국판변형(양장) | 336쪽 | 작가와비평

시인 박태일이 시가 아닌 줄글로 세상과 소통했던 자취들을 모아 엮다.
산은 스스로 뜻을 세우지 않는다.
그 산에 몸과 마음을 빼앗긴 이들이 제 삶의 고달픔과 꿈을 거기서 읽어 낼 뿐이다.

펴낸곳 **작가와비평** | 등록 제2010-000004호 | **주소** 경기도 광명시 소하동 1272번지 우림필유 101-212
블로그 http://wekorea.tistory.com | **이메일** wekorea@paran.com
공급처 (주)글로벌콘텐츠출판그룹 | **주소** 서울특별시 강동구 길동 349-6 정일빌딩 401호 | **전화** 02-488-3280 | **팩스** 02-488-3281

최강민 | 18,000원 | 신국판 | 352쪽 | 작가와비평

결국 나의 글은 대립각을 세우며 불화하는 비공감의 비평이었다

비공감의 미학

최강민 평론집

저자는 2000년대 이후 문단 주류의 문학과 적자생존의 신자유주의 체제에 공감할 수 없었다.
이번 평론집은 문단과 세계를 지배하는 주류의 패러다임과 대립각을 세우며 불화하는
비공감의 입장에서 쓰여진 글들이다. 주제비평, 메타비평, 작가론, 작품론 등 다양하게 구성되어 있다.

작가와비평 | http://user.chol.com/~writercritic

작가와비평 | 2010년 하반기 통권 제12호 | 2010년 12월 30일 발행 | 값 12,000원

12
9 772005 375001
ISSN 2005-3754

VOL
13
2011 상반기

작가와 비평

Writer and Criticism

작가와비평

European Literature Odyssey

유럽문학을 읽다!! 고전에서 현대작품까지

유럽문학 오디세이

김정자 | 2011.03.30 | 13,500원 | 신국판 | 332쪽 | 작가와비평

지식과 생각과 느낌을 동원해 쉽게 풀어 쓴 명작해설서!

유럽의 명작 읽기!!!

오늘날 책읽기는 왜 더 중요해지는가? 책읽기는 우리에게 많은 복합적 지식을 쌓게 하고, 그것을 바탕으로 다양한 상상력과 비판력을 길러주며 동시에 창의적 문제 해결에 이르게 한다. 이 책은 필자 나름대로 명작들을 이해하는 몇 가지 방식들이 뒤섞여 어우러진 직업적 강의록이자 취미활동의 독서록이다. 유럽문학의 출발인 그리스에서부터 중세 유럽의 중심 문학권인 영국, 프랑스, 독일, 그리고 현대에 이르기까지의 그들 나라의 문학작품들을 문학사의 흐름에 따라 엮어 문학의 상호 수용성과 시대적 배경, 학문적 체계와 사유방식, 그리고 우리나라 문학에 끼친 영향까지 두루 알 수 있을 것이다.

펴낸곳 작가와비평 | **등록** 제2010-000004호 | **주소** 경기도 광명시 소하동 1272번지 우림필유 101-212
블로그 http://wekorea.tistory.com | **이메일** wekorea@paran.com

공급처 (주)글로벌콘텐츠출판그룹 | **주소** 서울특별시 강동구 길동 349-6 정일빌딩 401호 | **전화** 02-488-3280 | **팩스** 02-488-3281